Jedyna historia

JULIAN BARNES
Jedyna historia

Z angielskiego przełożyła
DOMINIKA LEWANDOWSKA-RODAK

Świat Książki
wydawnictwo

Tytuł oryginału
THE ONLY STORY

Wydawca
Grażyna Woźniak
Jacek Fronczak

Redaktor prowadzący
Katarzyna Krawczyk

Redakcja
Jan Jaroszuk

Korekta
Agnieszka Wójcik
Sylwia Ciuła

Copyright © Julian Barnes 2018
Copyright © for the Polish translation
by Dominika Lewandowska-Rodak, 2018

Wydawnictwo Świat Książki
02-103 Warszawa, ul. Hankiewicza 2

Warszawa 2018

Księgarnia internetowa: swiatksiazki.pl

Łamanie
Piotr Trzebiecki

Druk i oprawa
Opolgraf S.A.

Dystrybucja
Firma Księgarska Olesiejuk sp. z o.o.
05-850 Ożarów Mazowiecki, ul. Poznańska 91
e-mail: hurt@olesiejuk.pl tel. 22 733 50 10
www.olesiejuk.pl

ISBN 978-83-8031-241-8
Nr 90090433

Hermione

Powieść: opowiastka, zazwyczaj o miłości.

Samuel Johnson, *A Dictionary of the English Language* (1755)

I

Wolelibyście kochać bardziej i bardziej cierpieć czy mniej kochać i mniej cierpieć? Oto, jak sądzę, ostatecznie, jedyne rzeczywiste pytanie.

Możecie zauważyć – słusznie – że w rzeczywistości nie ma takiego pytania. Bo nie mamy wyboru. Gdybyśmy mieli wybór, wtedy istniałoby pytanie. Ale nie mamy, więc nie istnieje. Kto potrafi zapanować nad tym, jak bardzo kocha? Jeśli możesz nad tym panować, wtedy to nie jest miłość. Nie wiem, jak należałoby określić ten stan, ale to nie jest miłość.

Większość z nas ma do opowiedzenia tylko jedną historię. Nie chcę przez to powiedzieć, że w życiu przydarza nam się tylko jedna rzecz: jest niezliczenie wiele wydarzeń, które obracamy w niezliczenie wiele historii. Ale tylko jedna się liczy, tylko jedną naprawdę warto opowiadać. Oto moja.

Ale tu pojawia się pierwszy problem. Jeśli to twoja jedyna historia, to właśnie ją najczęściej opowiadałeś i powtarzałeś, choćby – jak w tym przypadku – głównie sobie samemu. Rodzi się więc pytanie: czy te wszystkie powtórzenia przybliżają cię do prawdy o tym, co się wydarzyło, czy też cię od niej oddalają? Nie jestem pewien. Jednym sprawdzianem może być stwierdzenie, czy z upływem lat wypadasz w swojej opowieści lepiej, czy gorzej. Jeśli wypadasz gorzej, być może jesteś bliższy prawdy. Z drugiej strony, istnieje niebezpieczeństwo, że popadasz w retrospektywny antyheroizm: może przedstawianie swojego postępowania jako gorsze, niż w rzeczywistości było, to forma samochwalstwa. Będę więc musiał zachować ostrożność. Cóż, z upływem lat nauczyłem się zachowywać ostrożność. Jestem teraz tak ostrożny, jak wówczas byłem nieostrożny. Czy może niefrasobliwy? Czy jednemu słowu mogą odpowiadać dwa słowa przeciwstawne?

Czas, miejsce, środowisko społeczne? Nie wiem, jak ważne są w historiach o miłości. Może dawniej, u klasyków, gdzie toczą się walki między miłością a obowiązkiem, miłością a religią, miłością a rodziną, miłością a państwem. To nie jest taka historia. Niemniej – skoro nalegacie. Czas: ponad pięćdziesiąt lat temu. Miejsce: jakieś dwadzieścia kilometrów na południe od Londynu. Środowisko: tak zwana dzielnica maklerów – nie żebym przez wszystkie spędzone tam lata jakiegoś spotkał. Domy wolno stojące, niektóre z muru pruskiego, inne o ścianach wyłożonych płytkami. Żywopłoty z ligustru, wawrzynu i buczyny. Drogi z rynsztokami, jeszcze niepocięte żółtymi liniami i zatokami do parkowania dla mieszkańców. W tamtych czasach można było pojechać do Londynu i zaparkować prawie wszędzie.

Nasz kawałek przedmieścia nosił wdzięczne miano „Wioska" i może kilkadziesiąt lat przedtem nią był. Teraz była tam stacja kolejowa, z której od poniedziałku do piątku, a czasem też na pół soboty mężczyźni w garniturach jeździli do Londynu. Był przystanek autobusów Green Line; przejście dla pieszych wyposażone w światła ostrzegawcze; poczta; kościół niezbyt oryginalnie noszący imię Świętego Michała; pub, sklep wielobranżowy, apteka, fryzjer; stacja benzynowa, gdzie dokonywano też drobnych napraw samochodów. Rano było słychać przenikliwe wycie pojazdów rozwożących mleko – do wyboru Express i United Dairies; wieczorem i w weekendy (choć nigdy w niedzielne poranki) warkot kosiarek spalinowych.

Na trawniku odbywały się głośne amatorskie rozgrywki krykieta; było pole golfowe i klub tenisowy. Gleba była na tyle piaszczysta, że zadowalała ogrodników; londyńska glina nie sięgała tak daleko. Niedawno zostały otwarte delikatesy z rewolucyjną zdaniem niektórych ofertą europejskich przysmaków: wędzonych serów i guzowatych kiełbasek dyndających w siatkach jak ośle kutasy. Ale co młodsze żony zaczynały gotować odważniej, a ich mężowie zazwyczaj przyjmowali to z aprobatą. Z dwóch dostępnych kanałów telewizyjnych BBC oglądano częściej niż ITV, a alkohol zwykle pijało się tylko w weekendy. W aptece można było dostać plastry na kurzajki i suchy szampon w małych plastikowych butelkach, ale nie środki antykoncepcyjne; w sklepie wielobranżowym sprzedawano arcynudną lokalną „Advertiser & Gazette", ale nikt nie uświadczył nawet najgrzeczniejszego świerszczyka. Po artykuły erotyczne trzeba było jechać do Londynu. Przez większość czasu, który tam spędziłem, to wszystko mi nie przeszkadzało.

No dobrze, wystarczy tego odgrywania agenta nieruchomości (prawdziwą agencję mieliśmy piętnaście kilometrów od domu). I jeszcze jedno: nie pytajcie mnie o pogodę. Słabo pamiętam, jaka była za mojego życia. Choć prawda – pamiętam, jak gorące słońce zwiększało atrakcyjność seksu; jak nagły opad śniegu budził radość, a zimne wilgotne dni wywoływały wczesne objawy, które ostatecznie doprowadziły do wymiany obu stawów biodrowych. Ale nic istotnego w moim życiu nie wydarzyło się podczas ani tym bardziej z powodu szczególnych zjawisk pogodowych. Jeśli więc pozwolicie, meteorologia nie będzie odgrywać w tej historii żadnej roli. Choć możecie oczywiście wydedukować, że kiedy gram w tenisa na trawie, nie pada ani deszcz, ani śnieg.

Klub tenisowy: kto by pomyślał, że wszystko się tam zaczęło? Jako nastolatek uważałem to miejsce jedynie za oddział Młodych Konserwatystów pod gołym niebem. Miałem rakietę i trochę grywałem, podobnie jak umiałem rzucić kilka niezłych off-spinów, a jako bramkarz wykazać się rzetelnością, choć niekiedy i lekkomyślnością. W sporcie lubiłem rywalizację, przy czym nie byłem przesadnie uzdolniony.

Po pierwszym roku na uniwersytecie spędzałem trzy miesiące w domu, wyraźnie i nieskruszenie znudzony. Tym, którzy dziś mają tyle lat co ja wówczas, trudno będzie sobie wyobrazić, ile kłopotu sprawiała wtedy komunikacja. Większość moich przyjaciół mieszkała daleko, a – zgodnie z niewypowiedzianym, choć jasnym rodzicielskim przykazaniem – korzystanie z telefonu nie było wskazane. List, a potem odpowiedź na niego. To wszystko trwało długo i usposabiało do samotności.

Moja matka, być może licząc, że poznam jakąś miłą jasnowłosą Christine lub Virginię o żywym usposobieniu i czarnych lokach – tak czy owak dziewczynę o porządnych, choć nie nadmiernie wyrazistych konserwatywnych poglądach – zasugerowała, że mógłbym zapisać się do klubu tenisowego. Nawet by mi go opłaciła. Świadomy jej intencji, zaśmiałem się bezgłośnie: za nic na świecie nie zamierzałem skończyć na przedmieściach z grającą w tenisa żoną i dwojgiem i czterema dziesiątymi dzieci i oglądać, jak one też grają z kolegami w klubie, i tak dalej, podążać wypełnioną echem amfiladą luster ku niekończącej się ligustrowo-wawrzynowej przyszłości. Decyzji, by przyjąć propozycję matki, przyświecał wyłącznie duch satyry.

Poszedłem tam i zaproszono mnie do „gry". Był to test, który w godny angielski sposób pozwalał dyskretnie sprawdzić nie tylko moje umiejętności, lecz także ogólne obycie i przystosowanie społeczne. Jeśli nie przejawię cech negatywnych, zostanie przyjęte, że wykazuję cechy pozytywne: tak to działało. Matka zadbała, by mój biały strój był uprany, a kanty w spodenkach wyraźne i równe; przykazałem sobie, żeby na korcie nie przeklinać, nie bekać ani nie puszczać bąków. W mojej grze widać było dużo pracy nadgarstkiem, optymizmu i samouctwa; grałem tak, jak tego oczekiwano, unikając chamskich zagrywek, które sprawiały mi największą przyjemność, i nigdy nie celując w ciało przeciwnika. Serw, siatka, uderzenie z woleja, drugie uderzenie z woleja, dropszot, lob przy jednoczesnym komplemencie pod adresem przeciwnika – „Genialnie!" – i odpowiedniej trosce o partnera – „Moja!". Po dobrym uderzeniu byłem skromny, po wygranym gemie – pełen cichego zadowolenia, po stracie seta – smętnego niedowierzania. Potrafiłem zagrać to wszystko i tak zostałem przyjęty na sezon letni, dołączając do grających przez cały rok Hugonów i Caroline.

Hugonowie lubili mi mówić, że podniosłem średnią klubowego IQ, obniżając zarazem średnią wieku; któryś upierał się, żeby nazywać mnie Mądralą i Herr Profesorem, w zręcznym nawiązaniu do ukończonego przeze mnie jednego roku na Uniwersytecie Sussex. Caroline odnosiły się do mnie dość przyjaźnie, acz z rezerwą; lepiej wiedziały, czego się spodziewać po Hugonach. Wśród tej braci czułem, jak uchodzi ze mnie wrodzony duch rywalizacji. Starałem się zagrywać jak najlepiej, ale zwycięstwo mnie nie interesowało. Praktykowałem nawet oszukiwanie na swoją niekorzyść. Jeśli piłka znalazła się na kilkucentymetrowym aucie, w biegu podnosiłem kciuk i krzyczałem: „Genialnie!". Podobnie, kiedy serwis trafiał parę centymetrów za linię serwisową lub środkową, reagowałem powolnym skinieniem głowy i równie powolnym przejściem na drugą stronę kortu, żeby odebrać kolejny. Kiedyś usłyszałem, jak jeden Hugo przyznał drugiemu: „Równy gość z tego Paula". Kiedy po porażce przeciwnika ściskaliśmy sobie dłonie, celowo chwaliłem jakiś aspekt jego gry. „Ten niesamowity serwis na bekhend sprawił mi sporo kłopotów", przyznawałem otwarcie. Miałem tam spędzić tylko parę miesięcy i nie chciałem, by mnie poznano.

Po jakichś trzech tygodniach mojego tymczasowego członkostwa odbywał się turniej par mieszanych. Pary dobierano w drodze losowania. Pamiętam, że później pomyślałem: los to inaczej przeznaczenie, czyż nie? Zostałem partnerem pani Susan Macleod, która wyraźnie nie należała do gatunku Caroline. Miała, jak przypuszczałem, czterdzieści kilka lat, włosy wiązała wstążką, tak że odsłaniały uszy, których wtedy nie zauważyłem. Do tego biała sukienka do tenisa z zieloną lamówką i rzędem zielonych guzików na stanie z przodu. Susan Macleod była niemal dokładnie mojego wzrostu, to znaczy miała metr siedemdziesiąt pięć, gdy kłamiąc, dodaję sobie parę centymetrów.

– Którą stronę wolisz? – spytała.
– Stronę?
– Forhend czy bekhend?
– Przepraszam. W gruncie rzeczy wszystko mi jedno.
– W takim razie zacznij od forhendu.
Pierwszy mecz – jeden set, którego przegranie oznaczało eliminację – graliśmy przeciw jakiemuś

grubszemu Hugonowi i bardziej przysadzistej Caroline. Truchtałem tam i z powrotem, uznając, że do mnie należy przyjmowanie większości piłek; i początkowo, kiedy byłem przy siatce, rzucałem za siebie okiem, by zobaczyć, jak radzi sobie moja partnerka oraz czy i jak piłka wraca. Ale piłka zawsze wracała, łagodnie odbijając się od kortu, więc przestałem się oglądać, rozluźniłem się i poczułem, że naprawdę bardzo chcę wygrać. Czego też dokonaliśmy, 6:2.

Kiedy usiedliśmy ze szklankami wody jęczmiennej z sokiem cytrynowym, powiedziałem:

– Dzięki za uratowanie mi tyłka.

Miałem na myśli wszystkie te sytuacje, kiedy to rzucałem się przy siatce, żeby przejąć piłkę, po czym nie trafiałem, czym tylko przeszkadzałem pani Macleod.

– Zwykle mówi się: „Dobra robota, partnerko" – powiedziała, spoglądając szaroniebieskimi oczami i spokojnie się uśmiechając. – I spróbuj serwować trochę szerzej. To otwiera kąty.

Skinąłem głową, przyjmując tę poradę i nie odbierając jej jako ciosu w moje ego, co miałoby miejsce, gdyby udzielił jej któryś Hugo.

– Coś jeszcze?

– W deblu najczulszym punktem jest środek.

– Dziękuję, pani Macleod.

– Susan.

Usłyszałem, jak mówię:

– Cieszy mnie, że nie jesteś Caroline.

Zachichotała, jakby doskonale wiedziała, co mam na myśli. Ale jak to możliwe?

– Czy twój mąż też gra?

– Mój mąż? Pan S.P.? – Roześmiała się. – Nie. Woli golfa. Moim zdaniem to zupełnie niesportowe uderzać w piłkę, która się nie porusza. Zgodzisz się?

W tej odpowiedzi było za dużo treści, bym mógł ją tak na poczekaniu przeanalizować, skinąłem więc głową i wydałem cichy pomruk.

Drugi mecz był trudniejszy, przeciwko parze, która raz po raz przerywała grę i odbywała ciche narady taktyczne, jakby przygotowywali się do ślubu. Kiedy pani Macleod serwowała, zacząłem uciekać się do taniego podstępu: kucałem poniżej siatki, niemal na linii środkowej, chcąc w ten sposób zdekoncentrować odbierającego. Parę punktów nam to przyniosło, ale przy stanie 30:15, po usłyszeniu serwisu, wyprostowałem się za szybko i piłka uderzyła mnie prosto w tył głowy. Zachwiałem się melodramatycznie i osunąłem po siatce na kort. Caroline i Hugo podbiegli, okazując troskę; tymczasem z tyłu rozległ się wybuch śmiechu i dziewczęce „Powtórzymy net?", na co nasi przeciwnicy naturalnie się nie zgodzili. Niemniej fuksem udało nam się wygrać 7:5 i weszliśmy do ćwierćfinału.

– Teraz będą kłopoty – ostrzegła mnie. – Ci startują w turniejach o mistrzostwo hrabstwa. Dni świetności mają już za sobą, ale i tak nie dadzą nam nic za darmo.

I nie dali. Mimo mojego truchtania zostaliśmy wyraźnie pokonani. Kiedy starałem się chronić środek kortu, piłka trafiała w linię boczną; kiedy osłaniałem kąty, spadała na linii środkowej. Dwa gemy, które udało nam się wygrać, to wszystko, na co zasłużyliśmy.

Usiedliśmy na ławce i włożyliśmy rakiety do prasek. Ja miałem dunlop maxply; ona gray's.

– Przepraszam, że cię zawiodłem – powiedziałem.

– Nikt nikogo nie zawiódł.

– Wydaje mi się, że moim problemem może być taktyczna naiwność.

Tak, moje słowa były nieco pompatyczne, ale mimo to jej chichot mnie zaskoczył.

– Ciekawy z ciebie *casus* – powiedziała. – Będę musiała mówić ci Casey.

Uśmiechnąłem się. Podobało mi się, że ciekawy ze mnie *casus*.

Kiedy rozchodziliśmy się pod prysznice, powiedziałem:

– Podwieźć cię? Mam samochód.

Spojrzała na mnie z ukosa.

– Cóż, gdybyś nie miał samochodu, nie chciałabym, żebyś mnie podwoził. To byłoby bez sensu. – Powiedziała to w taki sposób, że nie mogłem poczuć się urażony. – Ale co z twoją reputacją?

– Moją reputacją? – spytałem. – Chyba nie mam takiej.

– Ojej. W takim razie musimy ci ją sprawić. Każdy młody człowiek powinien mieć reputację.

Kiedy to spisuję, wszystko wydaje się bardziej świadome, niż było wtedy. Wówczas „do niczego nie doszło". Zawiozłem panią Macleod do jej domu na Deckers Lane, wysiadła, a ja pojechałem do siebie i w skrócie opowiedziałem rodzicom, co wydarzyło się po południu. Turniej deblowy. Pary dobierane w drodze losowania.

– No, Paul, ćwierćfinał – powiedziała matka. – Gdybym wiedziała, przyszłabym popatrzeć.

Zdałem sobie sprawę, że to ostatnie w dziejach świata, czego chcę czy kiedykolwiek bym chciał.

Może zrozumieliście trochę za szybko; nie mogę was za to winić. Mamy zwyczaj każdy nowo napotkany związek przyporządkowywać do istniejącej już kategorii. Widzimy, co jest w nim ogólne lub powszechnie spotykane; podczas gdy jego uczestnicy widzą – czują – tylko to, co jest dla nich szczególne i wyjątkowe. Mówimy: jakież to przewidywalne; oni zaś: co za niespodzianka! Jedna z myśli, jakie miałem odnośnie do Susan i do siebie – wtedy i teraz ponownie, po tych wszystkich latach – dotyczyła tego, że dla naszego związku często brakowało słów; a przynajmniej właściwych słów. Ale może to złudzenie, któremu ulegają wszyscy zakochani: że wymykają się zarówno kategoriom, jak i opisom.

Mojej matce oczywiście nigdy nie brakowało słów. Jak powiedziałem, odwiozłem panią Macleod do domu i do niczego nie doszło. A potem znowu, i znowu. Tyle że wszystko zależy od tego, co się rozumie przez „nic". Nie było dotyku ani pocałunku, ani słowa, nie mówiąc już o spisku czy planie. Ale już w tym, jak siedzieliśmy w samochodzie, zanim śmiejąc się, powiedziała kilka słów i wysiadła, by przemierzyć swój podjazd, było pewne porozumienie. Podkreślam, że nie było to jeszcze porozumienie, by coś zrobić. Jedynie porozumienie, które czyniło mnie trochę bardziej mną, a ją trochę bardziej nią.

Gdyby powstał jakiś spisek albo plan, zachowywalibyśmy się inaczej. Może spotkalibyśmy się potajemnie albo ukrywali swoje intencje. Ale byliśmy niewinni; toteż zdumiało mnie, kiedy matka, w czasie ogłupiająco nudnej kolacji, zwróciła się do mnie:

– A więc zostaliśmy taksówkarzem?

Spojrzałem na nią skonsternowany. To matka zawsze mnie pilnowała. Ojciec był łagodniejszy, mniej krytyczny. Wolał poczekać, aż wszystko rozejdzie się po kościach, nie wywoływać wilka z lasu, nie mieszać; a matka starała się stawiać czoło faktom i nie zamiatać niczego pod dywan. Małżeństwo rodziców, w moich bezlitosnych dziewiętnastoletnich oczach, było koszmarnym banałem. Choć jako krytyk muszę przyznać, że „koszmarny banał" sam w sobie jest banałem.

Ale ja nie zamierzałem być banałem, a przynajmniej nie na tak wczesnym etapie życia, i w związku z tym posłałem matce otwarcie wojownicze spojrzenie.

– Jak będziesz tak ciągle woził panią Macleod, to utyje – rozwinęła nieuprzejmie swoją pierwotną myśl.

– Nie utyje, skoro tak dużo gra w tenisa – odparłem swobodnie.

– Pani Macleod – ciągnęła. – Jak ma na imię?

– Nie wiem – skłamałem.

– Znasz Macleodów, Andy?

– W klubie golfowym jest jakiś Macleod – odparł ojciec. – Niski gruby gość. Uderza w piłkę, jakby jej nienawidził.

– Może powinniśmy zaprosić ich na sherry.

Skrzywiłem się na tę myśl, a ojciec powiedział:

– Chyba nie ma takiej potrzeby, prawda?

– Tak czy owak – ciągnęła uparcie matka – myślałam, że ona ma rower.

– Nagle zdaje się, że sporo o niej wiesz – powiedziałem.

– Nie bądź impertynentem, Paul. – Zaczerwieniła się.

– Zostaw chłopaka w spokoju, Bets – powiedział cicho ojciec.

– To nie ja powinnam zostawić go w spokoju.

– Czy mogę już sobie pójść, mamusiu? Proszę – zajęczałem jak ośmiolatek.

Cóż, skoro zamierzają traktować mnie jak dziecko...

– Może rzeczywiście powinniśmy zaprosić ich na sherry.

Nie potrafiłem powiedzieć, czy ze strony ojca to przejaw tępoty, czy figlarnej ironii.

– Nie zaczynaj i ty – powiedziała ostro matka. – On nie ma tego po mnie.

Poszedłem do klubu tenisowego następnego popołudnia i kolejnego. Kiedy zacząłem wymachiwać rakietą z dwiema Caroline i Hugonem, zauważyłem Susan, która grała na dalszym korcie. Póki miałem ją za plecami, wszystko było w porządku. Ale gdy spojrzałem za moich przeciwników i zobaczyłem, jak kołysze się lekko na placach stóp, czekając na serw z drugiej strony, straciłem bezpośrednie zainteresowanie kolejnym punktem.

Później proponuję, że ją podwiozę.

– Tylko jeśli masz samochód.

Mamroczę coś w odpowiedzi.

– Szto, panie Casey?

Stoimy zwróceni do siebie. Jednocześnie czuję się skrępowany i swobodny. Ona ma na sobie tę samą sukienkę do gry w tenisa co zwykle i łapię się na rozmyślaniu, czy te zielone guziki się rozpinają, czy też służą jedynie za ozdobę. Nigdy nie spotkałem nikogo takiego jak ona. Nasze twarze znajdują się na tej samej wysokości, nos w nos, usta w usta, ucho w ucho. Jest oczywiste, że ona też to zauważa.

– Gdybym była w butach na obcasach, patrzyłabym nad siatką – mówi. – A tak patrzymy sobie w oczy.

Nie mogę dojść, czy jest pewna siebie, czy zdenerwowana; czy zawsze jest taka, czy tylko przy mnie. Jej słowa sprawiają wrażenie kokieteryjnych, ale wtedy się takie nie wydawały.

Złożyłem dach mojego kabrioletu Morris Minor. Skoro zostałem cholernym taksówkarzem, nie widzę powodu, aby cholerna Wioska nie widziała, kim są moi cholerni pasażerowie. Czy raczej pasażerka.

– Przy okazji – mówię, zwalniając i wrzucając drugi bieg. – Możliwe, że moi rodzice zaproszą ciebie i twojego męża na sherry.

– Rany Julek – odpowiada, zasłaniając usta dłonią. – Kiedy ja nigdy nigdzie nie zabieram pana Słoniowe Portki.

– Czemu go tak nazywasz?

– Tak mi kiedyś przyszło do głowy. Pewnego dnia wieszałam jego ubrania; ma takie szare flanelowe spodnie, kilka par, z dwustupiętnastocentymetrową talią; uniosłam jedne i pomyślałam sobie: wyglądają jak tylna połowa kostiumu słonia.

– Tata mówi, że on uderza w piłkę golfową, jakby jej nienawidził.

– Tak, cóż. Co jeszcze mówią?

– Matka mówi, że jak będę cię tyle woził, to się roztyjesz.

Nie odpowiada. Zatrzymuję samochód przy jej podjeździe i patrzę na jego drugi koniec. Jest niespokojna, wręcz pełna powagi.

– Czasem zapominam o innych ludziach. O tym, że istnieją. Mam na myśli ludzi, których nie znam. Przepraszam, Casey, może powinnam była... To znaczy nie jest przecież tak, że... ojej.

– Bzdura – odpowiadam stanowczo. – Powiedziałaś, że jako młody człowiek powinienem mieć reputację. Wygląda na to, że mam teraz reputację taksówkarza. Na to lato mi wystarczy.

Nie odzyskuje humoru. Po chwili mówi cicho:

– Och, Casey, nie skreślaj mnie jeszcze.

Ale czemu miałbym ją skreślać, skoro właśnie zakochiwałem się na zabój?

Po jakie słowa można by dziś sięgnąć, żeby opisać związek dziewiętnastoletniego chłopaka czy prawie mężczyzny i czterdziestoośmioletniej kobiety? Może po określenia rodem z brukowców: „kocica" i „chłopak zabawka"? Ale wtedy tych określeń nie było, nawet jeśli ludzie dopuszczali się takich zachowań, zanim zostały nazwane. Albo moglibyście pomyśleć: francuskie powieści, starsza kobieta uczy młodszego mężczyznę „sztuki miłości", *ooh la la*. Ale ani w naszym związku, ani w nas nie było nic francuskiego. Byliśmy Anglikami, więc mieliśmy do dyspozycji tylko moralizatorskie angielskie określenia, takie jak nierządnica, cudzołożnica. Ale Susan nie miała w sobie nic z nierządnicy; a jak mi kiedyś powiedziała, gdy pierwszy raz usłyszała rozmowę o cudzołóstwie, myślała, że dotyczy ona jakiejś formy przetwórstwa.

Dziś mówimy o seksie transakcyjnym i rekreacyjnym. Wtedy nikt nie uprawiał seksu rekreacyjnie. Cóż, może go uprawiano, ale go tak nie nazywano. Wtedy, tam, była miłość i był seks, i było ich połączenie, czasem niezdarne, czasem płynne, i to połączenie czasem było udane, a czasem nie.

Wymiana zdań między moimi rodzicami (czytaj: matką) a mną to jeden z tych angielskich dialogów, który w dwóch zdaniach zawiera całe akapity niechęci.

– Ale ja mam dziewiętnaście lat.

– Właśnie – masz dopiero dziewiętnaście lat.

Byliśmy dla siebie drugimi partnerami w łóżku, czyli w gruncie rzeczy niemal dziewicami. Wprowadzenie w świat seksu – typową niezdarną szamotaninę, nagłą i nerwową – przeżyłem z dziewczyną z uniwersytetu pod koniec trzeciego semestru; Susan, mimo dwójki dzieci i dwudziestopięcioletniego stażu małżeńskiego, była tak samo niedoświadczona. Z perspektywy czasu może wszystko wyglądałoby inaczej, gdyby jedno z nas wiedziało więcej. Ale kto w miłości wybiega myślami naprzód, by patrzeć wstecz? A zresztą, czy chodzi mi o „większe doświadczenie w seksie", czy o „większe doświadczenie w miłości"?

Ale widzę, że wybiegam zanadto w przód.

Tamtego pierwszego popołudnia, kiedy w upranym stroju grałem moją rakietą Dunlop Maxply, w klubowym budynku odbyło się spotkanie przy herbacie i ciastkach. Zdawałem sobie sprawę, że marynarki nadal oceniają, czy się nadaję. Sprawdzały, czy jestem wystarczająco mieszczański pod każdym względem. Pojawiły się żarty na temat długości moich włosów, które prawie mieściły się pod opaską. Potem, niemal jako ciąg dalszy, spytano mnie, co sądzę o polityce.

– Obawiam się, że nie jestem nią w żadnym stopniu zainteresowany – odparłem.

– To znaczy, że jesteś konserwatystą – powiedział jeden z członków komitetu i wszyscy się roześmialiśmy.

Kiedy wspominam Susan o tej rozmowie, kiwa głową i mówi:

– Ja jestem laburzystką, ale to tajemnica. A przynajmniej była do tej chwili. Co ty na to, mój piękny opierzony przyjacielu?

Odpowiadam, że to mi ani trochę nie przeszkadza.

Kiedy pierwszy raz przyszedłem do domu Macleodów, Susan powiedziała, żebym wszedł od tyłu, przez ogród; taki brak formalności mi odpowiadał. Popchnąłem niezamkniętą na klucz furtkę, potem ruszyłem nierówną ceglaną ścieżką wzdłuż kompostowników i pojemników wypełnionych próchnicą; był tam rabarbar, który wyrastał z nasady kominowej, kwartet lichych drzew owocowych i grządka warzywna. A także rozczochrany stary ogrodnik, który przekopywał kwadratowy kawałek ziemi. Skinąłem mu z łaskawą wyższością, jak młody naukowiec wieśniakowi. Odpowiedział mi skinieniem.

Kiedy Susan wstawiała czajnik, rozejrzałem się wokół. Dom był podobny do naszego, tyle że tu wszystko wydawało się bardziej stylowe czy raczej stare przedmioty wyglądały na odziedziczone, a nie kupione z drugiej ręki. Były tam standardowe lampy o pożółkłych pergaminowych kloszach. Widać też było... nie tyle niedbałość, ile niefrasobliwe podejście do nieporządku. Widziałem leżącą w przedpokoju torbę z kijami golfowymi i dwie szklanki niesprzątnięte po lunchu – a może nawet z poprzedniego wieczoru. W naszym domu nic nie mogło pozostać niesprzątnięte. Wszystko musiało być na swoim miejscu, umyte, zamiecione, wypolerowane, na wypadek gdyby niespodziewanie ktoś się pojawił. Ale któż by to miał być? Pastor? Miejscowy policjant? Ktoś, kto chciałby skorzystać z telefonu? Akwizytor? Prawda była taka, że nikt nie przychodził bez zaproszenia, a wszystkie te porządki i wycieranie wynikały w moim odczuciu z głębokiego atawizmu społecznego. Tymczasem tutaj pojawiali się goście, na przykład ja, a dom – niewątpliwie zauważyłaby moja matka – wyglądał tak, jakby od dwóch tygodni nikt go nie odkurzał.

– Twój ogrodnik jest szalenie pracowity – mówię z braku lepszego pomysłu, jak zacząć rozmowę.

Susan patrzy na mnie i wybucha śmiechem.

– Ogrodnik? Tak się składa, że to pan tego przybytku. Jego Lordowska Mość.

– Najmocniej przepraszam. Nie mów mu, proszę. Pomyślałem tylko...

– Niemniej cieszę się, że wygląda dobrze. Jak prawdziwy ogrodnik. Stary Adam. Właśnie tak. – Wręcza mi filiżankę herbaty. – Mleko? Cukier?

Rozumiecie, mam nadzieję, że opowiadam wam wszystko tak, jak zapamiętałem? Nigdy nie prowadziłem pamiętnika, a większość bohaterów mojej historii – mojej historii! mojego życia! – zmarła albo rozproszyła się po świecie. Niekoniecznie więc opisuję wszystko w takiej kolejności, w jakiej się wydarzyło. Myślę, że pamięć cechuje inny autentyzm, i wcale nie gorszy. Pamięć przebiera i przesiewa zgodnie z wymaganiami, jakie stawia jej ten, kto pamięta. Czy mamy dostęp do algorytmu określającego jej priorytety? Zapewne nie. Ale zgadywałbym, że pamięć na pierwszym miejscu stawia to, co najbardziej pomaga posiadaczowi wspomnień żyć dalej. Przywoływanie w pierwszej kolejności co szczęśliwszych wspomnień byłoby więc działaniem na własną korzyść. Znów jednak tylko zgaduję.

Na przykład: pamiętam, jak pewnej nocy leżałem w łóżku i nie mogłem zasnąć przez jedną z tych obijających brzuch erekcji, których jakoby, według młodzieńczego przekonania – bezmyślnego lub beztroskiego – miało starczyć do końca życia. Ale ta była inna. Widzicie, to była taka erekcja uogólniona, niezwiązana z żadną osobą ani snem, ani fantazją. Stanowiła raczej symptom radosnej młodości. Młodości głowy, serca, kutasa, duszy – i tak się po prostu składało, że akurat kutas wyrażał ten ogólny stan najlepiej.

Wydaje mi się, że za młodu myśli się o seksie prawie cały czas, ale specjalnie się nad nim nie rozmyśla. Tak skupiamy się na tym, z kim, kiedy, gdzie, jak – czy raczej częściej nad kluczowym „czy" – że mniej myślimy o tym, czemu i po co. Zanim jeszcze spróbujemy seksu, słyszymy o nim przeróżne rzeczy; dziś znacznie więcej i znacznie wcześniej, i w znacznie większych szczegółach niż za mojej młodości. Ale wszystko sprowadza się do jednego: mieszaniny sentymentalizmu, pornografii i mylnych wyobrażeń. Kiedy patrzę wstecz na swoją młodość, widzę, że kutas wówczas był tak ożywiony, że nie pozwalał zastanowić się, czemu to ożywienie ma służyć.

Może nie rozumiem dzisiejszej młodzieży. Chciałbym porozmawiać z nimi i spytać, jak to wszystko wygląda w oczach ich i ich przyjaciół. Ale wtedy do serca wkrada się nieśmiałość. A możliwe, że nie rozumiałem młodych nawet wtedy, gdy sam byłem młody. Tak też może być.

Ale na wypadek gdybyście się zastanawiali – nie zazdroszczę młodym. W czasach swojej nastoletniej wściekłości i bezczelności pytałem sam siebie: Po co są starcy, jeśli nie po to, żeby zazdrościć młodym? Wydawało mi się, że to ich główny i ostateczny cel przed wymarciem. Pewnego popołudnia szedłem na spotkanie z Susan i dotarłem do przejścia dla pieszych. Nadjeżdżał samochód, ale wiedziony miłosną gorliwością ruszyłem przez pasy. Samochód zahamował, najwyraźniej ostrzej, niż kierowca tego chciał, i zatrąbił na mnie. Zatrzymałem się tuż przed maską pojazdu i utkwiłem wzrok w kierowcy. Przyznaję, że zapewne stanowiłem irytujący widok. Miałem długie włosy, fioletowe dżinsy i byłem młody – obrzydliwie, kurewsko młody. Kierowca opuścił okno i posłał mi wiązankę. Podszedłem do niego niespiesznie, uśmiechając się, skory do konfrontacji. Był stary – obrzydliwie, kurewsko stary i miał głupie czerwone uszy starca. Wiecie, o jakie uszy chodzi – mięsiste i porośnięte włosami w środku i na zewnątrz? Te w środku są grube i sztywne; na zewnątrz – cienkie i miękkie.

– Ty umrzesz, a ja będę żył – poinformowałem go, po czym odszedłem tak irytująco wolnym krokiem, jak tylko potrafiłem.

No więc teraz, gdy sam jestem starszy, zdaję sobie sprawę z tego, że to jedna z moich głównych ludzkich ról: pozwolić młodym wierzyć, że im zazdroszczę. Cóż, oczywiście jest tak istotnie w brutalnej kwestii, jaką stanowi wcześniejszy zgon; ale w innych kwestiach nie. A kiedy widzę pary młodych kochanków splecionych w pionowym uścisku na rogu ulicy lub splecionych w uścisku poziomym na kocu w parku, wzbudza to we mnie głównie coś w rodzaju instynktu opiekuńczego. Nie, nie jest to współczucie: to instynkt opiekuńczy. Nie żeby oni chcieli mojej opieki. A mimo to – i jest to dość ciekawe – im zuchwalej sobie poczynają, tym silniejsza jest moja reakcja. Chcę ich chronić przed tym, co zapewne zrobi im świat, i przed tym, co zapewne zrobią sobie nawzajem. Ale oczywiście to nie jest możliwe. Moja troska jest niemile widziana, a ich pewność szalona.

Było dla mnie przedmiotem dumy, że jak się zdawało, wdałem się w taki właśnie związek, jaki spotkałby się z największą dezaprobatą moich rodziców. Absolutnie nie chcę ich demonizować – na pewno nie teraz, w tym późnym okresie życia. Byli produktem swoich czasów, wieku, klasy i genów – tak jak ja. Byli pracowici, szczerzy i chcieli jak najlepiej dla swojego jedynego dziecka. To, co postrzegałem jako ich wady, w innym świetle stanowiło zalety. Ale wtedy…

„Cześć, mamo i tato, mam wam coś do powiedzenia. Tak naprawdę jestem gejem, jak się już zapewne domyśliliście, i w przyszłym tygodniu jadę na wakacje z Pedrem. Tak, mamo, tym Pedrem, który cię strzyże. Zapytał mnie, dokąd wybieram się na wakacje, a ja na to:»Co byś polecił?«, i dalej już jakoś poszło. Tak więc lecimy razem na grecką wyspę".

Wyobrażam sobie, że rodzice byliby zasmuceni i martwiliby się, co powiedzą sąsiedzi, przyczailiby się więc na jakiś czas i rozmawialiby za zamkniętymi drzwiami, i teoretyzowaliby na temat trudności, które mnie czekają, co byłoby tylko projekcją ich własnych niejasnych uczuć. Ale potem doszliby do wniosku, że czasy się zmieniają, i dopatrzyliby się cichego heroizmu we własnej umiejętności radzenia sobie z tą nieprzewidzianą sytuacją, a matka

zastanawiałaby się, czy byłoby społecznie dopuszczalne, gdyby pozwoliła Pedrowi nadal się strzyc,
a potem – i to byłoby najgorsze – przyznałaby sobie
odznakę honorową za nowo odkryte u siebie pokła-
dy tolerancji, jednocześnie dziękując Bogu, w którego nie wierzy, że jej ojciec tego nie dożył...

Tak, ostatecznie wszystko skończyłoby się dobrze.
Podobnie jak w innym scenariuszu, który często pojawiał się wtedy w gazetach.

„Cześć, rodzice, to jest Cindy, jest moją dziewczyną, cóż, właściwie kimś więcej, jak sami widzicie,
za kilka miesięcy zostanie »nastoletnią mamą«. Nie
martwcie się, kiedy zawitałem pod szkolną bramę,
miała już skończone szesnaście lat, ale teraz nie ma
czasu do stracenia, więc lepiej poznajcie się z jej rodzicami i zarezerwujcie termin w urzędzie stanu cy-
wilnego".

Tak, z taką sytuacją też by sobie poradzili. Oczywiście, jak już wspomniałem, w ich mniemaniu najlepiej byłoby, gdybym w klubie tenisowym poznał
miłą Christine lub Virginię, której wyrozumiały
i optymistyczny charakter przypadłby im do gustu.
Potem mogłyby się odbyć porządne zaręczyny, a następnie porządny ślub i porządny miesiąc miodowy,
po którym urodziłyby się porządne wnuki. A tymczasem ja udałem się do klubu tenisowego i wyszedłem stamtąd z panią Susan Macleod, mężatką z miej-
scowej parafii i matką dwóch córek, obu starszych
ode mnie. I – dopóki się nie otrząsnę z tej głupiej
szczenięcej miłostki – nie będzie żadnych zaręczyn
ani ślubu, nie mówiąc już o tupocie małych stópek.
Będzie tylko zażenowanie, upokorzenie i wstyd,

i grymasy sąsiadów, i szelmowskie aluzje do uwodzenia nieletnich. Udało mi się więc postawić ich w sytuacji tak całkowicie nie do przyjęcia, że nie można było nawet jej ujawnić, a co dopiero trzeźwo o niej dyskutować. A pierwotny pomysł matki, żeby zaprosić Macleodów na sherry, został definitywnie zarzucony.

Te problemy z rodzicami. Mieli je – mniejsze lub większe – wszyscy moi przyjaciele z uniwersytetu: Eric, Barney, Ian i Sam. A nie byliśmy przecież bandą zjaranych hipisów we włochatych kożuchach. Byliśmy normalnymi – mniej więcej – chłopakami z klasy średniej, którym doskwierało dorastanie. Wszyscy mieliśmy swoje historie, zwykle bardzo do siebie podobne, choć opowieści Barneya zawsze były najlepsze. Zwłaszcza że odnosił się do rodziców wyjątkowo bezczelnie.

– No więc tak – powiedział, kiedy wróciliśmy na kolejny semestr i wymienialiśmy się ponurymi opowieściami z domowego życia. – Jestem w domu od jakichś trzech tygodni, jest dziesiąta rano, a ja nadal leżę w łóżku. Cóż, w końcu w Pinner nie ma po co wstawać. Nagle słyszę, że drzwi się otwierają i do pokoju wchodzą mama i tata. Siadają w nogach łóżka i mama zaczyna pytać, czy wiem, która godzina.

– Dlaczego nie mogą nauczyć się pukać? – wtrącił Sam. – Mogłeś właśnie walić konia.

– No więc naturalnie powiedziałem, że z moich obliczeń wynika, iż zapewne jest rano. A wtedy spytali, co zamierzam dzisiaj robić, na co ja odparłem, że nie będę się nad tym zastanawiał przed śniadaniem.

Tata zakasłał sucho, to zawsze znak, że zaczyna się w nim gotować. Następnie mama proponuje, bym może znalazł sobie jakąś pracę na wakacje, żeby mieć na drobne wydatki. Na co ja przyznaję, że nie przyszło mi do głowy podejmować tymczasowe zatrudnienie w jakiejś niewdzięcznej branży.

– Nieźle, Barney – zakrzyknęliśmy chórem.

– A wtedy matka spytała, czy zamierzam zmarnować sobie całe życie, co, sami rozumiecie, zirytowało mnie; jestem pod tym względem jak ojciec, stopniowo narasta we mnie wściekłość, tyle że ja nie wydaję z siebie ostrzegawczego kaszlu. Tak czy owak, ojciec nagle wpada w furię, wstaje, rozsuwa gwałtownie zasłony i krzyczy: „Nie życzymy sobie, żebyś traktował ten dom jak pieprzony hotel!".

– Ach, stary numer. Wszyscy to słyszeliśmy. I co powiedziałeś?

– Powiedziałem: „Gdyby to był pieprzony hotel, to pieprzone kierownictwo nie wpadałoby mi do pokoju o dziesiątej rano, nie siadałoby mi na pieprznym łóżku i nie zawracałoby mi dupy".

– Barney, jesteś mistrzem!

– Cóż, myślę, że to było z mojej strony bardzo ryzykowne.

– Barney, jesteś mistrzem!

Rodzina Macleodów składała się z Susan, pana S.P. i dwóch córek, obu na studiach poza domem, znanych jako panna G i panna M. Dwa razy w tygodniu przychodziła stara sprzątaczka, pani Dyer; miała słaby wzrok do sprzątania, doskonały natomiast do tego, żeby kraść warzywa i mleko. A kto jeszcze u nich bywał? Nigdy nie wspominali o żadnych przyjaciołach. W każdy weekend Macleod rozgrywał partię golfa, a Susan chodziła do klubu tenisowego. Podczas tych wszystkich kolacji, które u nich zjadłem, nigdy nie poznałem nikogo innego. Spytałem Susan, z kim się przyjaźnią. Odparła ze swobodnym lekceważeniem, którego wcześniej u niej nie zauważyłem: „Och, dziewczynki mają przyjaciół – czasem ich tu zapraszają".

Ta odpowiedź mnie nie usatysfakcjonowała. Ale po jakimś tygodniu Susan powiedziała, że jedziemy w odwiedziny do Joan.

– Ty prowadzisz – oznajmiła, wręczając mi kluczyki do ich austina.

Czułem się tak, jakbym awansował, i bardzo ostrożnie zmieniałem biegi.

Joan mieszkała jakieś pięć kilometrów od Macleodów i była siostrą Geralda, który wieki temu czuł miętę do Susan, ale potem nagle zmarł na białaczkę, co było okropnym pechem. Joan opiekowała się ojcem aż do jego śmierci i nie wyszła za mąż; lubiła psy i wypijała po południu parę ginów.

Zaparkowaliśmy przed przysadzistym domem z muru pruskiego, osłoniętym żywopłotem z buczyny. Joan, z papierosem w ręku, otworzyła drzwi, uścisnęła Susan i przyjrzała mi się z zaciekawieniem.

– To jest Paul. Służy mi dziś za kierowcę. Naprawdę muszę zbadać sobie wzrok, zdaje się, że już czas na nową receptę. Poznaliśmy się w klubie tenisowym.

Joan skinęła głową i powiedziała:

– Zamknęłam szczekacze.

Była dużą kobietą, ubraną w niebieski pastelowy garnitur; miała drobne loczki i usta pociągnięte brązową szminką, była mniej więcej upudrowana. Zaprowadziła nas do salonu i opadła na fotel, przed którym stał podnóżek. Miała pewnie z pięć lat więcej niż Susan, ale wydało mi się, że jest starsza o pokolenie. Na jednej poręczy jej fotela leżała grzbietem do góry książka z krzyżówkami, na drugiej, dzięki ciężarkom ukrytym w skórzanym pasku, stała mosiężna popielniczka. Wyglądała mi na niebezpiecznie pełną. Joan usiadła, a zaraz potem wstała.

– Wypijecie ze mną kapkę?

– Dla mnie za wcześnie, skarbie.

– Przecież nie prowadzisz – odparła zrzędliwie Joan. Potem, patrząc na mnie, dodała: – A młody panicz się napije?

– Nie, dziękuję.

– Cóż, jak sobie chcecie. To przynajmniej wypal ze mną szluga.

Susan, ku mojemu zdziwieniu, wzięła papierosa i zapaliła go. Miałem wrażenie, że łączy je przyjaźń, w której panuje dawno ustalona hierarchia – Joan jest partnerem wyższym rangą, a Susan jeśli nie podległym, to w każdym razie słuchającym. Powitalny monolog Joan o tym, co wydarzyło się w jej życiu od ostatniego spotkania z Susan, w moim odczuciu był po prostu litanią drobnych utrapień, które udało się triumfalnie przezwyciężyć, oraz wywodem o psach i brydżu, od czego przeszła do sensacyjnej wiadomości, że ostatnio znalazła oddalone o piętnaście kilometrów miejsce, gdzie można dostać jej ulubiony gin po nieco niższej cenie niż w Wiosce.

Głęboko znudzony, umiarkowanie krytyczny wobec papierosa, który zdawał się sprawiać Susan przyjemność, usłyszałem, jak wypowiadam następujące słowa:

– Czy wliczyła pani benzynę?

Jakby przemówiła moja matka.

Joan spojrzała na mnie z ciekawością graniczącą z aprobatą.

– A jak miałabym to zrobić?

– Wie pani, ile pali pani auto?

– Oczywiście – odparła Joan, jakby brak takiej wiedzy dowodził oburzającej rozrzutności. – Tu w okolicy średnio osiem i pół, na dłuższej trasie trochę mniej.

– A ile pani płaci za benzynę?

– Cóż, to oczywiście zależy od tego, gdzie kupuję, nieprawdaż?

– Aha! – wykrzyknąłem, jakby to czyniło całą sprawę jeszcze ciekawszą. – Kolejna zmienna. Czy może ma pani kieszonkowy kalkulator?

– Mam śrubokręt – odparła Joan, śmiejąc się.

– W takim razie chociaż ołówek i kartkę.

Przyniosła i usiadła obok na kanapie. Cuchnęła papierosami.

– Chcę to zobaczyć.

– O ilu sklepach i stacjach benzynowych mówimy? – zacząłem. – Potrzebuję szczegółowych informacji.

– Można by pomyśleć, że jesteś z pieprzonego urzędu skarbowego – powiedziała Joan, śmiejąc się i klepiąc mnie mocno w ramię.

Zapisałem więc lokalizacje, odległości i ceny,

stwierdzając jeden przypadek pozornej oszczędności, i wytypowałem dwa najlepsze rozwiązania.

– Oczywiście – dodałem radośnie – byłoby jeszcze
korzystniej, gdyby zamiast jeździć, chodziła pani
tam pieszo.

Joan wydała z siebie okrzyk udawanego przera-
żenia.

– Kiedy chodzenie mi szkodzi! – Potem wzięła
moją tabelę z obliczeniami, wróciła na swój fotel, zapaliła kolejnego papierosa i zwróciła się do Susan: –
Widzę, że to bardzo przydatny młody człowiek.

Gdy odjeżdżaliśmy, Susan powiedziała:

– Casey Paul, nie wiedziałam, że potrafisz być takim szelmą. Na koniec jadła ci z ręki.

– Zrobię wszystko, żeby pomóc bogatym zaoszczędzić – odparłem, ostrożnie zmieniając bieg. – Możesz na mnie liczyć.

– Rzeczywiście mogę, choć wydaje się to dziwne – zgodziła się, wsuwając dłoń pod moje lewe
udo.

– Przy okazji, co jest nie tak z twoim wzrokiem?

– Z moim wzrokiem? O ile wiem, wszystko w porządku.

– To czemu mówiłaś, że musisz go zbadać?

– Ach, to? Cóż, muszę mieć jakiś zestaw słów, którymi tłumaczę twoją obecność.

Tak, rozumiałem to. I tak zostałem „młodym człowiekiem, który mnie wozi" i „partnerem tenisowym", a potem „przyjacielem Marthy" i nawet – co
najmniej wiarygodne – „swego rodzaju protegowanym Gordona".

*

Nie pamiętam, kiedy się pierwszy raz pocałowaliśmy. Czy to nie dziwne? Pamiętam 6:2; 7:5; 2:6. Pamiętam uszy tamtego starego kierowcy w każdym ich ohydnym szczególe. Ale nie pamiętam, kiedy ani gdzie pocałowaliśmy się pierwszy raz, ani kto wykonał pierwszy ruch, ani czy wykonaliśmy go oboje jednocześnie. Ani czy może był to nie tyle ruch, ile łagodne przyciąganie. Czy to się stało w samochodzie, czy w jej domu, czy był poranek, południe, czy też noc? Jaka była pogoda? Cóż, na pewno nie możecie oczekiwać, bym to pamiętał.

Mogę tylko powiedzieć, że – według współczesnych standardów – minęło wiele czasu, zanim ten pierwszy pocałunek nastąpił, a potem wiele czasu, zanim pierwszy raz poszliśmy do łóżka. I że między pocałunkiem a łóżkiem zawiozłem ją do Londynu, żeby kupiła środek antykoncepcyjny. Dla siebie, nie dla mnie. Pojechaliśmy do John Bell & Croyden na Wigmore Street; zaparkowałem za rogiem, a ona weszła do sklepu. Wróciła z brązową torebką bez znaku firmowego, w której miała kapturek domaciczny i żel plemnikobójczy.

– Ciekawe, czy jest jakaś instrukcja – powiedziała cicho. – Wyszłam nieco z wprawy.

W swoim obecnym nastroju – jakimś ponurym podnieceniu – przez chwilę nie mam pewności, czy mówi o seksie, czy o kapturku.

– Pomogę ci – obiecuję, uznając, że to obejmuje zarówno jedno, jak i drugie.

– Paul – odpowiada – są pewne rzeczy, których mężczyzna nie powinien widzieć. Ani o nich myśleć.

– Okej.

Jej słowa jednoznacznie wskazują, że miała na myśli to drugie.

– Gdzie będziesz go trzymać? – pytam, wyobrażając sobie, co by się stało, gdyby kapturek został odkryty.

– Och, gdzieś tam – odpowiada.

A więc to nie moja sprawa.

– Nie spodziewaj się po mnie zbyt wiele, Casey – ciągnie pospiesznie. – Casey. Ka-es. Ksiądz. Nie będziesz mi prawił kazań, prawda? Nie będziesz się obrażał ani pieklił, prawda?

Pochylam się i całuję ją na oczach wszystkich zainteresowanych przechodniów, jacy znajdują się na Wimpole Street.

Wiem już, że ona i jej mąż mają oddzielne łóżka, a nawet oddzielne sypialnie, i że ich małżeństwo nie jest konsumowane – a raczej nie ma w nim seksu – od niemal dwudziestu lat; ale nie dopytywałem o powody ani o szczegóły. Z jednej strony bardzo interesuje mnie pożycie seksualne niemal wszystkich, przeszłe, obecne i przyszłe. Z drugiej – nie chciałbym, by kiedy będę z nią, moją uwagę zakłócały inne obrazy.

Jestem zaskoczony, że potrzebuje zabezpieczenia, że w wieku czterdziestu ośmiu lat nadal miesiączkuje i że jeszcze nie dotknęło jej to, co nazywa Nieuchronnym. Ale jestem całkiem dumny, że to nie nastąpiło. Nie ma to nic wspólnego z możliwością zajścia w ciążę – to ostatnie, o czym myślę i czego pragnę; to raczej potwierdzenie jej kobiecości. Zamierzałem powiedzieć „dziewczęcości"; i może to bliższe temu, o co mi chodzi. Tak, jest starsza; tak, wie więcej o świecie. Ale pod względem – jak by to nazwać? Może wiekiem duchowym – nie różni nas tak wiele.

– Nie wiedziałem, że palisz – mówię.
– Och, tylko jednego, raz na jakiś czas. Żeby dotrzymać Joan towarzystwa. Albo wychodzę do ogrodu. Jesteś temu bardzo przeciwny?
– Nie, byłem tylko zaskoczony. Nie jestem przeciwny. Uważam jedynie...
– Że to głupie. Tak, zgadza się. Po prostu kiedy mam dość, biorę jednego z jego paczki. Zauważyłeś, jak on pali? Zapala papierosa i zaciąga się, jakby od tego zależało jego życie, a potem, kiedy jest w połowie, gasi go z obrzydzeniem. I to obrzydzenie trwa, dopóki nie zapali następnego. Za jakieś pięć minut.

Tak, zauważyłem, ale pozostawiam to bez komentarza.

– Niemniej bardziej denerwujące jest jego picie.
– Ale ty nie pijesz?
– Nienawidzę alkoholu. Wypijam tylko kieliszek słodkiej sherry w Boże Narodzenie, by nie zarzucano mi, że psuję innym zabawę. Ale alkohol zmienia ludzi. I nie na lepsze.

Zgadzam się. Nie interesuje mnie alkohol ani stan podchmielenia, zawiania, podcięcia i wszystkie inne słowa i określenia, dzięki którym ludzie pijący czują się lepiej sami ze sobą.

A pan S.P. nie był żadnym wzorem picia. Przed kolacją siadał przy stole, otoczony – jak mówiła Susan – przez swoje „flachy i flaszki", z których nalewał do kufla coraz bardziej drżącą ręką. Przed nim stał drugi kufel, wypełniony dymką, którą żuł. Potem, po jakimś czasie, cicho bekał, zasłaniając sobie usta pseudodżentelmeńskim gestem. W rezultacie przez większość życia nienawidziłem dymki. A o piwie też nie miałem dobrego zdania.

– Wiesz, ostatnio myślałam o tym, że od lat nie widziałam jego oczu. Nie widziałam ich tak naprawdę. Od wielu, wielu lat. Czy to nie dziwne? Zawsze są ukryte za okularami. A oczywiście kiedy zdejmuje je w nocy, nie ma mnie przy nim. Nie żebym specjalnie chciała zobaczyć. Dość się na nie napatrzyłam. Przypuszczam, że wiele kobiet tak ma.

Tak mi o sobie mówi, używając aluzji, które nie wymagają żadnej odpowiedzi. Czasem jedna prowadzi do drugiej; czasem Susan rzuca pojedyncze stwierdzenie, jakby w ten sposób zaznajamiała mnie z życiem.

– Musisz zrozumieć, Paul, że jesteśmy zużytym pokoleniem.

Śmieję się. Pokolenie rodziców nie wydaje mi się ani trochę zużyte: nadal mają władzę, pieniądze i rezon. Chciałbym, żeby byli zużyci. A tymczasem oni wydają się wielką przeszkodą na mojej drodze ku dorosłości. Jak się mówi w szpitalach? A tak, leżak. Oni są duchowymi leżakami.

Proszę Susan o wyjaśnienie.

– Doświadczyliśmy wojny – mówi. – Zabrała wielu z nas. Właściwie do niczego się już nie nadajemy. Pora, byście wzięli sprawy w swoje ręce. Spójrz na naszych polityków.

– Chyba nie sugerujesz, żebym zajął się polityką?

Nie mieści mi się to w głowie. Gardzę politykami, wszyscy wydają mi się zarozumiałymi mendami i wazeliniarzami. Choć nigdy żadnego nie poznałem.

– Właśnie dlatego, że tacy jak ty nie zajmują się polityką, jesteśmy w tak fatalnej sytuacji – obstaje Susan.

Ponownie czuję konsternację. Nie jestem nawet pewny, kim są „tacy jak ja". Moi przyjaciele ze szkoły i ze studiów uważali za powód do dumy właśnie brak zainteresowania tym wszystkim, co politycy bez końca omawiają. A potem te wielkie polityczne niepokoje – zagrożenie ze strony Związku Radzieckiego, Koniec Imperium, wysokość podatków, podatek spadkowy, kryzys mieszkaniowy, siła związków zawodowych – były w nieskończoność bezmyślnie powtarzane w domach.

Moi rodzice lubili telewizyjne sitcomy, ale satyra wywoływała w nich niepokój. W Wiosce nie można było kupić „Private Eye", ale przywoziłem je z uniwersytetu i prowokacyjnie zostawiałem w domu na widoku. Pamiętam jeden numer, w którym do okładki przyczepiona była mała płyta gramofonowa. Po jej oderwaniu ukazywało się zdjęcie mężczyzny siedzącego na toalecie; spodnie i majtki miał przy kostkach, miejsca intymne zasłonięte połami koszuli. Do szyi tego anonimowego jegomościa doklejono głowę premiera sir Aleca Douglasa-Home'a, a z jego ust wydobywał się dymek z napisem: „Natychmiast odłóż tę płytę na miejsce!". Wydało mi się to niezwykle śmieszne i pokazałem okładkę matce; ona uznała ją za głupią i infantylną. Potem pokazałem ją

Susan, a ona roześmiała się głośno. I tak za jednym zamachem wszystko zostało postanowione: co do mnie, mojej matki, Susan i polityki.

Ona śmieje się z życia, to część jej natury. A nikt inny z jej zużytego pokolenia tego nie robi. Śmieje się z tego, z czego ja się śmieję. Śmieje się też, jak trafi mnie w głowę piłką tenisową; i na myśl, że miałaby spotkać się z moimi rodzicami na sherry; śmieje się zarówno z męża, jak i wtedy, gdy sama z chrzęstem zmienia biegi w austinie shooting brake. Rzecz jasna, zakładam, że śmieje się z życia, bo wiele widziała i rozumie je.

– Przy okazji – mówię – co to „szto"?
– Jak to „co to szto"?
– Chodzi mi o to, co to „szto"?
– A, pytasz „szto to szto"?
– Niech ci będzie.
– Tak mówią do siebie rosyjscy szpiedzy, głuptasie – odpowiada.

Kiedy byliśmy ze sobą pierwszy raz – mam na myśli fizycznie – oboje naopowiadaliśmy niezbędnych kłamstw, po czym pojechaliśmy w głąb hrabstwa Hampshire i znaleźliśmy dwa pokoje w hotelu.

Gdy stoimy, spoglądając na połać bawełnianej narzuty w kolorze fuksji, ona mówi:

– Którą stronę wolisz? Forhend czy bekhend?

Nigdy wcześniej nie spałem w dwuosobowym łóżku. Nigdy nie przespałem z nikim całej nocy. Łóżko jest ogromne, światło zimne, a z łazienki dolatuje zapach środka do dezynfekcji.

– Kocham cię – mówię jej.

– Nie wolno mówić dziewczynie takich rzeczy – odpowiada i ujmuje mnie pod ramię. – Powinniśmy najpierw zjeść kolację, zanim się pokochamy.

Mam już erekcję i w niej nie ma nic ogólnego. Jest bardzo konkretna.

Susan ma w sobie pewną nieśmiałość. Nigdy nie rozbiera się przy mnie; kiedy wchodzę do pokoju, zawsze leży już w łóżku, w nocnej koszuli. A światło jest zgaszone. Nie dbam o to. I tak czuję, że widzę w ciemnościach.

Nie uczy mnie też „sztuki miłości", o czym można przeczytać w książkach. Jak mówiłem, obojgu nam brakuje doświadczenia. A ona jest z pokolenia, które zakłada, że w noc poślubną mężczyzna „będzie wiedział, co robić" – to społeczna wymówka sankcjonująca wszelkie nabyte przez mężczyznę doświadczenia seksualne, choćby najnędzniejsze. Nie chcę się wdawać w szczegóły tego, jak to było w jej przypadku, choć ona czasem robi różne aluzje.

Pewnego popołudnia jesteśmy w łóżku u nich w domu i rzucam, że może powinienem się zbierać, zanim „Ktoś" wróci.

– Oczywiście – odpowiada w zamyśleniu. – Wiesz, w szkole zawsze wolał przednią połowę kostiumu słonia. Rozumiesz, o czym mówię? Może po szkole też. Kto wie? Każdy ma jakąś tajemnicę, czyż nie?

– A ty jaką?

– Ja? Cóż, powiedział mi, że jestem oziębła. Nie wtedy. Ale później, kiedy już przestaliśmy. Kiedy było za późno, by cokolwiek na cokolwiek poradzić.

– Nie uważam, byś była choć trochę oziębła – mówię, z mieszaniną oburzenia i zaborczości. – Uważam, że jesteś... bardzo ciepłokrwista.

W odpowiedzi klepie mnie po piersi. Niewiele wiem o kobiecym orgazmie i tak jakoś zakładam, że jeśli wytrwam wystarczająco długo, w pewnym momencie dojdzie do niego automatycznie. Może to coś jak przełamanie bariery dźwięku. Jako że nie potrafię rozmawiać o tym dłużej, zaczynam się ubierać. Później myślę: jest ciepła, jest czuła, kocha mnie i ośmiela w łóżku, spędzamy w nim dużo czasu, a ja nie uważam, żeby była oziębła, w czym więc problem?

Rozmawiamy o wszystkim: o sytuacji na świecie (niedobra), o stanie jej małżeństwa (niedobry), o ogólnym charakterze i standardach moralnych Wioski (niedobre), a nawet o śmierci (niedobra).

– Czy to nie dziwne? – duma. – Moja matka umarła na raka, kiedy miałam dziesięć lat, i myślę o niej tylko wtedy, kiedy obcinam paznokcie u nóg.

– A o sobie?

– Szto?

– O swojej śmierci.

– Och. – Przez chwilę milczy. – Nie, nie boję się śmierci. Żal mi tylko, że ominie mnie to, co będzie potem.

Mylnie odczytuję jej słowa.

– Masz na myśli życie pozagrobowe?

– Och, nie, w to nie wierzę – mówi stanowczo. – To byłoby zbyt kłopotliwe. Ci wszyscy ludzie, którzy całe życie uciekali przed sobą, nagle mieliby się znów znaleźć w jednym miejscu, niczym na jakiejś potwornej imprezie brydżowej.

– Nie wiedziałem, że grasz w brydża.

– Nie gram. Nie o to chodzi, Paul. A do tego wszyscy, którzy zrobili ci coś złego. Trzeba by było znowu ich zobaczyć.

Robię przerwę; ona ją wypełnia.

– Miałam wujka. Wujka Humpha. Humphreya. Jeździłam do niego i do cioci Florence. Po śmierci matki, więc miałam jedenaście czy dwanaście lat. Ciotka kładła mnie spać, opatulała, całowała i gasiła światło. A potem, kiedy właśnie zaczynałam zasypiać, na brzegu łóżka nagle ktoś przysiadał, i to był wujek Humph, cuchnący brandy i cygarami; mówił, że on też chce całusa na dobranoc. A potem za którymś razem spytał: „Czy wiesz, co to »całus imprezowy«?", i zanim zdążyłam odpowiedzieć, do ust wdarł mi się jego język i zaczął się w nich rzucać jak żywa ryba. Żałuję, że go nie odgryzłam. Robił to każdego lata, przestał, kiedy miałam jakieś szesnaście lat. Tak, inni miewali gorzej, ale może właśnie to sprawiło, że jestem oziębła.

– Nie jesteś – upieram się. – A przy odrobinie szczęścia ten stary drań powinien skończyć w bardzo gorącym miejscu. Jeśli jest jakaś sprawiedliwość.

– Nie ma – odpowiada. – Nie ma sprawiedliwości ani tutaj, ani nigdzie indziej. A życie pozagrobowe byłoby właśnie ogromną imprezą brydżową, na której wujek Humph licytowałby sześć bez atu i wygrywał każde rozdanie, a w nagrodę za każde zwycięstwo domagałby się imprezowego całusa.

– Widzę, że wiesz, o czym mówisz – stwierdzam żartobliwie.

– Ale rzecz w tym, Casey Paul, że byłoby potworne, absolutnie potworne, gdyby ten człowiek w jakimkolwiek sensie jeszcze żył. A tego, czego nie życzymy swoim wrogom, nie możemy przecież chcieć dla siebie.

Nie wiem, kiedy zrodził się ten nawyk – z pewnością wcześnie – ale zwykłem trzymać ją za nadgarstki. Może zaczęło się to jako zabawa, chęć sprawdzenia, czy uda mi się objąć je palcami. Ale wkrótce przeszło w zwyczaj. Wyciąga ku mnie przedramiona, jej palce składają się łagodnie w pięści, i mówi: „Weź mnie za nadgarstki, Paul". Objąłem je i ścisnąłem najmocniej, jak potrafiłem. To, o co w tym chodziło, nie wymagało słów. Ten gest ją uspokajał, tym gestem przekazywałem jej coś od siebie. To był zastrzyk, przetoczenie siły. I miłości.

Moje podejście do naszego uczucia było dziwnie prostolinijne – choć podejrzewam, że dziwna prostolinijność to cecha charakterystyczna wszystkich pierwszych miłości. Myślałem po prostu: Cóż, pewne jest, że się kochamy, teraz reszta świata musi się dopasować. I byłem całkowicie przekonany, że się dopasuje. Z lektur szkolnych pamiętałem, że Namiętność powinna Kwitnąć dzięki Przeszkodom; ale teraz kiedy doświadczałem tego, o czym dotąd tylko czytałem, pojęcie Przeszkody nie wydawało się ani niezbędne, ani pożądane. Ale byłem bardzo młody pod względem emocjonalnym i może po prostu ślepy na przeszkody, które inni dostrzegliby gołym okiem.

A może w ogóle nie zszedłem ze szlaku wytyczonego przez lektury. Może moje myśli biegły takim torem: Oto jesteśmy tu teraz, my dwoje, i jest miejsce, do którego musimy dotrzeć; nic innego się nie liczy. I choć ostatecznie dotarliśmy w pobliże tego miejsca, o którym marzyłem, nie miałem pojęcia, jaka będzie tego cena.

Powiedziałem, że nie pamiętam pogody. Są też inne elementy, jak to, w co się ubierałem i co jadałem. Ubranie było wtedy nieważnym artykułem pierwszej potrzeby, a jedzenie tylko paliwem. Nie pamiętam też tego, co, jak mi się wydaje, pamiętać powinienem, na przykład koloru austina Macleodów. Chyba był dwubarwny. Ale czy był szaro-zielony, czy może niebiesko-kremowy? I choć spędziłem wiele kluczowych godzin na jego skórzanych siedzeniach, nie potrafiłbym powiedzieć, jakiego były koloru. Czy deska rozdzielcza była zrobiona z orzecha włoskiego? Kogo to obchodzi? Na pewno nie moją pamięć, a to ona jest mi tu przewodniczką.

Ponadto są sprawy, o których nie chce mi się wam opowiadać. Na przykład, co studiowałem na uniwersytecie, jak wyglądał mój pokój w akademiku i czym Eric różnił się od Barneya, a Ian od Sama, i który z nich był rudy. Wspomnę tylko, że Eric był moim najbliższym przyjacielem, i to przez wiele lat. Był najłagodniejszy z nas, najżyczliwszy, najbardziej ufny wobec innych. I – może właśnie przez te cechy – miał najwięcej problemów z dziewczynami, a potem kobietami. Czy było coś w jego delikatności, skłonności do wybaczania, co niemal prowokowało

złe zachowanie innych? Żałuję, że nie znam odpowiedzi na to pytanie, zwłaszcza że raz sam bardzo
go zawiodłem. Nie udzieliłem mu pomocy, kiedy jej
potrzebował. Można powiedzieć, że go zdradziłem.
Ale opowiem wam o tym później.

I jeszcze jedno. Kiedy opisywałem wam Wioskę
niczym agent nieruchomości, niektóre informacje
mogły nie być do końca zgodne z prawdą. Na przykład – światła ostrzegawcze przy przejściu dla pieszych. Mogłem je wymyślić, bo dziś rzadko widzi
się przejście dla pieszych bez obowiązkowej pary
migających świateł. Ale wtedy, w Surrey, na drodze, gdzie panował nieduży ruch... Raczej wątpię.
Pewnie mógłbym to sprawdzić – poszukać starych
pocztówek w bibliotece głównej albo odnaleźć dosłownie kilka zdjęć, jakie mam z tamtych czasów,
i wnieść do mojej historii odpowiednie poprawki.
Ale wspominam przeszłość, a nie rekonstruuję ją.
Nie będzie więc zbyt dużo rekwizytów. Może chcielibyście, żeby było ich więcej. Może przywykliście,
że jest ich więcej. Ale nic na to nie poradzę. Nie próbuję wcisnąć wam historyjki; próbuję powiedzieć
wam prawdę.

Wraca do mnie styl gry Susan. Ja – jak już może
wspominałem – byłem w znacznym stopniu samo-
ukiem, na zmianę uciekającym się do siły nadgarst-
ka, niewłaściwej postawy i zamierzonych nagłych
zmian uderzeń, które czasem dezorientowały mnie
nie mniej niż przeciwnika. Kiedy grałem z nią, ta
techniczna rozlazłość często stawała na przeszko-
dzie silnemu pragnieniu zwycięstwa. Jej gra była

efektem treningu: przyjmowała prawidłową pozycję, uderzała dokładnie po koźle, podbiegała do siatki tylko w sprzyjających okolicznościach, biegała do utraty tchu, a mimo to śmiała się tak samo po zwycięstwie, jak i po porażce. Takie było moje pierwsze wrażenie, a z jej stylu gry w tenisa naturalnie wyciągałem wnioski co do jej charakteru. Przyjąłem, że w życiu też jest spokojna, uporządkowana i godna zaufania, że zagrywa dokładne piłki – najlepsze możliwe wsparcie z tyłu kortu dla niespokojnego i impulsywnego partnera przy siatce.

Wzięliśmy udział w letnim turnieju par mieszanych. Nasz mecz w pierwszej rundzie przeciwko pięćdziesięciokilkuletnim starym wyrobnikom oglądały ze trzy osoby; ku mojemu zdziwieniu jedną z nich była Joan. Nawet kiedy zmieniliśmy strony i znajdowała się poza zasięgiem mojego wzroku, słyszałem jej kaszel palacza.

Starzy wyrobnicy nas rozgromili – grali jak małżonkowie, którzy instynktownie odczytują każdy swój następny ruch i nie muszą w ogóle rozmawiać, ani tym bardziej krzyczeć. Susan grała, jak zawsze, solidnie, moją grę natomiast cechowała głupia nieobliczalność. Próbowałem nadmiernie ambitnych przejęć, odbierałem piłki, których nie powinienem odbierać, a potem, kiedy wyrobnicy wygrali set i mecz 6:4, wpadłem w ponury letarg.

Po meczu usiedliśmy we troje, z Joan, przy dwóch herbatach i ginie.

– Przepraszam, że cię zawiodłem – powiedziałem.

– To nic, Paul, wcale się tym nie przejmuję, naprawdę.

Jej spokój sprawił, że jeszcze bardziej się na siebie zdenerwowałem.

– Ale ja się przejmuję. Robiłem najróżniejsze głupie numery. W niczym ci nie pomogłem. Do tego mój pierwszy serwis nie trafiał w kort.

– Opuszczasz lewe ramię – powiedziała Joan ni stąd, ni zowąd.

– Ale przecież serwuję prawą ręką – odparłem nadąsany.

– Dlatego musisz lewe ramię trzymać wysoko. To ci zapewni równowagę.

– Nie wiedziałem, że grasz.

– Gram? Ha! Kiedyś wygrywałam te pieprzone turnieje. Aż wysiadły mi kolana. Po prostu potrzebujesz kilku lekcji, młody paniczu. Ale masz dobre ręce.

– Spójrz, rumieni się! – zauważyła niepotrzebnie Susan. – Nigdy dotąd nie widziałam, żeby się rumienił.

Później, w samochodzie, pytam:

– To jak to było z Joan? Naprawdę dobrze grała?

– O, tak. Z Geraldem wygrali praktycznie wszystko, co było do wygrania na poziomie hrabstwa. Była dobrą singlistką, co pewnie możesz sobie wyobrazić, póki nie zawiodły jej kolana. Ale jeszcze lepsza była w deblu. Miała kogo wspierać i miała wsparcie.

– Lubię Joan – mówię. – Lubię, jak klnie.

– Tak, ludzie to właśnie widzą i słyszą, i lubią lub nie lubią. Gin, papierosy, partie brydża, psy. Przekleństwa. Nie lekceważ Joan.

– Nie lekceważę – protestuję. – Przecież powiedziała, że mam dobre ręce.

– Nie żartuj tak ciągle, Paul.

– Cóż, mam dopiero dziewiętnaście lat, o czym rodzice nieustannie mi przypominają.

Susan milczy przez chwilę, potem, widząc zatokę, zjeżdża do niej i zatrzymuje samochód. Patrzy przed siebie przez szybę.

– Nie tylko ja przeżyłam śmierć Geralda. Joan była zdruzgotana. Gdy byli mali, stracili matkę, a ich ojciec pracował codziennie w firmie ubezpieczeniowej, musieli więc polegać na sobie. A kiedy Gerald zmarł... Joan poszła w tango. Zaczęła sypiać z różnymi mężczyznami.

– Nie ma w tym nic złego.

– Raz nie ma, a raz jest, Casey Paul. Zależy, kim jesteś i kim są oni. I kto jest na tyle odporny, żeby przetrwać. Zwykle mężczyzna.

– Joan wydaje mi się dość odporna.

– To tylko poza. Wszyscy je przybieramy. Ty też kiedyś niewątpliwie jakąś przybierzesz. No więc Joan źle wybierała. I z początku wydawało się to bez znaczenia, o ile nie zajdzie w ciążę czy coś w tym stylu. I nie zaszła. A potem zakochała się bez pamięci w... dajmy spokój jego nazwisku. Oczywiście był żonaty, oczywiście był zamożny, oczywiście miał inne dziewczyny. Wynajął jej mieszkanie w Kensington.

– Dobry Boże. Joan była... utrzymanką? Konkubiną...? – Były to słowa i role seksualne, z którymi spotykałem się wyłącznie w książkach.

– Nazywaj to, jak chcesz. Te słowa nie przystają do rzeczywistości. Jak większość. Jak nazywasz siebie? Jak nazywasz mnie? – Nie odpowiadam. – A Joan zupełnie straciła głowę dla tego starego drania. Wyczekiwała jego odwiedzin, wierzyła jego obietnicom, co jakiś czas wyjeżdżała z nim za granicę na weekend. Zwodził ją tak przez trzy lata. A potem, w końcu, tak jak zawsze obiecywał, rozwiódł się z żoną. Joan myślała, że jej okręt wreszcie zawija do portu. Co więcej, udowodniła nam wszystkim, że się mylimy. „Mój okręt zawija do portu", powtarzała w kółko.

– Ale nie zawinął?

– Poślubił inną. Joan dowiedziała się o tym z gazet. Zrzuciła wszystkie ubrania, które jej kupił, na stertę w salonie, wylała na nie benzynę z zapalniczki, podpaliła zapałką, wyszła, zatrzasnęła drzwi, włożyła klucze do wrzutni na listy, wróciła do ojca. Po prostu pojawiła się na jego progu. Pewnie było ją trochę czuć spalenizną. Ojciec nic nie powiedział, o nic nie pytał, tylko ją przytulił. Minęło kilka miesięcy, zanim mu w ogóle powiedziała. Na szczęście – o ile można tu mówić o szczęściu – nie wywołała pożaru w całym budynku. Wypaliła tylko dziurę w drogim dywanie. A mogła pójść do więzienia za nieumyślne spowodowanie śmierci.

Po tym wszystkim poświęciła się opiece nad ojcem. Zaczęła się interesować psami. Spróbowała swoich sił w hodowli. Nauczyła się zabijać czas. Tak to jest w życiu. Wszyscy po prostu szukamy sobie bezpiecznego miejsca. A jeśli go nie znajdziesz, musisz nauczyć się zabijać czas.

Nie sądzę, żeby to kiedyś miało być moim problemem. Życie jest zbyt bogate i zawsze takie będzie.

– Biedna stara Joan – mówię. – Nigdy bym nie przypuszczał.

– Oszukuje przy rozwiązywaniu krzyżówek.

To stwierdzenie wydaje mi się bez związku.

– Co?

– Oszukuje przy rozwiązywaniu krzyżówek. Ma stare książki z krzyżówkami. Powiedziała mi kiedyś, że jeśli utknie przy jakimś haśle, wyszukuje dowolne słowo o właściwej liczbie liter.

– Ale to zupełnie mija się z celem... a zresztą na końcu tych książek są odpowiedzi. – Nie wiem, co jeszcze powiedzieć, więc powtarzam tylko: Biedna stara Joan.

– Tak i nie. Tak i nie. Ale nigdy nie zapominaj, młody paniczu. Każdy ma swoją historię miłości. Każdy. Taka historia mogła zakończyć się fiaskiem, uczucie mogło wygasnąć, mogło nawet nigdy do niczego nie dojść, wszystko mogło rozgrywać się w wyobraźni, ale to nie czyni jej mniej prawdziwą. Czasem nawet bardziej. Czasem widzi się parę, która wydaje się do głębi sobą znudzona, i nie sposób wyobrazić sobie, by coś ich jeszcze łączyło ani dlaczego nadal są razem. Ale to nie tylko przyzwyczajenie, wygoda, przywiązanie do konwenansów czy coś podobnego. Są razem, bo kiedyś przeżyli swoją historię miłości. Wszyscy ją przeżywają. To jedyna historia.

Nie odpowiadam. Czuję się zganiony. Nie przez Susan. Przez życie.

Tamtego wieczoru obserwowałem rodziców i uważnie słuchałem wszystkiego, co do siebie mówią. Usiłowałem sobie wyobrazić, że oni także przeżyli swoją historię miłości. Dawno, dawno temu. Ale to mi się nie udawało. Potem spróbowałem sobie wyobrazić, że każde przeżyło historię miłosną, ale oddzielnie, albo przed ślubem, albo może – co byłoby jeszcze bardziej emocjonujące – w czasie trwania ich małżeństwa. Ale z tym też sobie nie poradziłem, więc się poddałem. Zacząłem się za to zastanawiać, czy tak jak Joan kiedyś i ja będę przybierał jakąś pozę, pozę, która będzie miała dać odpór ciekawości. Kto wie?

Potem wróciłem myślami do rodziców i spróbowałem wyobrazić sobie, jak mogło wyglądać ich życie w tych latach, kiedy mnie jeszcze nie było. Oczami wyobraźni widzę, jak na początku obok siebie, ręka w rękę, szczęśliwi, zadowoleni, idą na spacer jakąś łagodną, miękką, trawiastą bruzdą. Wokół jest zielono i roztacza się rozległy widok; wydaje się, że nie ma żadnego pośpiechu. Potem, w miarę jak życie płynie, na swój zwyczajny codzienny niegroźny sposób, bruzda powolutku pogłębia się, a wśród zieleni pojawiają się brązowe plamki. Nieco dalej – dziesięć czy dwadzieścia lat później – bruzda zmienia się w rów, którego wysokie brzegi przesłaniają widok i nie pozwalają wyjrzeć. I teraz już nie ma ucieczki, nie ma odwrotu. Jest tylko niebo w górze i coraz wyższe ściany brązowej ziemi, gotowej ich pogrzebać.

Cokolwiek się zdarzy, nie zamierzałem żyć w bruździe. Ani hodować psów.

– Musisz coś zrozumieć – mówi. – Było nas troje. Wykształcenie należało się chłopcom, tak to wtedy było. Philip zdobył pełne, a pieniądze dla Aleca skończyły się, kiedy miał piętnaście lat. To z Alekiem byłam najbliżej. Wszyscy go uwielbiali, był najlepszy. Oczywiście, gdy tylko mógł, zaciągnął się do wojska, jak wszyscy najlepsi. Trafił do Sił Powietrznych. Latał sunderlandami. To latające łodzie. Odbywały długie patrole nad Atlantykiem, poszukując U-Bootów. Po trzynaście godzin. Dawano im pigułki, żeby wytrzymali. Nie, to nie ma nic do rzeczy.

Widzisz, kiedy przyjechał na ostatnią przepustkę, zaprosił mnie na kolację. Nie do żadnej eleganckiej restauracji, do knajpy na rogu. Ujął moje dłonie i powiedział: „Sue, kochana, te sunderlandy to skomplikowane bestie i często wydaje mi się, że nie jestem na to wszystko gotowy. One są zbyt skomplikowane i czasem tam nad wodą, gdzie wszystko wygląda tak samo, godzina za godziną, zupełnie nie wiesz, gdzie jesteś, i nawigator też nie wie. Zawsze podczas startu i lądowania odmawiam modlitwę. Nie jestem wierzący, ale i tak ją odmawiam. I za każdym razem boję się tak jak poprzednio. No dobrze, wyrzuciłem to z siebie. A teraz uszy do góry. Uszy do góry w knajpie na rogu".

Wtedy widziałam go po raz ostatni. Trzy tygodnie później zgłoszono jego zaginięcie. Nigdy nie znaleziono śladu po jego samolocie. A ja zawsze myślę o nim, jak jest tam, nad wodą, przestraszony.

Obejmuję ją ramieniem. Strząsa je, marszcząc brwi.

– Nie, to nie wszystko. Wokół zawsze byli mężczyźni. Trwała wojna i wydawałoby się, że powinni być na froncie, ale mogę ci powiedzieć, że w domu było ich pełno. Niżsi mężczyźni. Był wśród nich Gerald, którego odrzuciła komisja lekarska, mimo

że próbował dwa razy, a potem Gordon, którego zawód – co lubił podkreślać – zwalniał ze służby wojskowej. Gerald miał łagodne usposobienie
i przyjemną powierzchowność, a Gordon trochę się
pieklił, w każdym razie po prostu wolałam tańczyć
z Geraldem. Potem zaręczyliśmy się, bo, cóż, była
wojna i ludzie tak wtedy robili. Nie wydaje mi się,
żebym była zakochana w Geraldzie, ale z pewnością
był dobrym człowiekiem. A potem wziął i umarł na
białaczkę. Mówiłam ci o tym. To był okropny pech.
Pomyślałam więc, że równie dobrze mogę wyjść za
Gordona. Wydawało mi się, że może dzięki temu będzie się mniej pieklił. Jak może zauważyłeś, tak się
jednak nie stało.

– Ale...

– Widzisz więc, jesteśmy zużytym pokoleniem.
Wszyscy najlepsi odeszli. Zostali nam ci gorsi. W czasie wojny zawsze tak jest. Dlatego teraz wszystko
zależy od waszego pokolenia.

Ale ja wcale nie czuję się częścią jakiegoś pokolenia; i choć jestem poruszony jej opowieścią, jej hi-
storią, jej pre-historią, nadal nie chcę zajmować się
polityką.

Jechaliśmy gdzieś moim autem, kabrioletem Morris Minor w odcieniu zgniłej zieleni. Susan powiedziała, że wygląda jak niemiecki samochód służący
w czasie wojny oficerom niższego szczebla. Znaj-
dowaliśmy się u stóp długiego wzgórza, w zasięgu
wzroku nie było żadnego ruchu. Nigdy nie byłem
lekkomyślnym kierowcą, ale wcisnąłem pedał gazu,
żeby rozpędzić się przed wzniesieniem. Po jakichś

pięćdziesięciu metrach zorientowałem się, że dzieje się coś bardzo złego. Samochód przyspieszał na pełnych obrotach, mimo że zdjąłem już nogę z gazu. Odruchowo wcisnąłem hamulec. Niewiele to pomogło. Jednocześnie panikowałem i myślałem trzeźwo. Nie wierzcie, że te dwa stany są sprzeczne. Silnik ryczał, hamulce piszczały, samochód zaczął się ślizgać po drodze, jechaliśmy między sześćdziesiąt a siedemdziesiąt na godzinę. W ogóle nie przyszło mi do głowy, żeby spytać Susan, co robić. Myślałem, że to mój problem i ja muszę go rozwiązać. I wtedy uświadomiłem sobie: należy wrzucić luz. Wcisnąłem więc sprzęgło i ustawiłem drążek w pozycji neutralnej. Samochód przestał histeryzować i zatrzymałem się na poboczu.

– Brawo, Casey Paul – mówi.

Kiedy używa obu imion, zwykle chce wyrazić uznanie.

– Powinienem był pomyśleć o tym wcześniej. Właściwie powinienem był po prostu zgasić cholerny silnik. To by rozwiązało sprawę. Ale nie przyszło mi to do głowy.

– Wydaje mi się, że za wzgórzem jest warsztat – mówi, wysiadając, jakby nie wydarzyło się nic szczególnego.

– Bałaś się?

– Nie. Wiedziałam, że jak zwykle jakoś z tego wybrniesz. Z tobą zawsze czuję się bezpiecznie.

Pamiętam, jak to powiedziała i jak czułem się dumny. Ale pamiętam też, co czułem, kiedy samochód pędził niekontrolowany, jak nie reagował na wciskanie hamulca, jak wierzgał i ślizgał się po drodze.

*

Muszę opowiedzieć wam o jej zębach. W każdym razie o dwóch. O górnych jedynkach. Nazywała je swoimi „króliczymi zębami", bo były może o milimetr dłuższe niż średnia krajowa; ale w moich oczach to czyniło je jeszcze bardziej wyjątkowymi. Miałem w zwyczaju stukać w nie delikatnie środkowym palcem, sprawdzając, czy są na miejscu i czy są bezpieczne, tak jak ona. Był to mały rytuał, jakbym sporządzał inwentarz jej osoby.

Zdawało się, że wszyscy w Wiosce, każdy dorosły – czy raczej każda osoba w średnim wieku – rozwiązuje krzyżówki: moi rodzice, ich przyjaciele, Joan, Gordon Macleod. Wszyscy oprócz Susan. Rozwiązywali krzyżówkę z „Timesa" albo z „Telegraph"; choć Joan miała też te swoje książki, po które sięgała w oczekiwaniu na następną gazetę. Odnosiłem się do tej tradycyjnej brytyjskiej formy spędzania czasu z pewną wyższością. Wtedy wśród oczywistych motywów działań innych z lubością doszukiwałem się także ukrytych – najlepiej wynikających z hipokryzji. Było więc jasne, że w tej jakoby nieszkodliwej rozrywce chodzi o coś więcej niż tylko o odczytywanie enigmatycznych wskazówek i wpisywanie odpowiedzi. Moja analiza pozwoliła zidentyfikować następujące elementy: 1) chęć zredukowania chaosu wszechświata do małej, zrozumiałej siatki czarno-białych kwadratów; 2) niewzruszona wiara, że ostatecznie wszystko w życiu da się rozwiązać; 3) potwierdzenie, że egzystencja to zasadniczo czynność ludyczna, oraz 4) nadzieja, że czynność ta uśmierzy egzystencjalny ból wpisany w naszą krótką ziemską drogę od narodzin do śmierci. Tak, to by było tyle!

Pewnego wieczoru Gordon Macleod podniósł wzrok zza papierosowej zasłony dymnej i spytał:

– Miasto w Somerset, siedem liter, ostatnia N.

Zastanowiłem się chwilę.

– Swindon?

Zacmokał pobłażliwie.

– Swindon jest w Wiltshire.

– Naprawdę? A to niespodzianka. Był pan tam kiedyś?

– Czy tam byłem, czy nie, nie ma tu znaczenia – odparł. – Chodź, popatrz. To może pomóc.

Podszedłem i usiadłem obok niego. Widok sześciu pustych pól i siódmego z N nijak mi nie pomógł.

– Taunton – oświadczył i wpisał odpowiedź.

Zauważyłem, jak ekscentrycznie pisze wielkie litery, przed każdym pociągnięciem unosząc długopis znad kartki. Podczas gdy każdy napisałby N dwoma przyłożeniami długopisu do papieru, on wykonywał trzy ruchy.

– W Somerset prawie ton w ton.

Zastanowiłem się nad tym, choć trzeba przyznać, niezbyt głęboko.

– TAUNTON to prawie ton w ton, bo brzmi podobnie. Łapiesz, młokosie?

– Aa, rozumiem – odparłem, kiwając głową. – Sprytne.

Oczywiście wcale tak nie myślałem. Uważałem też, że Macleod z pewnością musiał zgadnąć, jak brzmi odpowiedź, zanim zadał mi pytanie. Toteż o dodatkowy podpunkt uzupełniłem moją analizę krzyżówki – albo, jak wolał ją nazywać Macleod, Łamigłówki. 3b) fałszywe potwierdzenie, że jesteś inteligentniejszy, niż niektórzy sądzą.

– Czy pani Macleod rozwiązuje krzyżówki? – spytałem, znając już odpowiedź.

Ja też tak potrafię, pomyślałem.

– Łamigłówka – odparł nieco łobuzersko – nie jest kobiecą domeną.

– Moja mama rozwiązuje krzyżówki razem z tatą. Joan rozwiązuje krzyżówki.

Obniżył brodę i spojrzał na mnie znad okularów.

– Przyjmijmy więc może, że Łamigłówka nie jest domeną kobiecych kobiet. Co na to powiesz?

– Powiem, że mam za mało życiowego doświadczenia, by wyciągać tu jakieś wnioski.

Choć w głębi duszy zastanawiałem się nad określeniem „kobieca kobieta". Czy była to pochwała ze strony męża ślepo oddanego żonie, czy też jakaś zakamuflowana obelga?

– To daje nam O w środku dwunastki pionowo – ciągnął.

Nagle byli jacyś „my".

Spojrzałem na wskazówkę. Coś o dwunastu miesiącach w pejczu i o błyszczeniu.

– BROKAT – mruknął Macleod, wpisując hasło, trzy pociągnięcia długopisem przy R, gdzie inni wykonaliby dwa.

– Widzisz, jest ROK, czyli dwanaście miesięcy, w środku BATA, czyli pejcza.

– To też sprytne – odpowiedziałem z udawanym entuzjazmem.

– Nieszczególnie. Już to kilka razy miałem – dodał z nutą samozadowolenia.

2b) przekonanie, że kiedy już raz się coś rozwiązało, będzie to można rozwiązać ponownie, a powtórne rozwiązanie będzie dokładnie takie samo, co z kolei rodzi przekonanie, że osiągnęło się pewien stopień dojrzałości i mądrości.

Macleod, choć o to nie prosiłem, postanowił, że wprowadzi mnie w tajniki Łamigłówki. Anagramy i jak je spostrzegać; słowa ukryte w zestawieniach innych słów; hasła klucze i ulubione triki autorów krzyżówek; powszechne skróty, litery i słowa zaczerpnięte z terminologii szachowej, stopnie wojskowe i tak dalej; to, że czasem hasło pionowe należy wpisać od dołu do góry, a hasło poziome od prawej do lewej.

– Widzisz, „biegnący na zachód" to jednoznaczna wskazówka.

Poprawka do 4). Zacząć od: „nadzieja, że ta horrendalnie nudna czynność pozwoli...".

Później spróbowałem stworzyć anagram z KOBIECEJ KOBIETY. Oczywiście nic z tego nie wyszło. KOBIECAKOBIETA. BIEC TOBIE TAK i inne tego typu bzdury to wszystko, co udało mi się wymyślić.

Kolejna adnotacja: 1a) skuteczny sposób na oderwanie myśli od kwestii miłości, jedynej, która się naprawdę liczy.

Niemniej dalej dotrzymywałem Macleodowi towarzystwa, kiedy kurzył swoje playersy i wypełniał pola dziwnie mechanicznymi pociągnięciami długopisu. Zdawało się, że czerpie przyjemność z tłumaczenia mi wskazówek, i brał moje sporadyczne mało entuzjastyczne gwizdnięcia za formę aplauzu.

– Jeszcze zrobimy z niego łamigłówkarza – rzucił do Susan pewnego wieczoru przy kolacji.

Czasem robiliśmy coś razem, on i ja. Nic wielkiego, a przynajmniej nic, co by długo trwało. Poprosił, bym pomógł mu uporać się z jakimiś sznurami i kołkami w ogrodzie, żeby sadzona przez niego kapusta rosła w równych rzędach. Parę razy wysłuchaliśmy w radiu relacji z meczu. Raz zabrał mnie, jadąc po, jak to nazywał, „paliwo napędowe". Spytałem, którą stację benzynową zamierza odwiedzić. Najbliższą, odparł, jak można się było spodziewać. Powiedziałem mu, że dokonałem analizy zależności między ceną a odległością w kwestii ginu Joan i do jakich doszedłem wniosków.

– Jakież to niesamowicie nudne – stwierdził, po czym uśmiechnął się do mnie.

Zdałem sobie sprawę, że ostatnio miałem niejedną okazję widzieć jego oczy. A Susan nie widziała ich od lat. Może przesadzała. A może po prostu nie przyglądała się zbyt uważnie.

TAKO CIEBIE OBAK… Nie, to też do niczego.

Oto, co sobie wtedy często myślałem: Kształciłem się w szkole i na uniwersytecie, a mimo to, w gruncie rzeczy, nie wiem nic. Susan prawie nie chodziła do szkoły, ale wie znacznie więcej. Ja czerpałem wiedzę z książek, ona czerpała ją z życia.

Nie żebym zawsze się z nią zgadzał. Kiedyś

mówiąc o Joan, powiedziała: „Wszyscy szukamy sobie bezpiecznego miejsca". Później przez jakiś czas zastanawiałem się nad tymi słowami. I doszedłem do następującego wniosku: może i tak, ale ja jestem młody, mam „dopiero dziewiętnaście lat" i bardziej interesuje mnie poszukiwanie miejsca niebezpiecznego.

Tak jak Susan miałem różne eufemistyczne określenia na opisanie naszej relacji. Po prostu łączy nas międzypokoleniowa nić porozumienia. Susan to moja partnerka do tenisa. Oboje lubimy muzykę i jeździmy do Londynu na koncerty. A także na wystawy sztuki. Och, nie wiem, po prostu jakoś się dogadujemy. Nie mam pojęcia, kto w co wierzył i kto co wiedział, i na ile moje poczucie dumy sprawiało, że wszystko było ostentacyjnie oczywiste. Teraz, na drugim końcu życia, mam pewną praktyczną zasadę, którą stosuję, kiedy chcę stwierdzić, czy dwie osoby mają z sobą romans: jeśli myślisz, że może go mają, to na pewno mają. Ale to było dziesiątki lat temu i może wtedy pary, o których myślałeś, że może go mają, zwykle jednak go nie miały.

No i były też córki. W tamtym okresie swojego życia nie czułem się swobodnie w towarzystwie dziewcząt, ani tych poznanych na uniwersytecie, ani Caroline w klubie tenisowym. Nie docierało do mnie, że na ogół są tak samo jak ja zdenerwowane... całym tym kramem. I podczas gdy chłopcom dobrze szło wymyślanie swoich kitów, dziewczęta w rozumieniu świata często zdawały się polegać na

Mądrości Matek. Łatwo było zwietrzyć brak wiary-
godności, kiedy dziewczyna – nie wiedząc nic więcej
niż ty – mówiła coś takiego jak: „Każdy ma sokoli
wzrok, gdy patrzy wstecz". Ta kwestia mogłaby
słowo w słowo paść z ust mojej matki. Inna zapoży-
czona matczyna mądrość, jaką pamiętam z tamtych
czasów, brzmiała: „Jeśli obniżysz swoje oczekiwania, nigdy się nie rozczarujesz". To było w moim odczuciu niezwykle ponure podejście do życia, zarówno gdy dotyczyło czterdziestopięcioletniej matki, jak
i dwudziestoletniej córki.

Ale wracając do rzeczy: Martha i Clara. Panna G
i panna M. Panna Gburowata i panna Mniej (Gburowata). Martha z wyglądu była podobna do matki –
wysoka i ładna – ale w pewnym stopniu odziedzi-
czyła kłótliwy charakter po ojcu. Clara była pulchna
i krągła, ale znacznie łagodniejsza. Panna Gburowata odnosiła się do mnie z dezaprobatą; panna Mniej
była nastawiona przyjaźnie, a nawet okazywała mi
zainteresowanie. Panna Gburowata mówiła takie
rzeczy jak: „Nie masz swojego domu?". Panna Mniej
pytała, co czytam, a raz nawet pokazała mi kilka
swoich wierszy. Ale marny ze mnie krytyk poezji,
wtedy i dziś, więc moja reakcja zapewne ją rozczaro-
wała. Tak w każdym razie wyglądała moja wstępna
ocena.

O ile dziewczyny ogólnie mnie onieśmielały, to
szczególnie te, które były ode mnie trochę starsze,
nie mówiąc o tych, w których matce się kochałem.
A moje skrępowanie zdawało się podkreślać beztro-
skę, z jaką poruszały się po swoim domu, pojawiały
się, znikały, odzywały się lub nie. Możliwe, że moja

reakcja na to była nieco prostacka, ale postanowiłem, że nie będę się nimi interesował bardziej niż one mną. To oznaczało, że poświęcałem im mniej niż pięć procent uwagi. Co mi odpowiadało, bo ponad dziewięćdziesiąt pięć skupiało się na Susan.

Jako że to Martha odnosiła się do mnie z większą dezaprobatą, właśnie jej powiedziałem w duchu wyzwania lub perwersji:

– Myślę, że powinienem wytłumaczyć. Susan w pewnym sensie zastępuje mi matkę.

Nie, to było do niczego. Zapewne zabrzmiało fałszywie, jak cwaniacka próba przypochlebienia się. Martha zwlekała z odpowiedzią, a kiedy już przemówiła, jej ton był cierpki.

– Ja zastępstwa nie potrzebuję, mam matkę.

Czy moje kłamstwo w jakimś stopniu było prawdą? Nie wierzę w to. Choć może się to wydawać dziwne, nigdy nie zastanawiałem się nad dzielącą nas różnicą wieku. Wiek był dla mnie tak nieistotny jak pieniądze. Nigdy nie wydawało mi się, że Susan należy do pokolenia moich rodziców – czy było ono „zużyte", czy nie. Nigdy się nie wywyższała, nigdy nie powiedziała: „Cóż, jak będziesz trochę starszy, zrozumiesz", nic z tych rzeczy. Tylko rodzice ględzili o mojej niedojrzałości.

Aha, moglibyście orzec, ale z pewnością to, że powiedziałeś jej córce, iż ona zastępuje ci matkę, zdradza prawdę? Możesz twierdzić, że to nie było szczere, ale czyż my wszyscy nie uciekamy się do żartów, by ukoić nasze wewnętrzne lęki? Była niemal dokładnie w tym samym wieku co twoja matka, a ty poszedłeś z nią do łóżka. No więc?

No więc tak. Widzę, dokąd zmierzacie – autobusem numer 27 pod Delfy. Słuchajcie, nigdy nie chciałem zabić ojca i przespać się z matką. To prawda, że chciałem spać z Susan – i robiłem to wielokrotnie – a przez wiele lat myślałem o zabiciu Gordona Macleoda, ale to inna część tej historii. Mówiąc wprost, uważam, że mit o Edypie jest dokładnie tym, czym był na początku: więcej w nim melodramatu niż psychologii. Przez całe życie nigdy nie spotkałem kogoś, do kogo by się mógł odnosić.

Myślicie, że wykazuję się naiwnością? Chcielibyście zaznaczyć, że motywacja ludzka jest przebiegle pogrzebana i skrywa swoje zagadkowe mechanizmy przed tymi, którzy ślepo się jej poddają? Może i tak. Ale nawet – przede wszystkim – Edyp nie c h c i a ł zabić swojego ojca i kochać się z matką, nieprawdaż? Ależ chciał! Ależ nie chciał! Tak, niech ta rozmowa pozostanie pantomimą.

Nie żeby pre-historia nie miała znaczenia. Naprawdę uważam, że pre-historia jest kluczowa dla wszystkich związków.

Ale wolałbym opowiedzieć wam o jej uszach. Przeoczyłem je w klubie tenisowym, kiedy związywała włosy tamtą zieloną wstążką, pod kolor lamówki i guzików na sukience. A na co dzień nosiła włosy rozpuszczone, pofalowane na uszach i sięgające połowy szyi. Tak że dopiero kiedy znaleźliśmy się w łóżku, a ja zabrałem się do szperania i węszenia po całym jej ciele, w każdym zakamarku, w każdej nadmiernie i niedostatecznie zbadanej części, pochylony nad nią, odgarnąłem jej włosy i odkryłem uszy.

Nigdy wcześniej nie poświęcałem uszom zbyt wiele uwagi, widząc w nich tylko komiczne narośle. Dobre uszy to takie, których się nie zauważało; złe uszy sterczały jak skrzydła nietoperza lub były kalafiorowate po ciosie boksera, albo też – jak uszy tamtego wściekłego kierowcy przy przejściu dla pieszych – chropowate, czerwone i włochate. Ale jej uszy, ach, jej uszy... od dyskretnego, niemal nieistniejącego płatka łagodnym łukiem biegły do góry, ale potem w połowie drogi takim samym łukiem zawracały ku jej czaszce. Jakby zaprojektowano je raczej według jakiejś idei estetycznej, a nie zasad użyteczności słuchowej.

Kiedy zwracam jej na to uwagę, mówi:

– Pewnie są takie, żeby wszystkie te bzdury przelatywały obok i nie trafiały do środka.

Ale to nie wszystko. Kiedy badałem je czubkami palców, odkryłem, jak delikatna jest ich zewnętrzna krawędź: cienka, ciepła, łagodna, aksamitna, niemal półprzezroczysta. Wiecie, jak nazywa się po łacinie obrąbek ucha? *Helix*. Jak helisa. W liczbie mnogiej helisy. Uszy były częścią jej absolutnej wyjątkowości, uzewnętrznieniem jej DNA. Podwójna helisa jej helis.

Później, zastanawiając się, co mogła mieć na myśli, kiedy mówiła o „bzdurach", które przelatują obok jej zadziwiających uszu, pomyślałem: cóż, oskarżenie o oziębłość – to wielka bzdura. Tyle że to słowo wpadło prosto do jej uszu, a stamtąd do mózgu, gdzie utkwiło na zawsze.

Tak jak powiedziałem, pieniądze miały dla naszego związku nie większe znaczenie niż wiek. Nie wykazywałem ani krzty tej głupiej męskiej dumy, która objawia się w takich okolicznościach. Może nawet czułem, że brak pieniędzy czyni moją miłość do Susan jeszcze czystszą.

Po kilku miesiącach – a może później – Susan oświadcza, że potrzebuję funduszu ucieczkowego.

– Po co?

– Żebyś mógł uciec. Każdy powinien mieć taki fundusz.

Tak jak każdy młody człowiek powinien mieć reputację. Skąd się wziął ten najnowszy pomysł? Z powieści Nancy Mitford?

– Ale ja nie chcę uciekać. Od kogo miałbym uciec? Od rodziców? I tak ich już właściwie porzuciłem. Mentalnie. Od ciebie? Czemu miałbym chcieć uciec od ciebie? Chcę, żebyś została w moim życiu na zawsze.

– To przemiłe z twojej strony, Paul. Ale widzisz, nie mówię o konkretnej ucieczce. To jakby fundusz ogólny. Bo w pewnym momencie każdy chce uciec od swojego życia. To bodajże jedyne, co istoty ludzkie mają wspólnego.

Zupełnie nie mogę się w tym połapać. Jedyna ucieczka, którą mógłbym rozważać, to ucieczka z nią, a nie od niej.

Po kilku dniach daje mi czek na pięćset funtów. Mój samochód kosztował mnie dwadzieścia pięć funtów; semestr na uniwersytecie przeżyłem za mniej niż sto. Ta kwota wydawała się jednocześnie bardzo duża i nic nieznacząca. Nie pomyślałem nawet, że jest „hojna". Nie miałem żadnych zasad w kwestii pieniędzy, nie byłem ani za, ani przeciw.

Dla naszego związku też nie miały najmniejszego znaczenia – tyle wiedziałem. Kiedy więc wróciłem do Sussex, udałem się do miasta, otworzyłem konto oszczędnościowe w pierwszym banku, jaki napotkałem, wręczyłem im czek i zapomniałem o tym.

Jest coś, co zapewne powinienem był wyjaśnić wcześniej. Możliwe, że w mojej opowieści związek z Susan jawi się jako słodki letni epizod. Tak wszak dyktuje stereotyp. Najpierw jest inicjacja seksualna i emocjonalna, później następuje bujny okres uciech, przyjemności i rozpieszczania, a potem kobieta, z ukłuciem żalu, ale też z poczuciem godności, zwraca młodego człowieka światu i młodszym ciałom przedstawicielek jego pokolenia. Ale mówiłem wam już, że to nie nasz przypadek.

Byliśmy razem – i mam na myśli razem – przez dziesięć czy dwanaście lat, zależnie od tego, gdzie zaczniemy i gdzie skończymy liczyć. A te lata, tak się złożyło, zbiegły się z tym, co gazety lubiły nazywać Rewolucją Seksualną: okresem pieprzenia wszystkiego, co się rusza – a przynajmniej tak nas przekonywano – natychmiastowych przyjemności i luźnych romansów bez poczucia winy, kiedy głębokie pożądanie i emocjonalna niefrasobliwość były na porządku dziennym. Można więc powiedzieć, że mój związek z Susan obrażał zarówno nowe normy, jak i dawne.

Pamiętam ją, jak pewnego popołudnia, ubrana w sukienkę w kwiaty, podchodzi do perkalowej kanapy i opada na nią ciężko.

– Spójrz, Casey Paul! Znikam! Rozpływam się w powietrzu! Nie ma tu nikogo!

Patrzę. To pół prawdy. Jej nogi w rajstopach wyraźnie widać, głowę i szyję też, ale wszystkie środkowe części nagle zlały się z tłem.

– Chciałbyś tego, Casey Paul? Żebyśmy zniknęli i nikt nas nie widział?

Nie wiem, czy mówi poważnie, czy też po prostu mnie kokietuje. Tak więc nie wiem, jak zareagować. Patrząc wstecz, dochodzę do wniosku, że jako młody człowiek odczytywałem wszystko bardzo dosłownie.

Powiedziałem Ericowi, że poznałem pewną rodzinę i zakochałem się. Opisałem Macleodów, ich dom i styl życia, delektując się nakreślonymi przez siebie portretami. Zakomunikowałem mu, że to pierwsza dorosła rzecz, jaka mi się przydarzyła.

– A więc w której córce się zakochałeś? – spytał Eric.

– Nie, nie w córce, w matce.

– Ach, w matce – powiedział. – To się nam podoba – dodał, przyznając mi punkty za oryginalność.

Pewnego dnia zauważam ciemny siniak na jej ramieniu, tuż pod miejscem, gdzie kończy się rękaw sukienki. Ma rozmiar dużego odcisku kciuka.

– Co to? – pytam.

– Och – odpowiada niedbale – musiałam się o coś uderzyć. Łatwo robią mi się sińce.

Oczywiście, że tak, myślę. Bo jest wrażliwa, jak ja. Oczywiście, że świat może nas zranić. Dlatego musimy się sobą opiekować.

– Kiedy trzymam twoje nadgarstki, nie robią ci się sińce.

– Na nadgarstkach chyba w ogóle się nie robią, nieprawdaż?

– Kiedy cię trzymam, nie.

To, że „mogłaby być moją matką", nie spotkało się z aprobatą mojej matki. Ani mojego ojca; ani jej męża; ani jej córek; ani arcybiskupa Canterbury – nie żeby był przyjacielem rodziny. Mnie aprobata obchodziła równie mało jak pieniądze. Z kolei dezaprobata, rzeczywista czy teoretyczna, dyktowana ignorancją czy wiedzą, jedynie zaogniała, potwierdzała i uzasadniała moją miłość.

Nie miałem żadnej nowej definicji miłości. Nie analizowałem, czym ona jest ani co może za sobą pociągać. Po prostu poddałem się pierwszej miłości we wszystkich jej przejawach, od muśnięć wargami po bezkompromisowość. Wszystko inne nie miało znaczenia. Oczywiście była też „reszta mojego życia", zarówno teraźniejszego (studia), jak i przyszłego (praca, pensja, pozycja społeczna, emerytura, świadczenia emerytalne, śmierć). Można by powiedzieć, że tę część życia odłożyłem na później. Tyle że to się nie zgadza: ona była moim życiem, a wszystko inne nie. Wszystko inne mogło i musiało zostać poświęcone w sposób przemyślany lub nie, jeśli i kiedy będzie to konieczne. Choć „poświęcenie" wskazuje na stratę. A ja nigdy nie miałem poczucia straty. Kościół i państwo, mawiają, Kościół i państwo. Tu sprawa jest prosta. Kościół pierwszy, zawsze pierwszy – choć nie w takim sensie, w jakim rozumiałby to arcybiskup Canterbury.

Ja nie tyle tworzyłem własną koncepcję miłości, ile w pierwszej kolejności dokonywałem koniecznego oczyszczenia z gruzu. Większość z tego, co przeczytałem lub czego mnie nauczono o miłości – od podwórkowych plotek po wzniosłe rozważania literackie – wydawała się nie mieć tu zastosowania. „Miłość mężczyźnie nie jest życiem całym / Dla kobiet miłość – jedyne istnienie"*. Jakie to błędne – cóż za dyskryminacja płciowa, jak można by dziś powiedzieć. A potem, na drugim końcu skali, pojawiały się ziemskie seksmądrości wymieniane przez kompletnie zielonych, a przy tym tęsknie pożądliwych uczniaków. „Kiedy grzebiesz w palenisku, nie patrzysz na gzyms". Skąd wzięło się to powiedzenie? Z jakiejś zwierzęcej dystopii pełnej nocnego pospolitego chrząkania?

Ale ja chciałem jej twarzy: jej oczu, ust, cudownych uszu o eleganckich obrąbkach, uśmiechu, wypowiadanych szeptem słów. Tak więc leżałem na plecach, ona na mnie, jej stopy były wsunięte między moje; w tej pozycji dotykała czubkiem nosa czubka mojego nosa i mówiła:

– Teraz patrzymy sobie w oczy.

Innymi słowy: miałem dziewiętnaście lat i wiedziałem, że miłość jest niezniszczalna, odporna na upływ czasu i zużycie.

Doznaję nagłego przypływu – czego? – strachu, przyzwoitości, altruizmu? Zwracam się do niej, sądząc, że ona będzie rozumieć więcej:

---

* George Byron, *Don Juan*, przeł. Edward Porębowicz.

– Widzisz, nigdy dotąd nie byłem zakochany, więc nic nie wiem o miłości. Martwię się, że jeśli kochasz mnie, będzie ciebie mniej dla innych, których darzysz miłością.

Nie wymieniam ich z imienia. Miałem na myśli jej córki, a może nawet i męża.

– To nie tak – odpowiada z miejsca, jakby to był problem, nad którym ona też się zastanawiała i który rozwiązała. – Miłość jest elastyczna. Ona nie ulega rozrzedzeniu. Wzbogaca się. Nie zubaża. Więc nie ma się czym martwić.

Więc nie martwiłem się.

– Jest coś, co muszę ci wytłumaczyć – zaczyna. – Ojciec S.P. był bardzo miłym człowiekiem. Lekarzem. Kolekcjonował meble. Część z tego należała do niego. – Wskazuje niewyraźnym gestem ciężki dębowy kufer i zegar szafkowy, którego bicia jeszcze nigdy nie słyszałem. – Miał nadzieję, że S.P. zostanie malarzem, więc dał mu na drugie Rubens. Co było dość niefortunne, bo niektórzy chłopcy w szkole przypuszczali, że musi być Żydem. Tak czy owak, wykonał kilka szkolnych rysunków, które wszyscy uznali za obiecujące. Ale nigdy nie osiągnął w tej dziedzinie nic więcej, dlatego pod tym względem rozczarował ojca. Jack – ojciec – zawsze był dla mnie bardzo dobry. Kiedy na mnie patrzył, oczy mu się skrzyły.

– Wcale mnie to nie dziwi.

Zastanawiam się, dokąd zmierza ta opowieść. Chyba nie będzie z tego jakiegoś międzypokoleniowego galimatiasu?

– Byliśmy małżeństwem zaledwie parę lat, kiedy

Jack zapadł na raka. Zawsze uważałam, że w razie jakichkolwiek kłopotów będę mogła się do niego zwrócić, a teraz miałam go stracić. Przychodziłam z nim posiedzieć, ale byłam tak smutna, że koniec końców raczej on pocieszał mnie, a nie ja jego. Pewnego razu spytałam, co o tym wszystkim myśli, a on odparł: „Oczywiście wolałbym, żeby sprawy miały się inaczej, ale nie mogę narzekać, że nie miałem w życiu równych szans". Lubił, jak spędzałam z nim czas, może dlatego, że byłam młoda i niewiele wiedziałam, toteż zostałam z nim do końca.

Tamtego dnia – ostatniego – lekarz, ten, który się nim opiekował, który był też dobrym przyjacielem, wszedł i powiedział cicho: „Czas pozwolić ci zasnąć, Jack". „Masz rację", padła odpowiedź. Widzisz, bardzo długo cierpiał. Potem Jack zwrócił się do mnie i powiedział: „Przykro mi, że nasza znajomość trwała tak krótko, moja droga. Wspaniale było z tobą obcować. Zdaję sobie sprawę, że Gordon potrafi być twardym orzechem do zgryzienia, ale umrę szczęśliwy, wiedząc, że zostawiam go w twoich bezpiecznych i sprawnych rękach". Następnie pocałowałam go i wyszłam z pokoju.

– Chcesz powiedzieć, że lekarz go zabił?

– Dał mu tyle morfiny, żeby go uśpić, tak.

– I nie obudził się?

– Nie. Dawniej lekarze robili takie rzeczy, zwłaszcza między sobą. Albo jeśli znali danego pacjenta od dawna, łączyło ich zaufanie. Niesienie ulgi w cierpieniu to dobry pomysł. Rak to okropna choroba.

– Mimo wszystko. Nie jestem pewien, czy chciałbym zostać zabity.

– Cóż, pożyjemy, zobaczymy, Paul. Ale w tej historii nie o to chodzi.

– Przepraszam.

– Chodzi o „bezpieczne i sprawne".

Zastanawiam się nad tym przez chwilę.

– Tak, rozumiem.

Ale nie jestem pewny, czy rzeczywiście rozumiałem.

– Gdzie zwykle jeździsz na wakacje? – pytam.

– Paul, takie pytania zadają fryzjerzy.

W odpowiedzi nachylam się i zakładam jej włosy za uszy, delikatnie głaszcząc obrąbki.

– Ojej – ciągnie. – Wszystkie te konwencjonalne oczekiwania, jakie mamy wobec innych. Nie, nie mówię o tobie, Casey Paul. Czemu wszyscy mieliby być tacy sami? Kiedyś byliśmy kilka razy na wakacjach, jak dziewczynki były małe. Powiedziałabym, że te wyjazdy były mniej więcej tak udane jak rajd na Dieppe. Wakacje nie wpływały na S.P. najlepiej. Właściwie nie rozumiem, po co są.

Zastanawiam się, czy nie powinienem zostawić tego tematu. Może na jednym z ich wyjazdów wydarzyło się coś okropnego.

– To co mówisz, kiedy fryzjerzy zadają to pytanie?

– Mówię: „Nadal jeździmy tam, gdzie zawsze". Wtedy myślą, że już o tym rozmawialiśmy, a oni zapomnieli, i zwykle mi odpuszczają.

– Może ty i ja powinniśmy pojechać na wakacje.

– Możliwe, że musiałbyś mnie nauczyć, po co one są.

– Są po to – odpowiadam stanowczo – żeby być z ukochaną osobą kilkaset kilometrów od tej cholernej Wioski, w której oboje mieszkamy. Żeby być z nią cały czas. Kłaść i budzić się z nią.

– Cóż, skoro tak, Casey…

Widzicie więc, że były pewne rzeczy, które ja wiedziałem, a ona nie.

Siedzimy przed koncertem w kafeterii Festival Hall. Susan wcześnie zauważyła, że kiedy spada mi poziom cukru, staję się, jak to ujęła, „trochę zrzędliwy", i teraz podkarmia mnie, żeby temu zapobiec. Zapewne zamówiłem coś-z-frytkami; ona zadowoli się filiżanką kawy i kilkoma herbatnikami. Uwielbiam te nasze wypady do Londynu – choć przez kilka godzin jesteśmy razem, z dala od Wioski, od moich rodziców i jej męża, i od tego wszystkiego, wśród zgiełku i tłoku miasta, czekając na ciszę, po której nagle popłynie muzyka.

Właśnie mam to wszystko powiedzieć, kiedy do naszego stolika podchodzi kobieta i siada, nie pytając choćby zdawkowo, czy nie mamy nic przeciwko temu. Kobieta w średnim wieku, sama; i tyle, choć w moich wspomnieniach mogłem przeobrazić ją w jakąś wersję mojej matki – w każdym razie kobieta, która bez wątpienia potępiłaby mój związek z Susan. Tak więc, po paru minutach, doskonale wiedząc, co robię, spoglądam na Susan i mówię wyraźnie i stanowczo:

– Wyjdziesz za mnie?

Oblewa się rumieńcem, zasłania sobie uszy i przygryza dolną wargę. Z hukiem, szuraniem i tupaniem intruz zabiera swoją filiżankę i przenosi się do innego stolika.

– Och, Casey Paul – mówi Susan – straszny z ciebie szelma.

Jadłem kolację u Macleodów. Clara też tam była, przyjechała z uniwersytetu. Macleod siedział u szczytu stołu ze swoimi flaszkami czegoś tam, przed nim kufel z dymką niczym słój z tulipanami.

– Może zauważyłaś – zwrócił się do Clary – że ten młody człowiek najwyraźniej dołączył do naszej rodziny. Niech tak będzie.

Nie potrafiłem wyczytać z jego tonu, czy słowa te były pedantycznie serdeczne, czy też sprytnie wyrażały pogardę. Spojrzałem na Clarę, ale nie uzyskałem żadnej wskazówki.

– Cóż, zobaczymy, czyż nie? – ciągnął, z pozoru przecząc swojemu pierwszemu stwierdzeniu.

Włożył sobie do ust dymkę i wkrótce potem cicho beknął.

– Jedna z kwestii, którymi ten młody człowiek postanowił uprzejmie, acz poniewczasie się zająć, to wykształcenie muzyczne twojej matki. Czy też raczej jego brak. – Potem zwrócił się do mnie: – Clara dostała imię po Clarze Schumann, co być może było z naszej strony przejawem nadmiernej ambicji. Niestety nigdy nie wykazała większego talentu do gry na fortepianie, prawda?

Nie wiedziałem, czy to pytanie pod adresem matki, czy córki. Co do mnie, nigdy nie słyszałem o Clarze Schumann, czułem więc, że jestem w jeszcze mniej korzystnym położeniu.

– Może gdyby twoja matka zaczęła swoją muzyczną edukację wcześniej, zdołałaby przekazać ci trochę tego swojego spóźnionego entuzjazmu.

Nigdy wcześniej nie byłem w żadnym domu, w którym mężczyzna byłby postacią tak władczą, a zarazem tak zagadkową. Może tak się dzieje, kiedy wokół nie ma innych mężczyzn. Jego przekonanie o wadze własnej roli rozrasta się bez ograniczeń. A może po prostu Gordon Macleod miał to w swojej naturze.

Niemniej moja nieumiejętność wychwycenia tonu rozmowy była tamtego wieczoru mniej istotna. Większy problem stanowiło to, że jako dziewiętnastolatek nie wiedziałem, jak się zachowywać przy stole mężczyzny, w którego żonie się kocham.

Kolacja i rozmowa toczyły się dalej. Susan sprawiała wrażenie trochę nieobecnej; Clara milczała. Zadałem kilka uprzejmych pytań, a sam odpowiedziałem na nieco bardziej dosadne. Tak jak mówiłem wysokim przedstawicielom klubu tenisowego, w ogóle nie interesowałem się polityką, niemniej śledziłem bieżące wydarzenia. Wszystko działo się kilka lat po masakrze w Sharpeville, do której musiałem jakoś nawiązać, i niewątpliwie moje słowa zawierały jakąś dozę świątobliwego potępienia. Cóż, rzeczywiście uważałem, że nie należy mordować ludzi.

– Czy ty chociaż wiesz, gdzie jest Sharpeville? – Głowa Rodziny najwyraźniej rozpoznała we mnie kwilącego komucha.

– W Afryce Południowej – odparłem. Ale mówiąc to, zacząłem się nagle zastanawiać, czy to nie podchwytliwe pytanie. – Albo w Rodezji – dodałem; potem znów się zastanowiłem. – Nie, w Południowej Afryce.

– Bardzo dobrze. I jak kształtuje się twoja przemyślana opinia na temat tamtejszej sceny politycznej?

Powiedziałem coś o tym, że jestem przeciwny strzelaniu do ludzi.

– A co radziłbyś światowym siłom policyjnym, kiedy stają twarzą w twarz z rozwścieczonym tłumem komunistów?

Nienawidziłem, jak dorośli zadawali pytania w sposób, który sugerował, że z góry wiedzą, jakiej udzielisz odpowiedzi, i że ta odpowiedź zawsze będzie błędna lub głupia. Powiedziałem więc coś, może niepoważnie, z czego wynikało, że to, iż są martwi, nie dowodzi, że byli komunistami.

– Byłeś kiedyś w Południowej Afryce? – ryknął na mnie Macleod.

Susan drgnęła.

– Żadne z nas nie było w Południowej Afryce.

– To prawda, myślę jednak, że wiem o tamtejszej sytuacji więcej niż wy dwoje razem wzięci. – Wyglądało na to, że Clara została wyłączona ze wspólnictwa w ignorancji. – Gdybyśmy dołożyli jego wiedzę do twojej – postawili Pelion na Ossie, że się tak wyrażę – wciąż byłaby tego ledwie szczypta.

Długą ciszę przerwała Susan, pytając, czy ktoś chce jeszcze coś zjeść.

– Mógłbym szczyptę soli, pani Macleod?

Tak, teraz uświadamiam sobie, że potrafiłem być bezczelnym draniem. Cóż, liczyłem dopiero dziewiętnaście lat. Nie miałem pojęcia, czym mogą być

Pelion i Ossa; bardziej uderzyła mnie myśl o dołożeniu mojej wiedzy do wiedzy Susan. Wszak to właśnie robią kochankowie: pomnażają wzajemnie swoje poznanie świata. A przy tym „poznać" kogoś, przynajmniej w Biblii, znaczyło uprawiać z nim seks. Tak więc już dołożyłem swoją wiedzę do jej wiedzy. Nawet jeśli wyszła z tego ledwie szczypta. Cokolwiek to znaczy.

Powiedziała mi, że jej ojciec wyznawał chrześcijaństwo naukowe i cieszył się uwielbieniem wielu ministrantek. Powiedziała mi, że jej brat, który zaginął na wojnie, kilka tygodni przed ostatnim lotem poszedł do prostytutki, bo chciał „dowiedzieć się, o co w tym wszystkim chodzi". Powiedziała mi, że nie umie pływać, bo ma ciężkie kości. Takie informacje padały z jej ust w przypadkowej kolejności i bez konkretnej zachęty z mojej strony, prócz milczącego pragnienia, by wiedzieć o niej wszystko. Przedstawiała je więc, jakby oczekiwała, że zrozumiem i uporządkuję jej życie i serce.

– Nie wszystko jest takie, jak się wydaje, Paul. To właściwie jedyne, czego mogę cię nauczyć.

Zastanawiam się, czy mówi o fikcji, jaką jest przyzwoitość, jaką jest małżeństwo, jaką są przedmieścia, jaką jest... ale ona nie ustaje.

– Winston Churchill, mówiłam ci, że go widziałam?

– Chcesz powiedzieć, że byłaś na Downing Street?

– Nie, głuptasie. Widziałam go na bocznej uliczce w Aylesbury. Co tam robiłam? W sumie to bez znaczenia. Siedział na tylnym siedzeniu samochodu z odkrytym dachem. Miał twarz pokrytą warstwą makijażu. Czerwone usta, zaróżowiona twarz. Wyglądał dziwacznie.

– Jesteś pewna, że to był Churchill? Nie wiedziałem, że on...

– ...jest jednym z nich? Nie, to nie tak, Paul. Widzisz, czekali, żeby przewieźć go przez centrum, to było po tym, jak wygraliśmy wojnę, a może po wyborach, i umalowano go na występ przed kamerami. Pathé News i tak dalej.

– Jakie to dziwne.

– Owszem. Tak więc sporo ludzi widziało tego dziwnego umalowanego manekina na żywo, ale znacznie więcej w kronikach filmowych, gdzie wyglądał tak, jak się tego spodziewano.

Zastanawiam się nad tym przez chwilę. Uznaję, że to komiczny incydent, a nie ogólna życiowa reguła. Zresztą interesuje mnie co innego.

– Ale ty jesteś taka, na jaką wyglądasz, prawda? Dokładnie taka, na jaką wyglądasz?

Całuje mnie.

– Mam nadzieję, mój piękny opierzony przyjacielu. Mam taką nadzieję ze względu na nas oboje.

Zwykłem grasować po domu Macleodów, trochę jako antropolog, trochę socjolog, a w pełni kochanek. Z początku, co naturalne, porównywałem go z domem rodziców, który wypadał przy nim blado. Tu widać było styl i swobodę, i ani krzty tej absurdalnej gospodarskiej dumy. Rodzice mieli lepszy, bardziej nowoczesny sprzęt kuchenny, ale nie budziło to mojego uznania; ani to, że ich samochód był czystszy, rynny zawsze przepłukane, podsufit-ki regularnie malowane, krany w łazience wypole-rowane na błysk, deski klozetowe z higienicznego plastiku, a nie z ciepłego drewna. W naszym domu telewizor był traktowany poważnie i stał na środ-ku pokoju; u Macleodów nazywano go telepudłem i chowano za osłoną kominka. Nie mieli wykładzi-ny ani kuchni na wymiar, nie mówiąc o zestawie wypoczynkowym czy komplecie łazienkowym dopasowanym kolorystycznie. W garażu było tyle narzędzi, niepotrzebnego sprzętu sportowego, ak-cesoriów ogrodniczych, starych kosiarek spalino-wych (w tym jedna działająca) i zbędnych mebli, że zabrakło miejsca na austina. W pierwszej chwili wydało mi się, że świadczy to o stylu i indywidu-alizmie. Z początku mnie to uwiodło, potem stop-niowo przyszło rozczarowanie. Moja dusza nie pa-sowała do takiego miejsca, tak jak nie przynależała do domu rodziców.

A co ważniejsze, wierzyłem, że Susan też tu nie pa-suje. Było to coś, co podpowiadał mi instynkt, a zro-zumiałem dopiero dużo później, z czasem. Dziś, gdy ponad połowa dzieci w kraju rodzi się z nieprawego łoża (nieprawe: nigdy wcześniej nie zwróciłem uwa-gi na to słowo), pary łączy nie tyle małżeństwo, ile zajmowane wspólnie lokum. Dom czy mieszkanie mogą być równie zwodniczą pułapką jak akt ślubu; czasem nawet bardziej. Lokum sygnalizuje okreś-lony styl życia, przy czym wyraża subtelną prośbę, by ten styl życia kontynuować. Lokum wymaga też stałej uwagi i troski; jest niczym fizyczny wyraz mał-żeństwa, które w nim trwa.

Ale widziałem aż nazbyt wyraźnie, że Susan nie doświadcza stałej uwagi i troski. I nie mówię o seksie. Albo nie tylko.

Muszę coś wyjaśnić. Przez cały czas, kiedy byliśmy z Susan kochankami, nigdy nie miałem poczucia, że „oszukujemy" Gordona Macleoda, pana S.P. Nigdy nie uważałem, by można go było określać tym dziwnym starym słowem: „rogacz". Oczywiście nie chciałem, żeby w i e d z i a ł. Ale uważałem, że to, co łączy mnie z Susan, nie ma nic wspólnego z nim; on nie miał z tym żadnego związku. Nie czułem też wobec niego pogardy, jakiejś młodzieńczej wyższości wynikającej z tego, że utrzymuję kontakty seksualne z jego żoną, a on nie. Możecie myśleć, że to tylko zwyczajne łudzenie się zwyczajnego kochanka, ale ja się z tym nie zgadzam. Nawet kiedy sytuacja... się zmieniła i nabrałem do niego innego stosunku, ten aspekt się nie zmienił. On nie miał z nami nic wspólnego, widzicie to?

Susan być może myśląc, że nie doceniam jej przyjaciółki Joan, powiedziała mi delikatnie karcącym tonem, że każdy ma swoją historię miłości. Chętnie przyjąłem to do wiadomości, cieszyłem się, że wszyscy doświadczają lub doświadczyli tego błogosławieństwa, nawet jeśli nie mogą być aż tak błogosławieni jak ja. Ale jednocześnie nie chciałem, żeby Susan mówiła mi, czy przeżyła historię miłości z Geraldem albo z Gordonem, czy też przeżywa ją ze mną. Czy w jej życiu była jedna, dwie czy trzy historie.

*

Pewnego wieczoru jestem u Macleodów. Robi
się późno. Macleod poszedł już do łóżka i chrapiąc,
odsypia swoje flachy i flaszki. Ona i ja siedzimy na
kanapie; słuchaliśmy muzyki z koncertu, na którym
byliśmy ostatnio w Royal Festival Hall. Spoglądam
na nią w sposób, który jasno wyraża moje uczucia
i pragnienia.

– Nie, Casey. Pocałuj mnie ledwo, ledwo.

Więc całuję ją lekko, ledwie muśnięcie warg, nic,
co mogłoby wywołać u niej rumieniec. Za to trzyma-
my się za ręce.

– Szkoda, że muszę iść do domu – mówię marud-
nym tonem. – Nienawidzę go.

– Czemu więc nazywasz go domem?

Nie pomyślałem o tym.

– Szkoda, że nie mogę zostać tutaj.

– Zawsze możesz rozbić namiot w ogrodzie. Na
pewno w garażu znajdzie się trochę niepotrzebnego
brezentu.

– Wiesz, o co mi chodzi.

– Wiem doskonale.

– Zawsze mógłbym potem wymknąć się przez
okno.

– I zostać aresztowany za włamanie przez prze-
chodzącego gliniarza? Wtedy trafilibyśmy do „Advertiser & Gazette" – zawahała się. – W sumie…

– Tak?

Mam nadzieję, że obmyśla jakiś plan.

– Ta kanapa się rozkłada. Mógłbyś spać tutaj. Jeśli
S.P. zastanie cię, zanim wyjdzie do pracy, powie-
my…

Ale właśnie w tej chwili dzwoni telefon. Susan odbiera, słucha, patrzy na mnie, mówi „Tak", robi poważną minę i zakrywa dłonią słuchawkę.

– Do ciebie.

To oczywiście matka, która pyta, gdzie jestem, co wydaje mi się zbyteczne, zważywszy, że adres, pod którym się obecnie znajduję, widnieje obok numeru w książce telefonicznej, z której niewątpliwie właśnie skorzystała. Chce też wiedzieć, kiedy wrócę.

– Jestem trochę zmęczony – mówię. – Więc przenocuję tu na kanapie.

Matka ostatnio musiała znieść sporo moich bezczelnych kłamstw. Ale bezczelne mówienie prawdy to już przesada.

– Nie ma mowy. Będę tam za sześć minut.

I rozłącza się.

– Będzie tu za sześć minut.

– Panie, zmiłuj się nad nami – mówi Susan. – Myślisz, że powinnam poczęstować ją kieliszkiem sherry?

Chichoczemy przez kolejne pięć minut i czterdzieści pięć sekund, po czym słyszymy na ulicy samochód.

– Leć, ty paskudny hulako – szepcze.

Matka, w różowym szlafroku włożonym na różową koszulę nocną, siedziała za kierownicą. Nie sprawdziłem, czy na nogach ma kapcie. Była w połowie papierosa i zanim wrzuciła bieg, wyrzuciła żarzący się niedopałek na podjazd Macleodów.

Wsiadłem, a kiedy jechaliśmy, mój nastrój uległ zmianie: zuchwałą obojętność zastąpiło wściekłe poczucie upokorzenia. Panowała angielska cisza: taka, w której wszystkie niewypowiedziane słowa są doskonale słyszalne dla obu stron. Położyłem się do łóżka i zaniosłem się płaczem. Nigdy więcej do tego nie wróciliśmy.

Niewinność Susan była tym bardziej zaskakująca, że ona nigdy nie starała się jej ukryć. Nie wiem, czy w ogóle kiedykolwiek starała się coś ukryć – to nie leżało w jej naturze. Później – cóż, to, co było później, było później.

Ale na przykład – i nie pamiętam, czemu zeszliśmy na ten temat – kiedyś powiedziała, że może nie poszłaby ze mną do łóżka, gdyby nie dobrze znany fakt, że mężczyźnie szkodzi, jeśli nie może „rozładować napięcia seksualnego". To wszystko, co zostało ze słów, które wtedy padły między nami, to proste wyrażenie.

Może to była bardziej niewiedza niż niewinność. Albo można to nazwać mądrością ludową lub patriarchalną propagandą. Te słowa sprawiły, że zacząłem się zastanawiać. Czy to oznaczało, że ona nie pragnie mnie tak bardzo, jak ja pragnę jej – nieustannie, boleśnie, bez reszty? Że dla niej seks oznacza co innego? Że chodzi ze mną do łóżka tylko ze względów terapeutycznych, bo jeśli nie „rozładowałbym napięcia", mógłbym wybuchnąć jak bojler lub chłodnica w samochodzie? I czy w kobiecej psychologii seksualnej nie ma analogicznego zjawiska?

Później pomyślałem: Ale jeśli tak sobie wyobraża funkcjonowanie męskiej seksualności, co z jej mężem? Czy nigdy nie zastanawia się nad jego potrzebą „rozładowania napięcia"? Chyba że widziała już, jak wybucha, i wie, czym to się kończy. A może S.P. korzysta z usług prostytutek w Londynie – lub z przedniej części jakiegoś słonia? Kto wie? Może to tłumaczy jego dziwaczność.

Jego dziwaczność, jej niewinność. I oczywiście nie odpowiedziałem jej, że wobec braku kobiecego towarzystwa młodzi mężczyźni – wszyscy, których znam – nie mają problemu z „rozładowaniem napięcia seksualnego" z prostej przyczyny: brandzlują się jak opętani, zawsze się brandzlowali i zawsze będą się brandzlować.

Jej niewinność, moja ordynarność; jej naiwność, moja nadmierna pewność siebie. Wracałem na uniwersytet. Pomyślałem, że będzie śmiesznie, jak w prezencie pożegnalnym kupię jej dużą dorodną marchewkę. To miał być żart; rozbawi ją; ona zawsze śmiała się wtedy, kiedy ja się śmiałem. Poszedłem do warzywniaka, tam uznałem, że zabawniejszy będzie pasternak. Pojechaliśmy na przejażdżkę i gdzieś się zatrzymaliśmy. Wręczyłem jej pasternak. Wcale się nie śmiała, rzuciła go tylko przez ramię i usłyszałem, jak głucho uderza o tylne siedzenie. Pamiętałem tę chwilę całe życie i choć od wielu lat się nie rumieniłem, gdybym mógł, rumieniłbym się właśnie na to wspomnienie.

Udało nam się wyjechać na krótko. Nie pamiętam, jakich kłamstw naopowiadaliśmy, żeby spędzić ze sobą kilka dni w prawdzie. Musiało to być poza sezonem. Pojechaliśmy gdzieś w okolice południowego wybrzeża. Nie pamiętam hotelu, więc możliwe, że wynajęliśmy mieszkanie. To, co mówiliśmy, myśleliśmy, czego dowiedzieliśmy się o sobie – wszystko uleciało. Pamiętam natomiast jakąś rozległą pustą plażę. Może to była Camber Sands. Zrobiliśmy sobie nawzajem zdjęcia moim aparatem. Stanąłem dla niej na rękach. Ona jest ubrana w płaszcz, wiatr smaga jej włosy, unosząc je do tyłu, a jej dłonie, przytrzymujące kołnierz płaszcza przy szyi, są otulone dużymi czarnymi rękawiczkami ze sztucznego futra. Za nią w oddali stoi rząd kabin plażowych i niski budynek zamkniętej kawiarni. W zasięgu wzroku nie ma nikogo. Gdyby ktoś chciał, mógłby obejrzeć te zdjęcia i odgadnąć, jaka to była pora roku; a także, bez wątpienia, jaką mieliśmy pogodę. Z tak odległej perspektywy oba te fakty są dla mnie bez znaczenia.

Miałem na szyi krawat, to kolejny szczegół. Zdjąłem marynarkę, żeby stanąć na rękach. Krawat spada mi na sam środek odwróconej twarzy, zasłaniając nos, dzieląc mnie na połowy. Bekhend i forhend.

W tamtych czasach rzadko przychodziła do mnie poczta. Kartki od przyjaciół, listy z uniwersytetu przypominające o różnych sprawach, wyciągi z banku.

– Tutejszy stempel – powiedziała matka, wręczając mi kopertę.

Adres został wypisany na maszynie, a przed moim imieniem widniało krzepiące „Sz.P.".

– Dzięki, mamo.

– Nie otworzysz?

– Owszem, otworzę.

Odeszła zagniewana.

List przysłał sekretarz klubu tenisowego. Informował mnie, że moje tymczasowe członkostwo zostało anulowane ze skutkiem natychmiastowym. Co więcej, „ze względu na zaistniałe okoliczności" żadna część składki członkowskiej nie podlega zwrotowi. „Okoliczności" nie zostały bliżej określone.

Byliśmy z Susan umówieni w klubie na nieformalny mecz we czwórkę. Po lunchu wziąłem więc rakietę i torbę sportową i wyszedłem z domu, udając, że idę na kort.

– Napisali coś ciekawego? – nie odpuszczała matka.

Machnąłem rakietą w prasce.

– Klub tenisowy. Pytają, czy chcę zostać stałym członkiem.

– To miło, Paul. Muszą być zadowoleni z twojej gry.

– Na to wygląda, prawda?

Jadę do domu Susan.

– Ja też taki dostałam – mówi.

Jej list jest prawie taki sam jak mój, tyle że dosadniejszy. Jej członkostwo zostaje anulowane nie ze względu na „zaistniałe okoliczności", lecz z powodu „oczywistych okoliczności, których jest Pani w pełni świadoma". Ta wersja zarezerwowana jest dla Jezebel, dla cudzołożnic.

– Jak długo należałaś do klubu?

– Ze trzydzieści lat. Mniej więcej.

– Przykro mi. To moja wina.

Zaprzecza ruchem głowy.

– Powinniśmy się odwołać?

– Nie.

– Mógłbym spalić ten klub.

– Nie.

– Myślisz, że nas gdzieś widziano?

– Przestań zadawać pytania, Paul. Zastanawiam się.

Siadam obok niej na perkalowej kanapie. Nie chcę przyznać, a przynajmniej nie od razu, że część mnie jest tym zwrotem wydarzeń podekscytowana. Ja – my – wywołaliśmy skandal! Po raz kolejny miłość pada ofiarą prześladowań ze strony małostkowych gryzipiórków! Wyrzucenie nas może i nie było Przeszkodą, dzięki której Namiętność Kwitnie, ale w moim odczuciu moralne i towarzyskie potępienie wpisane w słowa „ze względu na zaistniałe okoliczności" uwierzytelniają naszą miłość. A kto nie chce, żeby jego miłość została uwierzytelniona?

– Przecież nie przyłapano nas na całowaniu się w wysokiej trawie za walcem kortowym.

– Och, bądź już cicho, Paul.

Siedzę więc w milczeniu, a moje myśli hałasują. Próbuję przypomnieć sobie przypadki chłopców wyrzuconych z mojej szkoły. Jeden wyleciał za nasypanie cukru do baku w samochodzie nauczyciela. Inny za zrobienie swojej dziewczynie dziecka. Jeszcze inny za to, że upił się po meczu krykieta, oddał mocz w przedziale pociągu, a potem pociągnął za hamulec bezpieczeństwa. W swoim czasie to wszystko robiło duże wrażenie. Ale moje własne złamanie zasad wydawało mi się ekscytujące, triumfalne, a przede wszystkim dorosłe.

*

– O proszę, patrzcie, kogo przywiało – brzmiało powitanie Joan, kiedy kilka dni później otworzyła mi drzwi.

Nie uprzedziłem jej o swojej wizycie.

– Daj mi chwilę, to uciszę szczekacze.

Drzwi znów się zamknęły, a ja stałem przy wiekowej wycieraczce i rozmyślałem nad tym, jak z Susan oddaliliśmy się od siebie, odkąd wyrzucono nas z klubu. Okazałem swoje radosne podniecenie zbyt wyraźnie, co wywołało grymas niezadowolenia. Powiedziała, że nadal „się zastanawia". Nie wiedziałem, nad czym miałaby się zastanawiać. Powiedziała, że pojawiły się pewne komplikacje, których nie zrozumiem. Powiedziała, żebym przyszedł dopiero w weekend. Czułem się przybity, jak ktoś, kto czeka na wyrok, choć w moich oczach nie doszło do żadnego przestępstwa.

– Siadaj – poleciła mi Joan, kiedy dotarliśmy do zadymionej papierosami i przesyconej zapachem ginu nory, która w założeniu była jej salonem. – Napijesz się dla kurażu?

– Tak, poproszę.

Nie pijałem ginu – nienawidziłem jego zapachu i czułem się po nim jeszcze gorzej niż po winie czy piwie. Ale nie chciałem wyjść na zarozumialca.

– Zuch chłopak.

Wręczyła mi wypełnioną po brzegi szklankę. Na brzegu był ślad szminki.

– Strasznie tego dużo – powiedziałem.

– To nie pub, w tym przybytku nie używamy pieprzonych miarek – odparła.

Zacząłem sączyć gęstą, tłustą, ciepławą substancję,

która nie pachniała ani trochę jak jałowiec widnieją-
cy na butelce.

Joan zapaliła papierosa i wypuściła dym w moją
stronę, jakby chciała mnie ponaglić.

– No więc?

– No więc tak. Cóż. Może słyszałaś o klubie tenisowym.

– Wioskowe tam-tamy nie żyją niczym innym.
Bębnią jak opętane.

– Tak, pomyślałem, że ty…

– Dwie sprawy, młody człowieku. Po pierwsze,
nie chcę znać żadnych szczegółów. Po drugie, jak
mogę pomóc?

– Dziękuję. – Byłem szczerze wzruszony, ale też
zdezorientowany.

Jak może pomóc, nie znając szczegółów? I co jest
szczegółem? Zacząłem się nad tym zastanawiać.

– No dalej. O co chcesz mnie spytać?

Na tym polegał problem. Nie wiedziałem, o co
chcę spytać. Jakoś wydawało mi się, że to, czego chcę
od Joan, stanie się dla mnie jasne, kiedy ją zobaczę.
Albo że ona sama będzie wiedzieć. Ale nie stało się,
a ona najwyraźniej nie wiedziała. Z wahaniem spróbowałem wytłumaczyć. Joan kiwała głową i pozwalała mi sączyć gin i rozmyślać.

Potem powiedziała:

– Spróbuj zadać mi pierwsze pytanie, jakie przychodzi ci do głowy.

Zrobiłem to, bez zastanowienia.

– Myślisz, że Susan odeszłaby od pana Macleoda?

– No, no – powiedziała cicho. – Wysoko mierzysz,
młody człowieku. Masz jaja. To się nazywa tempo.

Uśmiechnąłem się głupio, biorąc to za komplement.

– I co, spytałeś ją?

– No co ty.

– A żeby zacząć od początku, skąd wzięlibyście pieniądze?

– Nie dbam o pieniądze – odparłem.

– Bo nigdy nie musiałeś.

To była prawda; ale nie w takim znaczeniu, że byłem bogaty. Do szkoły państwowej chodziłem za darmo, uniwersytet opłaciłem z dotacji od samorządu lokalnego, wakacje spędzałem w domu. Ale było też prawdą, że nie dbałem o pieniądze – w istocie według mojego światopoglądu dbanie o pieniądze było równoznaczne ze świadomym odwracaniem się od tego, co jest w życiu najważniejsze.

– Jeśli zamierzasz być dorosły – powiedziała Joan – musisz zacząć myśleć o dorosłych sprawach. A sprawą numer jeden są pieniądze.

Przypomniałem sobie, czego dowiedziałem się o dawnym życiu Joan – o tym, że była „utrzymanką", która niewątpliwie żyła z datków gotówkowych, w opłaconym mieszkaniu i przyjmowała prezenty w postaci ubrań i wakacji. Czy to miała na myśli, mówiąc o dorosłości?

– Zdaje się, że Susan ma ich trochę.

– Pytałeś ją?

– No co ty.

– Cóż, może powinieneś.

– Mam fundusz ucieczkowy – zaoponowałem, nie tłumacząc skąd.

– A ileż to monet pobrzękuje w twojej skarbonce?
To dziwne, że nigdy nie obrażałem się na nic, co mówiła Joan. Po prostu zakładałem, że pod tą szorstką powłoką ma dobre serce i jest po mojej stronie. No ale kochankowie zawsze zakładają, że ludzie są po ich stronie.

– Pięćset funtów – oświadczyłem z dumą.

– Tak, cóż, za taką kwotę na pewno możesz uciec. Starczy na kilka tygodni w Le Touquet-Paris-Plage, o ile będziesz się trzymał z dala od kasyna. A potem wrócisz jak niepyszny do Anglii.

– Czemu nie?

Nawet jeśli nigdy nie myślałem o wyjeździe do Le Touquet-Paris-Plage. Czy tam właśnie uciekają kochankowie?

– W przyszłym miesiącu wracasz na studia, prawda?

– Tak.

– I co, zamierzasz ją tam trzymać w szafce kuchennej? W szafie?

– Nie.

Miałem poczucie, że jestem głupi i beznadziejny. Nic dziwnego, że Susan „zastanawia się" nad tym wszystkim. Czyżby to była tylko jakaś moja romantyczna wizja ucieczki, wspinaczki po drabinie, która nie ma szczebli?

– To trochę bardziej skomplikowane niż obliczenie, jak mogę zaoszczędzić na ginie i paliwie.

Zostałem stanowczo sprowadzony na ziemię, co niewątpliwie było zamierzeniem Joan.

– Mogę zadać ci inne pytanie?

– Strzelaj.

– Dlaczego oszukujesz przy rozwiązywaniu krzyżówek?

Joan zaśmiała się głośno.

– Masz tupet, dzieciaku. Pewnie Susan ci powiedziała. Cóż, to pytanie nie jest nie na miejscu, a ja mogę na nie odpowiedzieć. – Wypiła łyk ginu. – Widzisz, mam nadzieję, że ty nigdy nie osiągniesz tego stanu, ale niektórzy z nas dochodzą w życiu do takiego punktu, gdzie zdają sobie sprawę, że nic nie ma znaczenia. Nic, kurwa, nie ma znaczenia. A jedną z nielicznych ubocznych korzyści jest to, że wiesz, iż nie pójdziesz do piekła za wpisywanie błędnych odpowiedzi w krzyżówce. Bo już przeżyłeś piekło i wiesz aż za dobrze, jak tam jest.

– Ale odpowiedzi są na końcu książki.

– Ach, widzisz, tyle że dla mnie to byłoby oszukiwanie.

Poczułem do niej nieprawdopodobną sympatię. Usłyszałem, jak pytam:

– Czy jest coś, co mogę dla ciebie zrobić, Joan?

– Nie skrzywdź Susan.

– Prędzej podciąłbym sobie gardło – odparłem.

– Tak, myślę, że może nawet mówisz serio. – Uśmiechnęła się do mnie. – A teraz uciekaj i jedź ostrożnie. Widzę, że brak ci jeszcze odporności na gin.

Właśnie miałem wrzucić bieg, kiedy rozległo się pukanie w szybę. Nie słyszałem, jak za mną szła. Opuściłem okno.

– Nigdy nie przejmuj się tym, co o tobie mówią – powiedziała, wpatrując się we mnie intensywnie. – Na przykład niektórzy życzliwi sąsiedzi uważają, że jestem tylko ohydną starą lesbą mieszkającą samotnie z psami. A więc do tego lesbą niewydarzoną. Niech wszystko po tobie spływa jak woda po kaczce. Jeśli chcesz mojej rady, to właśnie ona.

– Dziękuję za gin – powiedziałem i zwolniłem hamulec ręczny.

Joan żądała, żebym dorósł. Byłem gotów spróbować, jeśli to miało pomóc Susan; ale dorosłość wciąż budziła we mnie pewne przerażenie. Po pierwsze, nie byłem pewny, czy jest osiągalna. Po drugie, nawet jeśli jest osiągalna, nie byłem pewny, czy jest pożądana. Po trzecie, nawet jeśli jest pożądana, to tylko przez porównanie z dzieciństwem i wiekiem dojrzewania. Co w dorosłości budziło moją niechęć i nieufność? Cóż, mówiąc krótko: poczucie uprzywilejowania, wyższości, założenie, że wie się lepiej, jeśli nie najlepiej, wielka banalność opinii dorosłych, to, jak kobiety wyjmują puderniczki i pudrują sobie nosy, to, jak mężczyźni siedzą w fotelach, rozstawiając szeroko nogi, a ich przyrodzenia wyraźnie rysują się przez spodnie, to, jak rozmawiają o ogródkach i ich uprawie, okulary, jakie noszą, żeby widzieć, i widowiska, jakie z siebie robią, ich picie i palenie, okropny flegmisty charkot, który rozlega się, kiedy kaszlą, sztuczne zapachy, których używają, żeby ukryć swoje zwierzęce zapachy, to, jak mężczyźni łysieją, a kobiety układają sobie włosy, stosując kleje w spreju, obrzydliwa myśl, że może wciąż uprawiają seks, potulne posłuszeństwo wobec norm społecznych, zgryźliwa dezaprobata wobec wszelkiej prześmiewczości czy ciekawości, przekonanie, że sukces ich dzieci będzie oceniany według tego, jak dobrze będą one naśladować rodziców, nieznośny odgłos, który wydają z siebie, kiedy się z sobą zgadzają, komentarze na temat jedzenia, które gotują, i jedzenia, które jedzą, ich zamiłowanie do rzeczy, które mnie brzydzą (w szczególności oliwek, peklowanej cebuli, czatnejów, piccalilli, sosu chrzanowego, dymki, smarowideł do chleba, śmierdzących serów i marmite'u), emocjonalne samozadowolenie, poczucie rasowej wyższości, to, jak liczą każdy grosz, to, jak wyławiają jedzenie, które utknęło im między zębami, to, jak nie interesują się mną wystarczająco, i to, jak interesują się mną za bardzo, kiedy ja tego nie chcę. To była tylko krótka lista, która naturalnie w żadnym stopniu nie dotyczyła Susan.

Och, i jeszcze jedno. To, jak, niewątpliwie kierowani jakimś atawistycznym panicznym strachem przed przyznawaniem się do prawdziwych emocji, podchodzą do życia uczuciowego z ironią, obracając związek między osobami odmiennych płci w głupi dyżurny żart. To, jak mężczyźni sugerują, że tak naprawdę wszystkim zarządzają kobiety; to jak kobiety sugerują, że mężczyźni tak naprawdę nie wiedzą, co się dzieje. To, jak mężczyźni udają, że są silni, a kobiety trzeba głaskać i rozpieszczać, i opiekować się nimi; to, jak kobiety udają, że wbrew utrwalonym tradycjom seksualnym to one wykazują się zdrowym rozsądkiem i praktycznością. To, jak obie strony, łkając, przyznają, że pomimo wszystkich wad partnera nadal się wzajemnie potrzebują. Nie da się żyć bez nich, z nimi też nie. I tak żyją w małżeństwie, które, jak to ujął pewien dowcipniś, jest instytucją: w znaczeniu instytucji karnej. Kto powiedział to pierwszy, mężczyzna czy kobieta?

Jak można się spodziewać, nic z tego mnie nie cieszyło. Lub raczej miałem nadzieję, że nic z tego nigdy nie będzie się odnosić do mnie; w istocie wierzyłem, że mogę to sprawić.

Tak więc w rzeczywistości, kiedy mówiłem: „Mam dziewiętnaście lat!", a rodzice triumfująco odpowiadali: „Tak, masz dopiero dziewiętnaście lat!", był to także mój triumf. Myślałem, dzięki Bogu, że mam „dopiero" dziewiętnaście lat.

Pierwsza miłość układa życie na zawsze: tyle odkryłem przez lata. Może nie mieć większego znaczenia niż kolejne, ale jej istnienie zawsze będzie na życie wpływać. Może służyć za model albo kontrprzykład. Może przyćmiewać kolejne miłości; z drugiej strony może czynić je łatwiejszymi, lepszymi. Choć czasem pierwsza miłość wypala serce i jakiś przyszły poszukiwacz znajdzie tylko tkankę bliznowatą.

„Dobrano nas w drodze losowania". Jak może już mówiłem, nie wierzę w przeznaczenie. Ale teraz wierzę, że kiedy dwoje kochanków się spotyka, jest już tyle pre-historii, że możliwe są tylko określone scenariusze. Tymczasem kochankowie wyobrażają sobie, że świat zostaje wyzerowany i że otwierają się zarówno nowe, jak i nieskończone możliwości.

A pierwsza miłość zawsze rozgrywa się w niczym nieograniczonej pierwszej osobie. Jakże mogłoby być inaczej? A także w niczym nieograniczonym czasie teraźniejszym. Dopiero później zdajemy sobie sprawę, że są też inne osoby i inne czasy.

Tak więc (i to musiało wydarzyć się wcześniej, ale dopiero teraz to sobie przypominam) odwiedzam ją pewnego popołudnia. Wiem, że o trzeciej, kiedy nie ma już sprzątaczki złodziejki, a do powrotu pana S.P. są jeszcze trzy i pół godziny, będzie czekać na mnie w łóżku. Jadę, parkuję i ruszam pieszo Duckers Lane. Nie czuję się ani trochę skrępowany. Im więcej prawdziwej czy wyobrażonej dezaprobaty „sąsiadów", tym lepiej. Nie kieruję się do domu Macleodów przez tylną furtkę i ogród. Skręcam na podjazd, idę otwarcie, pod nogami chrzęści mi żwir, nie przemykam dyskretnie, grzesznie, po rosnącej po bokach trawie. Dom jest z czerwonej cegły, symetryczny, na środku mieści się ganek, a nad nim malutka sypialnia Susan. Po obu stronach ganku, dla ozdoby, co czwarty rząd cegieł został położony tak, że wystaje na pół cegły. Teraz widzę, że na tych kilku kuszących centymetrach można zaczepić rękę i oprzeć stopę.

Kochanek jako włamywacz? Czemu nie? Zostawiła mi otwarte tylne drzwi. Ale kiedy idę ku gankowi, ogarnia mnie miłosna pewność siebie i dochodzę do wniosku, że jeśli odpowiednio się rozpędzę, może uda mi się wspiąć na wysokość jakichś trzech metrów i wdrapać na płaski pokryty ołowiem daszek. Szturmuję ganek, zuchwale, z zapałem i przyzwoitą koordynacją wzrokowo-ruchową. Prościzna – i oto jestem, naraz przyczajony na ołowianej blasze. Narobiłem tyle hałasu, że Susan podeszła do okna, z początku przestraszona, po chwili zaskoczona i rozradowana. Ktoś inny zganiłby mnie za to szaleństwo, powiedziałby, że mogłem rozbić sobie czaszkę, wyraziłby strach i troskę: jednym słowem sprawiłby, że poczułbym się jak niemądry krnąbrny chłopiec. A Susan tylko otwiera okno i wciąga mnie do pokoju.

– Gdyby Pojawił się Kłopot, zawsze mógłbym się też tędy wydostać – mówię, dysząc.

– To by była heca.

– Skoczę tylko na dół i zaryglują tylne drzwi.

– Jak zwykle przezorny – mówi Susan, wracając do swojego jednoosobowego łóżka.

I to także prawda. Jestem przezorny. Przypuszczam, że to wynika z mojej pre-historii. Ale ma też związek z tym, co powiedziałem Joan: że jeśli to pomoże Susan, jestem gotów dorosnąć.

Jestem chłopakiem; ona jest mężatką w średnim wieku. Ja mam swój cynizm i rzekomo rozumiem życie; choć jestem jednocześnie idealistą, przekonanym, że ma i wolę, i moc naprawczą.

A ona? Nie jest ani cyniczką, ani idealistką; żyje wolna od mentalnego zamętu, jaki wprowadza teoretyzowanie, i przyjmuje każdą okoliczność i sytuację taką, jaka jest. Śmieje się z różnych rzeczy i czasem ten śmiech jest sposobem na to, żeby nie myśleć, unikać oczywistych bolesnych prawd. Ale jednocześnie czuję, że ona jest bliżej życia niż ja.

Nie rozmawiamy o naszej miłości; po prostu wiemy, że istnieje niezaprzeczalnie; że jest tym, czym jest, i że z tego faktu wyniknie wszystko inne, nieuchronnie i słusznie. Czy ciągle dla potwierdzenia powtarzamy sobie: „Kocham cię"? Z tak odległej perspektywy nie mogę mieć pewności. Choć pamiętam, że kiedy zaryglowawszy tylne drzwi, wchodzę do niej do łóżka, szepcze:

– Nigdy nie zapominaj, najczulszym punktem jest środek.

No i jest to słowo Joan, które padło w czasie naszej rozmowy jak betonowy słup do stawu rybnego: praktyczność. Widziałem w życiu znajomych, którzy nie zdecydowali się odejść od małżonka, kontynuować romans, czasem nawet w ogóle się w niego wdać, zawsze podając ten sam powód. „To po prostu nie jest praktyczne", mówią ze znużeniem. Za duże odległości, brak dogodnych połączeń kolejowych, niedopasowane godziny pracy; do tego kredyt hipoteczny, dzieci, pies; a także współwłasność różnych rzeczy. „Nie potrafiłam zmierzyć się z podziałem kolekcji płyt", powiedziała mi kiedyś pewna nieodchodząca żona. W pierwszym porywie miłości para połączyła swoje zbiory, eliminując wszystkie duplikaty. Jak mieliby teraz podzielić je między siebie? I tak została; a po jakimś czasie pokusa, żeby odejść, minęła, i kolekcja płyt odetchnęła z ulgą.

Tymczasem mnie, wtedy, w mojej uczuciowej bezkompromisowości, wydawało się, że miłość nie ma nic wspólnego z praktycznością; w rzeczy samej są one jak dwa bieguny. A to, że miłość odnosiła się do takich banalnych rozważań z pogardą, działało na jej chwałę. Miłość była z natury niszczycielska, katastrofalna; a jeśli nie była taka, nie była miłością.

Możecie zapytać, jak głęboko mogłem rozumieć miłość, mając dziewiętnaście lat. Sąd mógłby orzec, że moje pojęcie o niej wywodziło się z kilku książek i filmów, rozmów z przyjaciółmi, ekscytujących snów, tęsknych fantazji o pewnych dziewczynach na rowerach i ćwierćzwiązku z pierwszą kobietą, z którą poszedłem do łóżka. Ale moje dziewiętnastoletnie ja poprawiłoby sąd: na „zrozumienie" miłości jest czas później, „zrozumienie" miłości graniczy z praktycznością, na „zrozumienie" miłości będzie czas, gdy serce ostygnie. Kochanek w uniesieniu nie chce „rozumieć" miłości, lecz doznawać jej, czuć tę intensywność, widzieć, jak obraz się wyostrza, doświadczać przyspieszenia życia, całkowicie usprawiedliwionego egotyzmu, pożądliwej hardości, radosnych deklamacji, spokojnej powagi, gorącego pragnienia, pewności, prostoty, złożoności, prawdy, prawdy, prawdy miłości.

Prawda i miłość to było moje kredo. Kocham ją i widzę prawdę. To musi być takie proste.

Czy seks wychodził nam „dobrze"? Nie mam pojęcia. Nie myśleliśmy o tym. Po części dlatego, że każdy seks wtedy wydawał się z definicji seksem dobrym. Ale też dlatego, że rzadko o tym rozmawialiśmy, zarówno przed, podczas, jak i po fakcie; uprawialiśmy go, wierzyliśmy, że jest wyrazem naszej wzajemnej miłości, nawet jeśli fizycznie i mentalnie każdemu z nas dostarczał innego rodzaju satysfakcji. Po tym jak ona wspomniała o swojej rzekomej oziębłości, a ja – opierając się na swoim gigantycznym doświadczeniu w tej materii – beztrosko zbyłem jej słowa, nigdy więcej nie wróciliśmy do tej kwestii. Czasem po wszystkim szeptała: „Dobra robota, partnerze". Czasem, z większą powagą, z większym niepokojem: „Proszę, nie skreślaj mnie jeszcze, Casey Paul". Na to też nie miałem odpowiedzi.

Od czasu do czasu – i, muszę podkreślić, nie w łóżku – mawiała: „Oczywiście, że będziesz miał dziewczyny. To słuszne i właściwe". Ale mnie się to nie wydawało słuszne ani właściwe, ani nawet istotne.

Innym razem wspomniała pewną liczbę. Nie pamiętam kontekstu ani tym bardziej samej wartości; ale po chwili zdałem sobie sprawę, że mówi o tym, ile razy się kochaliśmy.

– Liczyłaś?

Skinęła głową. Znów poczułem konsternację. Czy ja też powinienem był liczyć? A jeśli tak, co miałem liczyć – ile razy byliśmy razem w łóżku czy swoje orgazmy? Nie byłem tą statystyką w żadnym stopniu zainteresowany i zastanawiałem się, dlaczego przyszło jej to do głowy. Było w tym coś fatalistycznego – jakby chciała mieć coś namacalnego, policzalnego, czego mogłaby się trzymać, gdyby mnie nagle zabrakło. Ale mnie nagle nie zabraknie.

Kiedy kolejny raz wspomniała o moich przyszłych dziewczynach, powiedziałem bardzo wyraźnie i stanowczo, że zawsze będzie w moim życiu: cokolwiek się wydarzy, zawsze będzie w nim dla niej miejsce.

– Ale gdzie mnie będziesz trzymał, Casey Paul?

– W najgorszym wypadku na dobrze wyposażonym poddaszu.

Mówiłem oczywiście metaforycznie.

– Jak stary rupieć?

Ta rozmowa mi się nie podobała.

– Nie – powtórzyłem. – Zawsze będziesz przy mnie.

– Na twoim poddaszu?

– Nie, w moim sercu.

Mówiłem szczerze, naprawdę – zarówno o poddaszu, jak i o sercu. Na zawsze.

Nie zdawałem sobie sprawy, że nosi w sobie panikę. Jak mogłem się domyślić? Myślałem, że tylko ja ją w sobie noszę. Teraz, dość późno, zdaję sobie sprawę, że wszyscy ją w sobie nosimy. Wynika ona wprost z naszej śmiertelności. Mamy różne kody zachowań, które powinny ją złagodzić i zmniejszyć, żarty i utarte zwyczaje, i mnóstwo metod na odwrócenie i rozproszenie uwagi. Ale wszyscy nosimy w sobie panikę i pandemonium, które tylko czekają, żeby wybuchnąć, tego jestem pewien. Widziałem, jak ryczą wśród umierających, ostatni protest przeciwko kondycji ludzkiej i wpisanemu w nią chronicznemu smutkowi. Ale ta panika jest w nas wszystkich, nawet tych najbardziej zrównoważonych i racjonalnych. Niech tylko zaistnieją odpowiednie okoliczności, a z pewnością się objawi. I będziesz zdany na jej łaskę. Ta panika jednych doprowadza do Boga, innych do rozpaczy, jedni zwracają się ku działalności charytatywnej, inni sięgają po alkohol, jedni popadają w stan emocjonalnej nieświadomości, inni żyją dalej, żywiąc nadzieję, że już nigdy nie przydarzy im się nic poważnego.

*

Choć zostaliśmy wygnani z klubu tenisowego niczym Adam i Ewa, spodziewany skandal jednak nie wybuchł. Nie było słów potępienia wygłoszonych z ambony kościoła Świętego Michała, żadnego demaskatorskiego artykułu w „Advertiser & Gazette". Pan Macleod wydawał się niczego nieświadomy; Panny G i M przebywały w tym czasie za granicą. Moi rodzice nic nie wspomnieli. Tak więc w bardzo angielskim stylu łączącym niewiedzę, prawdziwą lub udawaną, i zażenowanie nikt – poza Joan, i to na moje zaproszenie – nie przyznał, że coś się dzieje. Wioskowe tam-tamy mogły bębnić, ale niektórzy postanowili pozostać głusi na wygrywane przez nie nowiny. Czułem jednocześnie ulgę i rozczarowanie. Jaka jest korzyść i radość z oburzającego zachowania, jeśli Wioska chce się oburzać tylko za zamkniętymi drzwiami?

Ale miałem też poczucie ulgi, bo to oznaczało, że Susan przestała „się zastanawiać". Innymi słowy, odetchnęliśmy głęboko i znów zaczęliśmy chodzić ze sobą do łóżka, ryzykując tak samo jak wcześniej. Głaskałem jej uszy i ostukiwałem królicze zęby. Raz, żeby pokazać, że wszystko jest wciąż tak samo, wspiąłem się po wystających cegłach na ganku i wszedłem do jej sypialni przez okno.

A jak się okazało, ona też miała fundusz ucieczkowy, na który składało się więcej niż pięćset funtów.

Stale powtarzam, że miałem dziewiętnaście lat. Ale w niektórych opisanych tu momentach miałem dwadzieścia lub dwadzieścia jeden. Wszystkie te wydarzenia rozgrywały się na przestrzeni ponad dwóch lat, zwykle podczas moich wakacji. W czasie trwania semestru Susan często przyjeżdżała do mnie do Sussex w odwiedziny albo ja jechałem do Wioski i zatrzymywałem się u Macleodów. Sześć minut samochodem od domu rodziców, a mimo to nigdy nie mówiłem im, że jestem. Wysiadałem z pociągu na wcześniejszej stacji, a Susan przyjeżdżała po mnie austinem. Spałem na rozkładanej kanapie, a pan Macleod, jak się zdawało, tolerował moją obecność. Nigdy nie bywałem w centrum Wioski, choć niekiedy, przez wzgląd na dawne czasy, myślałem, żeby spalić klub tenisowy.

Susan poznała moich przyjaciół z uniwersytetu – Erica, Iana, Barneya i Sama – i czasem jeden lub paru z nich też zatrzymywało się u Macleodów. Może oni także byli dla nas pewnego rodzaju przykrywką – z tak odległej perspektywy nie pamiętam. Wszyscy oni uważali mój związek z Susan za coś wspaniałego. W kwestii związków – jakichkolwiek – wspieraliśmy się nawzajem. Lubili też swobodę panującą w domu Susan. Gotowała obfite posiłki, i to też się im podobało. Wtedy byliśmy wiecznie głodni; a także żałośnie niezdolni do przygotowania sobie posiłku.

Któregoś piątku – cóż, zapewne był to piątek – pan Macleod wcinał swoją dymkę, ja bawiłem się sztućcami, a Susan właśnie wnosiła jedzenie, kiedy spytał z większą niż zwykle dozą sarkazmu:

– A iluż to młodych galantów będzie dotrzymywać ci towarzystwa w ten weekend, że ośmielę się spytać?

– Zobaczmy – odparła Susan, trzymając przed sobą potrawkę i udając, że się zastanawia: – Zdaje się, że w ten weekend będą tylko Ian i Eric. I oczywiście Paul. Chyba że inni też się pojawią.

Pomyślałem, że wykazała się niezwykłym opanowaniem. A potem zjedliśmy kolację jak gdyby nigdy nic.

Ale następnego dnia w samochodzie spytałem:

– Czy on zawsze mnie tak nazywa? Nazywa tak nas?

– Tak. Jesteś moim młodym galantem.

– Nie jestem takim znowu galantem. Wydaje mi się, że czasem jestem wręcz dość pospolity.

Ale to słowo zraniło. Rozumiecie, zraniło ze względu na nią. O siebie nie dbałem. Nie, naprawdę: może nawet byłem zadowolony. Być zauważonym – nawet obrażonym – to lepsze niż być ignorowanym. A poza tym młody człowiek powinien mieć reputację.

Spróbowałem zebrać wszystko, co wiedziałem o Macleodzie. Nie mogłem dłużej myśleć o nim jako o panu S.P., Starym Adamie czy Głowie Rodziny. Miał na imię Gordon, choć Susan używała tego imienia tylko wtedy, gdy mówiła o odległej przeszłości. Wyglądał na starszego od niej o kilka lat, musiał więc być po pięćdziesiątce. Pracował jako urzędnik służby cywilnej, ale nie miałem pojęcia, w jakim ministerstwie ani mnie to nie interesowało. Od wielu lat nie uprawiał seksu z żoną, choć w dawnych czasach, kiedy był Gordonem, sypiał z nią, czego dowodem były ich dwie córki. Uznał żonę za oziębłą. Mógł lubić albo nie przód kostiumu słonia. Uważał, że policja lub wojsko powinny strzelać do wzburzonego tłumu komunistów. Jego żona od wielu lat nie widziała z bliska jego oczu. Grał w golfa i uderzał w piłkę tak, jakby jej nienawidził. Lubił Gilberta i Sullivana. Z powodzeniem wcielał się w rolę zaniedbanego, acz kompetentnego ogrodnika; choć zdaniem własnego ojca potrafił być twardym orzechem do zgryzienia. Nie lubił wakacji i nie jeździł na nie. Lubił pić. Nie lubił chodzić na koncerty. Był dobry w rozwiązywaniu krzyżówek i miał pedantyczny charakter pisma. Nie miał w Wiosce żadnych znajomych, może z wyjątkiem kolegów w klubie golfowym, miejscu, w którym nigdy nie byłem i nigdy być nie zamierzałem. Nie chodził do kościoła. Czytał „Timesa" i „Telegraph". Był wobec mnie przyjazny i uprzejmy, ale też sarkastyczny i niegrzeczny; głównie, powiedziałbym, obojętny. Sprawiał wrażenie zagniewanego na życie. I należał do pokolenia, które może było, a może nie było zużyte.

Ale było w nim coś jeszcze, co czułem raczej, niż widziałem. Miałem wrażenie – jestem pewien, że Macleod nie był tego świadom, nigdy się nad tym nie zastanawiał, ale czułem – że właśnie on, on w szczególności, nie pozwala mi dorosnąć. Był zupełnie inny niż moi rodzice czy ich znajomi, ale w jeszcze większym stopniu niż oni reprezentował tę dorosłość, która budziła we mnie przerażenie.

Kilka luźnych myśli i wspomnień:

– Wkrótce po incydencie wokół Sharpeville Susan doniosła, że Macleod nazwał mnie „bardzo sensownym młodym człowiekiem". Głodny pochwał, jak każdy w moim wieku, przyjąłem to bez zastanowienia. Może nawet więcej: ponieważ najpierw na mnie nakrzyczał, a dopiero potem dokonał trzeźwej oceny, uważałem jego komentarz za jeszcze cenniejszy.

– Zdaję sobie sprawę, że nie miałem pojęcia, jak Macleodowie odnosili się do siebie, kiedy mnie tam nie było. Zapewne miałem zbyt bezkompromisowe podejście, żeby się nad tym zastanawiać.

– Zdaję sobie też sprawę, że porównując nasze domy, mogłem przedstawić swój tak, jakby tam nadziewało się groszek na czubek noża i zjadało go, drapiąc się po tyłku. Nie, byliśmy dobrze wychowani. Nasze zachowanie przy stole ogólnie wypadało lepiej niż to, co obserwowało się u Macleodów.

– Ponadto wbrew temu, jak to może przedstawiłem, nie we wszystkich znajomych rodziców moje pokolenie budziło bierną dezaprobatę. Niektórzy dezaprobowali czynnie. W pewien wakacyjny weekend pojechaliśmy do Sutton na kolację u Spencerów. Pani Spencer znała moją matkę z czasów kolegium; jej mąż był niskim agresywnym inżynierem górnictwa, z pochodzenia Belgiem, który zajmował się odkrywaniem i zawłaszczaniem afrykańskich bogactw mineralnych w imieniu jakiejś międzynarodowej firmy. To musiał być słoneczny dzień (choć niekoniecznie), ponieważ z mojej górnej kieszonki wystawały niedawno nabyte lustrzanki przeciwsłoneczne. Kupiłem je od Barneya, specjalizującego się w zakupie hurtowym i imporcie egzotycznych dóbr, sprzedawanych następnie tym, którzy pragnęli dyskretnie zamanifestować swoje fundamentalne hipsterstwo. Okulary pochodziły zza żelaznej kurtyny – zdaje się z Węgier. Tak czy owak, ledwie wysiedliśmy z samochodu, kiedy Niski Górnik podszedł do mnie i zignorowawszy moją wyciągniętą dłoń, wyrwał mi okulary z kieszeni ze słowami: „To jest straszne gówno". W przeciwieństwie, na przykład, do jego swetra zrobionego ściegiem warkoczowym, sztruksów, sygnetu i aparatu słuchowego.

– Robi dla Młodych Galantów wielkie ciasto. Wielkie w znaczeniu szerokie i długie. Po wlaniu do formy ma dwa centymetry wysokości. Po wyjęciu z piekarnika okazuje się, że urosło do wysokości około dwóch i pół centymetra. W środku są różne owoce – wszystkie opadły na dno.

Nawet ja, wtedy, potrafię dostrzec, że nie jest to, według cukierniczych standardów, kulinarny sukces. Ale ona umie je w takowy obrócić.

– Co to za ciasto, pani Macleod? – pyta jeden z MG.

– To ciasto do góry nogami – odpowiada, odwracając je i kładąc na kratce. – Spójrzcie, jak wszystkie owoce wyrosły do góry.

Potem kroi nam duże kawałki, które pałaszujemy ochoczo.

Myślę sobie, że pewnie potrafi obracać nieszlachetny metal w złoto.

*

– Powiedziałem, że moim kredo były miłość i prawda; kochałem ją i widziałem prawdę. Ale muszę też przyznać, że to zbiegło się z okresem, kiedy okłamywałem rodziców częściej niż kiedykolwiek wcześniej i później. A także, w mniejszym stopniu, wszystkich, których znałem. Choć nie Joan.

– Mimo że nie analizuję mojej miłości – skąd, czemu, po co – czasem, kiedy jestem sam, staram się myśleć o niej trzeźwo. Jest to trudne; nie mam żadnego doświadczenia i jestem zupełnie nieprzygotowany na pełne zaangażowanie serca, duszy i ciała, czego wymaga związek z Susan – na intensywność teraźniejszości, dreszczyk nieznanej przyszłości, porzucenie wszystkich mizernych trosk przeszłości.

Leżę w łóżku w domu i usiłuję ubrać emocje w słowa. Z jednej strony – i to ma związek z przeszłością – miłość to takie uczucie, jakby zmarszczone przez całe życie czoło uległo nagłemu i całkowitemu wygładzeniu. Ale jednocześnie – i to ma związek z teraźniejszością i przyszłością – to także takie uczucie, jakby płuca mojej duszy wypełnił czysty tlen. Oczywiście miewam tego typu myśli tylko wtedy, kiedy jestem sam. Kiedy jestem z Susan, nie zastanawiam się nad tym, jak to jest kochać ją. Po prostu z nią jestem. A może tego „bycia z nią" nie da się ubrać w żadne inne słowa.

Susan nigdy nie miała nic przeciw temu, że odwiedzałem Joan bez niej; nie była zaborcza wobec jednej z nielicznych przyjaźni, na które zdawało się pozwalać jej małżeństwo. Z czasem polubiłem kubki przecenionego ginu; Joan zaczęła też wpuszczać szczekacze i przywykłem do rozpraszającego widoku yorków żujących moje sznurówki.

– Wyjeżdżamy – powiedziałem jej pewnego lipcowego popołudnia.

– My? Ty i ja? Dokąd się udajemy, mój młody paniczu? Związałeś swoje rzeczy w tobołek z chusty w czerwone kropki i zawiesiłeś na kijku?

Powinienem był wiedzieć, że nie podaruje mi solenności.

– Susan i ja. Wyjeżdżamy stąd.

– Dokąd? Na jak długo? Wypływacie w rejs? Wyślijcie mi pocztówkę.

– Będzie dużo pocztówek – obiecałem.

To było dziwne, w mojej relacji z Joan była nuta flirtu. Tymczasem z Susan w gruncie rzeczy wcale nie flirtowaliśmy. Musieliśmy przejść ten początkowy etap niezauważenie – zakochaliśmy się nagle i na zabój – toteż nie czuliśmy takiej potrzeby. Mieliśmy oczywiście swoje żarty i docinki, i własne określenia. Ale wszystko to wydawało się – było – zbyt poważne jak na flirt.

– Wiesz, o czym mówię – powiedziałem.

– Tak, wiem. Myślałam o tym od jakiegoś czasu. Zważywszy na okoliczności. Z jednej strony chciałam, żeby to się stało, z drugiej nie. Ale muszę przyznać, że oboje macie jaja.

Nie myślałem o tym jako o dowodzie na posiadanie jaj. Myślałem o tym jako o czymś nieuniknionym. A także czymś, czego oboje głęboko pragniemy.

– A co na to Gordon?

– Nazywa mnie jej młodym galantem.

– Dziwię się, że nie nazywa cię jej pieprzonym galantem.

Cóż, tak pewnie też.

– Nie powiem, że mam nadzieję, iż wiecie, co robicie, bo jest całkiem oczywiste, że żadne z was nie ma o tym pojęcia. Nie rób takiej miny, paniczu. Nikt w waszym położeniu nigdy nie wie. I nie powiem też, żebyś się nią opiekował i tak dalej. Po prostu będę za was ze wszystkich cholernych sił trzymać kciuki.

Odprowadziła mnie do samochodu. Zanim wsiadłem, zrobiłem ruch w jej kierunku. Uniosła dłoń.

– Nie, żadnych pieprzonych przytulanek. Za dużo tego wokół, nagle wszyscy zachowują się jak cudzoziemcy. Ruszaj, zanim uronię łzę.

Później przeanalizowałem to, co mi powiedziała, a czego nie, i zacząłem się zastanawiać, czy dostrzegła analogie, które ja przeoczyłem. Nikt w waszym położeniu nigdy nie wie, co robi. Wyjeżdżacie do Londynu, hm? Młody galant, utrzymanka. A kto ma pieniądze? Tak, Joan była o krok przede mną.

Tyle że z nami tak nie będzie. Nie mogłem sobie wyobrazić, żeby Susan miała za trzy lata stanąć na progu domu Macleoda i niezdolna wydusić słowa, rozbita emocjonalnie, milcząco błagać, żeby przyjął ją z powrotem, teraz, kiedy jej życie właściwie dobiegło końca. Byłem pewny, że t o się nie wydarzy.

Nie było jakiegoś konkretnego Momentu Odejścia ani pospiesznej ukradkowej ucieczki pod osłoną nocy, ani też oficjalnego wyjazdu z bagażami i machania chusteczkami. (Kto miałby machać?). Był to rozciągnięty w czasie proces oddzielania, tak że chwila oderwania nigdy nie została wyraźnie oznaczona. Co nie powstrzymało mnie przed próbą jej oznaczenia krótkim listem do rodziców:

Drodzy Mamo i Tato,
przeprowadzam się do Londynu. Zamieszkam z panią Macleod. Postaram się niezwłocznie wysłać Wam adres.

Wasz Paul

Tak, to by chyba było tyle. Uznałem, że „postaram się niezwłocznie" brzmi odpowiednio dorośle. Cóż, byłem dorosły. Miałem dwadzieścia jeden lat. I byłem gotów w pełni się oddać, w pełni wyrażać, w pełni żyć swoim życiem. „Jestem żywy! Żyję!".

Byliśmy razem – to znaczy pod jednym dachem – przez dziesięć lat lub więcej. Potem nadal widywałem ją regularnie. W późniejszych latach rzadziej. Kiedy zmarła, kilka lat temu, przyjąłem do wiadomości, że najważniejsza część mojego życia wreszcie dobiegła końca. Obiecałem sobie, że zawsze będę myślał o niej dobrze.

I tak bym to wszystko pamiętał, gdybym mógł. Ale nie mogę.

II

Fundusz ucieczkowy Susan starczył na mały dom przy Henry Road w południowo-wschodnim Londynie. Cena była niska – gentryfikacja i bary z sokami należały do dalekiej przyszłości. Był to dawny dom wielorodzinny: eufemizm, który oznaczał zamki we wszystkich drzwiach, płyty z azbestu, nędzną wnękę kuchenną na półpiętrze, własne liczniki gazu i własne plamy w każdym pokoju. Całe późne lato i wczesną jesień zdzieraliśmy wszystko radośnie, mając we włosach łupież z farby klejowej. Wyrzuciliśmy większość starych mebli i spaliśmy na podłodze na podwójnym materacu. Mieliśmy toster, czajnik i jadaliśmy posiłki na wynos kupione w cypryjskiej tawernie na końcu ulicy.

Potrzebowaliśmy hydraulika, elektryka i gazownika, ale resztę zrobiliśmy sami. Dobrze mi szły proste prace stolarskie. Zrobiłem sobie biurko z dwóch połamanych komód, które przykryłem przyciętymi drzwiami szafy; następnie wygładziłem całość papierem ściernym, wypełniłem dziury i pomalowałem, aż stanęło w moim gabinecie, tak ciężkie, że nie do ruszenia. Przyciąłem i rozłożyłem matę kokosową, a na schodach położyłem wykładzinę. Razem zerwaliśmy ze ścian przypominającą pergamin tapetę, odkrywając trędowaty tynk, po czym pomalowaliśmy je wałkiem na radosne nieburżuazyjne kolory: turkusowy, żonkilowy żółty, wiśniowy. Swój gabinet pomalowałem na ponurą ciemną zieleń, po tym jak Barney powiedział mi, że taki kolor mają porodówki, bo to uspokaja przyszłe matki. Miałem nadzieję, że w godzinach wytężonej pracy ten odcień będzie miał na mnie podobny wpływ.

Wziąłem sobie do serca sceptyczne słowa Joan: „A żeby zacząć od początku, skąd weźmiecie pieniądze?". Jako że sam o nie nie dbałem, mogłem żyć na koszt Susan; ale jako że nasz związek miał być na całe życie, zaakceptowałem, że kiedyś to ja będę raczej utrzymywał ją niż na odwrót. Nie żebym wiedział, ile ona ma pieniędzy. Nigdy nie pytałem o sytuację finansową Macleodów ani o to, czy Susan ma tradycyjną ciocię Maud, która – tak się dogodnie składa – zapisze jej wszystko, co ma.

Postanowiłem więc zostać radcą prawnym. Nie miałem względem siebie wygórowanych ambicji; wszystkie moje wygórowane ambicje dotyczyły miłości. Ale pomyślałem o prawie, bo miałem zdyscyplinowany umysł i potrafiłem przykładać się do pracy; a każde społeczeństwo potrzebuje prawników, prawda? Pamiętam, jak pewna znajoma przedstawiła mi kiedyś swoją teorię małżeństwa: to jest coś, w czym powinno się „zanurzać i wynurzać w miarę potrzeb". To mogło brzmieć przerażająco praktycznie, nawet cynicznie, ale takie nie było. Kochała męża, a „wynurzanie się" z małżeństwa nie oznaczało zdrady. Było raczej wyrazem tego, jak to małżeństwo widziała: jako niezawodne *basso ostinato* życia, podkład, w rytm którego biegniesz, aż poczujesz potrzebę, by się w nim „zanurzyć" – po wsparcie, wyrazy miłości i całą resztę. Potrafiłem zrozumieć to podejście: nie ma sensu żądać więcej, niż twój temperament wymaga czy zapewnia. Ale na tyle, na ile rozumiałem swoje ówczesne życie, mnie potrzebny był układ odwrotny. Podkładem miała być praca; miłość miała być moim życiem.

Zacząłem studia. Każdego ranka Susan robiła mi śniadanie; każdego wieczoru – kolację, chyba że przyniosłem kebab lub sheftalię. Czasem, kiedy wracałem, śpiewała mi „Mój mały, to był długi dzień". Nosiła też moje rzeczy do pralni samoobsługowej, a potem prasowała w domu. Nadal chodziliśmy na koncerty i wystawy. Materac na podłodze zastąpiło podwójne łóżko, w którym spaliśmy razem co noc i gdzie część moich filmowych założeń na temat miłości i seksu została poddana korekcie. Na przykład wizję kochanków błogo zasypiających w swoich ramionach wyparła rzeczywistość, w której jedno zasypia w połowie na drugim, a to drugie, wycierpiawszy przez pewien czas skurcze i utrudnione krążenie, delikatnie się wyswobadza, starając się jej nie obudzić. Odkryłem też, że nie tylko mężczyźni chrapią.

Rodzice nie odpowiedzieli na mój list informujący o zmianie adresu; ani też ja nie zaprosiłem ich w odwiedziny na Henry Road. Pewnego dnia, wróciwszy z uczelni, zastałem poruszoną Susan. Martha Macleod, Panna Gburowata we własnej osobie, przybyła znienacka z wizytą kontrolną. Niewątpliwie odnotowała, że podczas gdy w Wiosce matka sypiała w pojedynczym łóżku, teraz ma podwójne. Na szczęście tamtego ranka kanapę w moim ciemnozielonym pokoju zostawiłem rozłożoną i nieposłaną. No ale, jak zauważyła Susan, dwie dwójki nie dają wszak pojedynki. Moją reakcją na dezaprobatę, z jaką Martha Macleod prawdopodobnie odniosła się do naszych warunków noclegowych, była – byłaby – duma i przekora. Susan zareagowała w sposób bardziej skomplikowany, choć, przyznaję, nie poświęciłem wiele czasu na zastanawianie się nad niuansami. W końcu mieszkaliśmy razem czy nie?

Po dotarciu do dwóch nieurządzonych pokojów na poddaszu Martha ponoć powiedziała:

– Powinnaś mieć lokatorów.

Kiedy Susan się zawahała, odpowiedź córki, pomyślana albo jako argument, albo jako polecenie, brzmiała:

– To by ci dobrze zrobiło.

Tego wieczoru debatowaliśmy, co Martha miała na myśli. To prawda, że za przyjęciem lokatorów przemawiał argument ekonomiczny: takie rozwiązanie sprawiłoby, że dom właściwie sam by na siebie zarabiał. Ale czy był jakiś argument moralny? Może taki, że dzięki lokatorom Susan miałaby coś do roboty poza czekaniem na powrót bezwstydnego kochanka. Martha mogła też myśleć o tym, że lokatorzy przesłoniliby moją niezdrową obecność i zamaskowali prawdę o domu numer 23 przy Henry Road – gdzie Młody Galant Numer Jeden żyje bezwstydnie z cudzołożnicą wciąż ponad dwa razy starszą od niego.

Jeśli wizyta Marthy zaniepokoiła Susan, to ja także, przemyślawszy sprawę, poczułem niepokój. Nie uwzględniałem dotąd jej przyszłych relacji z córkami. Całą uwagę skupiłem na Macleodzie, na tym, by Susan go opuściła, a teraz także, znalazłszy się w bezpiecznej odległości, by się z nim rozwiodła. Ze względu na nas oboje, ale głównie ze względu na nią. Musiała wymazać ten błąd ze swojego życia i dać sobie prawne, a także moralne przyzwolenie na szczęście. A szczęście oznaczało mieszkanie ze mną, bez kogokolwiek innego i bez ograniczeń.

To była cicha okolica i rzadko mieliśmy gości. Pamiętam pewien sobotni poranek, kiedy od prawa deliktów oderwał mnie dzwonek do drzwi. Usłyszałem, jak Susan zaprasza kogoś – dwoje kogosiów, mężczyznę i kobietę – do kuchni. Po mniej więcej dwudziestu minutach usłyszałem, jak mówi, zamykając drzwi frontowe:

– Na pewno teraz czujecie się znacznie lepiej.

– Kto to był? – spytałem, gdy przechodziła obok moich drzwi.

Zajrzała do środka.

– Misjonarze – odparła. – Cholerni misjonarze, niech ich szlag. Pozwoliłam im się wygadać, a potem odprawiłam. Lepiej, żeby marnowali energię na mnie niż na kogoś, kogo mogliby nawrócić.

– Chyba nie p r a w d z i w i misjonarze?

– To szerokie pojęcie. Oczywiście, prawdziwi misjonarze są najgorsi.

– Czyli ci to byli świadkowie Jehowy albo bracia plymouccy, albo baptyści, albo ktoś taki?

– Albo ktoś taki. Pytali, czy martwię się o stan świata. To oczywiście podstępne pytanie. Potem przynudzali o Biblii, jakbym nigdy o niej nie słyszała. Mało im nie powiedziałam, że wiem na ten temat wszystko i że sama jestem cholerną Jezebel. I z tymi słowy zostawiła mnie, bym mógł wrócić do nauki. Ale ja zacząłem rozmyślać nad tymi wygłaszanymi z nagła ostrymi opiniami, które tak mnie ujmowały. Pomyślałem, że czerpię wiedzę z książek, a ona z życia.

Pewnego wieczoru zadzwonił telefon. Podniosłem słuchawkę i podałem numer.

– Kto to? – spytał głos, po którym natychmiast rozpoznałem Macleoda.

– A kto pyta? – odpowiedziałem pytaniem, z udawaną swobodą.

– Gor-don Mac-leod – powiedział ciężko, przeciągając słowa. – Z kim mam zaszczyt rozmawiać?

– Z Paulem Robertsem.

Kiedy rzucił z hukiem słuchawką, zacząłem żałować, że nie powiedziałem z Myszką Miki albo z Jurijem Gagarinem, albo z prezesem BBC.

Nie wspomniałem o tym Susan. Nie widziałem powodu, dla którego miałbym jej mówić.

Ale po kilku tygodniach odwiedził nas mężczyzna imieniem Maurice. Susan spotkała go już kiedyś, raz czy dwa. Mógł mieć coś wspólnego z pracą Macleoda. Musieli się jakoś umówić. Miałem wrażenie, że przyszedł o takiej porze, żebym ja też był. Nie jestem tego wszystkiego pewien z tak odległej perspektywy – może po prostu tak utrafił.

Nie zadałem wtedy żadnego z oczywistych pytań. A gdybym je zadał, Susan może miałaby na nie odpowiedzi, a może nie.

Przypuszczam, że mężczyzna był po pięćdziesiątce. W moich wspomnieniach dałem mu – albo z upływem lat przybył mu – trencz i może kapelusz z szerokim rondem; pod płaszczem miał garnitur i krawat. Zachowywał się niezmiernie serdecznie. Uścisnął mi dłoń. Wypił filiżankę kawy, skorzystał z toalety, poprosił o popielniczkę i mówił na neutralne ogólne tematy, po które zwykle sięgają dorośli. Susan weszła w rolę gospodyni, co oznaczało, że zostały wyciszone te strony jej osobowości, za które najbardziej ją kochałem: brak poważania i nieskrępowany śmiech ze świata.

Pamiętam tylko, że w pewnym momencie rozmowa zeszła na zamknięcie „Reynolds News". Gazeta ta – „Reynolds News and Sunday Citizen", tak brzmiał jej pełny tytuł – znalazła się w trudnej sytuacji finansowej, przeobraziła w niedzielny brukowiec, aż wreszcie zakończyła działalność – zapewne niedługo przed naszą rozmową.

– Moim zdaniem to niezbyt istotne – powiedziałem. Właściwie nie miałem żadnej opinii na ten temat. Może kiedyś widziałem parę numerów „Reynolds News", ale głównie była to reakcja na głęboko przejęty głos Maurice'a.

– Tak uważasz? – spytał uprzejmie.

– Raczej tak.

– A co z różnorodnością prasy? Czy to nie jest cenne?

– Wszystkie gazety wydają mi się właściwie takie same, nie sądzę więc, by brak jednej miał duże znaczenie.

– Należysz może przypadkiem do lewicy rewolucyjnej?

Wyśmiałem go. Nie jego słowa, tylko jego samego. Za co on mnie, kurwa, brał? Czy raczej, kurwa, za kogo? Równie dobrze mógłby należeć do zarządu klubu tenisowego w Wiosce.

– Nie, gardzę polityką – powiedziałem.

– Gardzisz polityką? Uważasz, że to zdrowe podejście? Czy w twoim odczuciu cynizm to wygodna postawa? Czym byś zastąpił politykę? Pozamykałbyś gazety, położył kres temu, jak uprawiamy politykę? Demokracji? Słyszę w tym stanowisko lewicy rewolucyjnej.

Teraz gość zaczął mnie naprawdę wkurzać. Na tym etapie brakowało mi nie tyle odpowiedniej wiedzy, ile zainteresowania.

– Przepraszam – powiedziałem. – Naprawdę nie o to chodzi. Ale widzi pan – dodałem, patrząc na niego z melancholijną powagą – należę do zużytego pokolenia. Może pan myśleć, że jesteśmy na to nieco za młodzi, ale mimo to jesteśmy zużyci.

Wkrótce sobie poszedł.

– Och, Casey Paul, ależ z ciebie szelma.

– Ze mnie?

– Z ciebie. Nie słyszałeś, jak powiedział, że pracował w „Reynolds News"?

– Nie, myślałem, że jest szpiegiem.

– Masz na myśli Ruskiem?

– Nie, mam na myśli to, że przysłano go, by sprawdził, co się u nas dzieje, a następnie przedstawił raport.

– Pewnie tak.

– Myślisz, że powinniśmy się tym martwić?

– Myślę, że nie, przynajmniej przez parę dni.

Dochodzisz do wniosku, że skoro wszyscy studenci, oprócz tych, którzy mieszkają w domach rodzinnych, płacą czynsz, ty też, jako student, powinieneś go płacić. Pytasz kilku znajomych, ile oni płacą. Wyciągasz średnią: cztery funty tygodniowo. Dzięki stypendium stać cię na to.

W pewien poniedziałkowy wieczór wręczasz Susan cztery banknoty jednofuntowe.

– Co to? – pyta.

– Uznałem, że powinienem płacić ci czynsz – odpowiadasz, być może nieco oficjalnie. – Inni płacą mniej więcej tyle.

Rzuca w ciebie banknotami. Nie trafiają cię w twarz, jak to bywa w filmach. Po prostu spadają na podłogę między wami. Po tym przychodzą godziny krępującego milczenia i tej nocy śpisz na kanapie. Czujesz się winny, że nie podjąłeś tematu czynszu z większą subtelnością; jest tak samo jak wtedy, gdy dałeś jej pasternak. Cztery zielone banknoty jednofuntowe leżą na podłodze całą noc. Następnego ranka podnosisz je i chowasz z powrotem do portfela. Nigdy więcej nie wracacie do tej sprawy.

W wyniku wizyty Marthy wydarzyły się dwie rzeczy. Pokoje na poddaszu zostały wynajęte lokatorom, a Susan pojechała do Wioski pierwszy raz od naszej wspólnej ucieczki. Powiedziała, że to konieczne i praktyczne, by od czasu do czasu tam wracać. Dom należał w połowie do niej, a przecież nie mogła polegać na Macleodzie w takich kwestiach jak rachunki czy przegląd bojlera. (Nie rozumiałem, czemu nie, ale cóż). Pani Dyer miała dalej pracować i kraść, teraz codziennie, oraz informować Susan o wszystkim, co wymaga jej zainteresowania. Susan obiecała, że będzie tam jeździć tylko pod nieobecność Macleoda. Niechętnie wyraziłem zgodę.

Powiedziałem jakiś czas temu: „Tak bym to wszystko pamiętał, gdybym mógł. Ale nie mogę". Są pewne kwestie, które pominąłem, kwestie, których nie mogę dłużej odkładać. Gdzie zacząć? W „pokoju z książkami" na parterze, jak go u Macleodów nazywano. Było późno, a mnie nie chciało się iść do domu. Możliwe, że Susan była już w łóżku; nie pamiętam. Nie pamiętam też, jaką książkę czytałem. Niewątpliwie wziąłem coś z półki na chybił trafił. Wciąż jeszcze starałem się rozeznać w zbiorach Macleodów. Mieli oprawione w skórę wydania dzieł klasyków, tak stare, że chyba przeszły przez ręce dwóch pokoleń; monografie poświęcone sztuce, poezję, dużo książek historycznych, trochę biografii, powieści, thrillery. U nas w domu książki, jakby na potwierdzenie, że należy im się szacunek, były uporządkowane: według tematu, autora, nawet formatu. Tutaj zastosowano inny system – czy raczej, z tego, co widziałem, zupełny jego brak. Herodot stał obok *The Bab Ballads*, trzytomowa historia wypraw krzyżowych obok Jane Austen, T.E. Lawrence był wciśnięty między Hemingwaya a podręcznik kulturystyki Charlesa Atlasa. Czy to był jakiś wymyślny żart? Zwykły artystyczny nieład? A może sposób, żeby powiedzieć: my rządzimy książkami, a nie książki nami.

Nadal się nad tym zastanawiałem, kiedy drzwi walnęły o regał, odbiły się od niego i przymknęły tak, że można je było znów kopnąć. Stał w nich Macleod w kraciastym – to pamiętam – szlafroku przewiązanym dyndającym bordowym sznurkiem. Poniżej widać było jego słoniową piżamę i skórzane kapcie.

– Co ty tu robisz? – spytał tonem, jakim zwykle wypowiada się słowo „spierdalaj".

Tu włączyła się moja wrodzona bezczelność.

– Czytam – odparłem, machając w jego stronę książką.

Podszedł do mnie, tupiąc, wyrwał mi ją z rąk, obrzucił wzrokiem, po czym cisnął nią przez pokój jak frisbee.

Nie mogłem powstrzymać uśmiechu. Myślał, że cisnął moją książką, a to była jego własność. Komedia!

Wtedy mnie uderzył. Czy raczej wymierzył serię ciosów – trzy, jestem niemal pewny – z których jeden, zadany nadgarstkiem, trafił mnie w skroń. Pozostałe dwa przeleciały obok.

Wstałem i spróbowałem mu oddać. Wydaje mi się, że wymierzyłem jeden cios, który omsknął się o jego ramię. Nie to, żeby któryś z nas wykonywał zwinne manewry obronne; po prostu byliśmy równie nieudolnymi napastnikami. Cóż, ja nigdy wcześniej nikogo nie uderzyłem. On, zakładałem, uderzył albo przynajmniej usiłował.

Podczas gdy skupiał się na tym, co powiedzieć albo gdzie uderzyć, wywinąłem mu się, pobiegłem do tylnych drzwi i uciekłem. Ulżyło mi, kiedy znalazłem się w domu, gdzie nikt mnie nie zaatakował od czasu kilku niewątpliwie zasłużonych lań ponad dziesięć lat temu.

Nie, to niezupełnie prawda – że nigdy nikogo nie uderzyłem. W pierwszej klasie nauczyciel wychowania fizycznego zachęcał nas wszystkich, żebyśmy wzięli udział w dorocznym turnieju bokserskim, w którym zawodników dzielono według wagi i wieku. Nie miałem najmniejszej chęci zadawać bólu ani go doświadczać. Ale zauważyłem, że choć zostało już tylko kilka godzin, w mojej kategorii nie ma nikogo. Zgłosiłem się więc, licząc, że wygram bez walki.

Niestety dla mnie – dla nas obu – inny chłopiec, Bates, niemal równocześnie wpadł na ten sam pomysł. I tak znaleźliśmy się razem na ringu, dwie chude przestraszone istoty w tenisówkach, podkoszulkach i krótkich spodenkach, z wielkimi kulistymi rękawicami na końcu rąk. Przez parę minut obaj całkiem nieźle markowaliśmy ataki, po czym pospiesznie się wycofywaliśmy, dopóki nauczyciel nie zwrócił nam uwagi, że żaden jeszcze nie zadał ciosu.

– Boks! – wydał komendę.

Wówczas rzuciłem się na nieprzygotowanego Batesa, którego rękawice zwisały przy kolanach, i walnąłem go w nos. Pisnął, spojrzał na krew, która nagle spłynęła mu na czysty biały podkoszulek, i wybuchnął płaczem.

I tak to zostałem szkolnym czempionem boksu w kategorii do dwunastu lat i do czterdziestu kilogramów wagi. Oczywiście nigdy więcej się nie biłem.

Kiedy następnym razem przyszedłem do domu Macleodów, mąż Susan był dla mnie miły jak nigdy. Może to wtedy pokazał mi, jak rozwiązuje się krzyżówki, traktując to jako wyłącznie męską domenę. A przynajmniej dziedzinę, z której wyłączona jest Susan. Uznałem więc incydent w pokoju z książkami za aberrację. Zresztą to mogła być po części moja wina. Może powinienem był spytać, która wersja klasyfikacji Deweya została zastosowana w jego bibliotece. Chociaż nie, to mogłoby być równie prowokacyjne.

Ile czasu minęło? Powiedzmy, że sześć miesięcy. Znów robiło się późno. W domu Macleodów, inaczej niż w moim, były główne schody blisko drzwi wejściowych i drugie, węższe, przy kuchni, zapewne do użytku służących w czepkach, których miejsce zajęły teraz maszyny. Kiedy odwiedzałem Susan w ciągu semestru, często sypiałem w małym pokoju na poddaszu, do którego można było dotrzeć obiema drogami. Wcześniej słuchałem z Susan gramofonu – przygotowując się do koncertu – i kiedy dotarłem na szczyt tylnych schodów, w mojej głowie jeszcze rozbrzmiewała muzyka. Nagle rozległ się jakby ryk, poczułem coś, co mogło

133

być kopnięciem lub podstawieniem nogi, a czemu towarzyszył cios w ramię, i zorientowałem się, że spadam. Jakimś sposobem udało mi się złapać balustrady; wykręciłem sobie przy tym rękę, ale utrzymałem równowagę.

– Ty pieprzony draniu! – krzyknąłem odruchowo.

– Szto? – rozległ się na górze wrzask. – Szto, mój piękny opierzony przyjacielu?

Podniosłem wzrok na stojącego w półmroku przysadzistego zbira, który patrzył na mnie gniewnie. Pomyślałem, że Macleod musi być zupełnie stuknięty. Przez chwilę mierzyliśmy się wzrokiem, potem postać w szlafroku odeszła, tupiąc, i usłyszałem, jak w oddali zamykają się drzwi.

To nie pięści Macleoda bałem się najbardziej. Bałem się jego gniewu. W mojej rodzinie nie było gniewu. Rzucaliśmy ironiczne uwagi, cięte riposty, wygłaszaliśmy satyryczne tyrady; używaliśmy subtelnie dobranych słów, by czegoś zakazać, i ostrzejszych, by potępić coś, co już się zdarzyło. Poza tym jednak postępowaliśmy tak, jak od pokoleń uczono angielską klasę średnią. Internalizowaliśmy naszą wściekłość, nasz gniew, naszą pogardę. Wypowiadaliśmy słowa pod nosem. Moglibyśmy zapisywać je w prywatnych pamiętnikach, gdybyśmy takowe prowadzili. Ale każdy myślał też, że tylko on tak reaguje, i było to nieco wstydliwe, toteż internalizowaliśmy wszystko jeszcze staranniej.

Kiedy tamtego wieczoru dotarłem do swojego pokoju, zablokowałem drzwi krzesłem, ustawiwszy je pod kątem, tak jak widuje się na filmach. Leżałem w łóżku, myśląc: Czy naprawdę taki jest świat dorosłych? W głębi ducha? I jak głęboko pod powierzchnią znajduje się – znajdzie – ta prawda?

Nie znałem odpowiedzi.

Nie powiedziałem Susan o żadnym z tych incydentów. Zinternalizowałem swój gniew i wstyd – cóż, tak trzeba, czyż nie?

I będziecie musieli sobie wyobrazić długie okresy szczęścia, zachwytu, śmiechu. Już je opisałem. Tak to jest z pamięcią, ona... cóż, pozwólcie, że ujmę to następująco. Widzieliście kiedyś, jak pracuje elektryczna łuparka do drewna? To urządzenie może zaimponować. Tnie się kłodę na kawałki odpowiedniej długości, kładzie się ją na podajniku, wciska się przycisk stopą i kłoda wsuwa się na ostrze przypominające siekierę. Wtedy drewno pęka wzdłuż słojów. To właśnie staram się pokazać. Życie to przekrój poprzeczny, pamięć to pęknięcie wzdłuż słojów, i pamięć biegnie aż do końca.

Nie mogę więc przerwać. Nawet jeśli tę część najtrudniej mi wspominać. Nie, nie wspominać – opisywać. To była chwila, w której straciłem część niewinności. Z pozoru to dobrze. Czyż dorastanie nie jest koniecznym procesem utraty niewinności? Może tak, może nie. Ale problem z życiem polega na tym, że rzadko wiesz, kiedy dojdzie do tej utraty, prawda? I jak to będzie później.

Moi rodzice wyjechali na wakacje i do opieki nade mną zaangażowali babcię – matkę matki. Miałem dwadzieścia lat – dopiero dwadzieścia – więc oczywiście nie można mnie było zostawić w domu samego. Co mógłbym zmalować, kogo sprowadzić, co zorganizować – może bachanalia z udziałem kobiet w średnim wieku – co mogliby sobie pomyśleć sąsiedzi i kto w związku z tym mógłby odmówić przyjścia na sherry? Babcia, owdowiała jakieś pięć lat temu, nie miała nic lepszego do roboty. Jako dziecko – niewinne – darzyłem ją oczywiście miłością. Teraz dorastałem i wydawała mi się nudna. Ale taką utratę niewinności mogłem znieść.

W tym czasie w wakacje sypiałem do późna. Mogło to być zwykłe lenistwo albo spóźniona reakcja na warunki na uniwersytecie; albo też jakaś instynktowna niechęć powrotu do tego świata, który wciąż nazywałem domem. Sypiałem do jedenastej, bez żadnych skrupułów. Moi rodzice – za co im chwała – nigdy nie wchodzili do mnie do pokoju, nie siadali na łóżku i nie narzekali, że traktuję dom jak hotel; a babcia chętnie przygotowywała mi śniadanie w porze lunchu, jeśli na to właśnie miałem ochotę.

Było więc pewnie bliżej jedenastej niż dziesiątej, kiedy chwiejnym krokiem zszedłem na dół.

– Pyta o ciebie bardzo nieuprzejma kobieta – powiedziała babcia. – Dzwoniła trzy razy. Kazała cię obudzić. W istocie, za trzecim razem, żeby obudzić cię „do cholery". Powiedziałam, że nie będę przeszkadzać ci w regeneracji.

– Brawo, babciu. Dzięki.

Bardzo nieuprzejma kobieta. Ale ja takich nie znałem. Może ktoś z klubu tenisowego chce mnie dalej nękać? Bank w sprawie debetu? A może babci zaczynało się mieszać w głowie. Wtedy telefon znów zadzwonił.

– Joan – powiedział bardzo nieuprzejmy głos Joan. – Chodzi o Susan. Jedź tam. Potrzebuje ciebie, nie mnie. Ciebie, natychmiast! – I odłożyła słuchawkę.

– Nie zjesz śniadania? – spytała babcia, kiedy wybiegałem.

U Macleodów drzwi frontowe były otwarte. Chodziłem po domu, aż ją znalazłem – całkowicie ubraną, z torebką obok, siedzącą na kanapie w salonie. Kiedy się z nią witałem, nie podniosła wzroku. Widziałem tylko czubek głowy czy raczej jej zarys pod chustką. Usiadłem przy niej, ale natychmiast odwróciła twarz.

– Musisz mnie zawieźć do miasta.

– Oczywiście, kochanie.

– I masz nie zadawać mi żadnych pytań. I pod żadnym pozorem na mnie nie patrzeć.

– Jak sobie życzysz. Ale będziesz musiała mi powiedzieć mniej więcej, dokąd jedziemy.

– Kieruj się na Selfridges.

– Spieszymy się? – Pozwoliłem sobie na to pytanie.

– Jedź bezpiecznie, Paul, po prostu jedź bezpiecznie.

Kiedy dojeżdżaliśmy do Selfridges, powiedziała, żebym skręcił w Wigmore Street, a potem w lewo w jedną z ulic, przy której lekarze mają swoje prywatne gabinety.

– Zaparkuj tutaj.

– Chcesz, żebym poszedł z tobą?

– Wolałabym nie. Zjedz jakiś lunch. Trochę to potrwa. Potrzebujesz pieniędzy?

Istotnie, nie wziąłem ze sobą portfela. Dała mi banknot dziesięcioszylingowy.

Skręcając z powrotem w Wigmore Street, zobaczyłem przed sobą John Bell & Croyden, gdzie kupiła kapturek domaciczny. Przyszła mi do głowy potworna myśl. Że ta metoda zawiodła, że Susan zaszła w ciążę i właśnie w tej chwili załatwia sprawę. Prawo dopuszczające aborcję jeszcze nie przeszło w parlamencie, ale wszyscy wiedzieli, że są lekarze – i to nie tylko przyjmujący w bocznych uliczkach – którzy wykonują „zabiegi" właściwie na życzenie. Wyobraziłem sobie tę rozmowę: Susan tłumaczy, że zaszła w ciążę z młodym kochankiem, że z mężem nie uprawia seksu od dwudziestu lat i że dziecko zniszczyłoby jej małżeństwo i zagroziłoby jej zdrowiu psychicznemu. To powinno wystarczyć, żeby każdy lekarz zgodził się wykonać to, co w dokumentacji medycznej zapisywano eufemistycznie jako abrazja – wyłyżeczkowanie jamy macicy. Tylko kilka skrobnięć śluzówki, które przy okazji wyskrobią też zarodek.

Rozpracowywałem to wszystko, siedząc we włoskiej kafejce i jedząc lunch. Nie wiedziałem, co o tym myśleć – a raczej miałem naraz kilka myśli, których nie dawało się pogodzić. Być ojcem, kiedy jest się jeszcze na studiach – wydawało mi się to przerażające i szalone. Ale wydawało mi się też, cóż, w pewnym sensie heroiczne. Radykalne, a przy tym prawe, irytujące, a przy tym upajające: szlachetne. Nie sądziłem, bym miał dzięki temu trafić do *Księgi rekordów Guinnessa* – niewątpliwie są na świecie dwunastolatkowie, którzy robią, co mogą, by zapłodnić najlepsze przyjaciółki swoich babć – ale na pewno uczyniłoby mnie to wyjątkowym. A także cholernie wkurzyłoby Wioskę.

Tyle że teraz to się nie wydarzy. Bo Susan właśnie w tej chwili, tuż za rogiem, pozbywa się naszego dziecka. Poczułem nagłą wściekłość. Kobieta ma prawo wyboru – tak, wierzyłem w to, w teorii i w życiu. Choć uważałem też, że mężczyzna ma prawo wyrazić swoje zdanie.

Wróciłem do samochodu i czekałem. Po jakiejś godzinie wyszła zza rogu i skierowała się w moją stronę, z głową opuszczoną, chustką naciągniętą na policzki. Wsiadając do samochodu, odwróciła ode mnie twarz.

– Dobrze – powiedziała. – Na razie to tyle. – Mówiła trochę niewyraźnie. Pewnie od znieczulenia, o ile je zastosowano. – Do domu, James, i nie oszczędzaj koni.

Zwykle jej powiedzonka mnie ujmowały. Ale nie tym razem.

– Najpierw powiedz, gdzie byłaś.

– U dentysty.

– U dentysty? – To tyle, jeśli chodzi o moje wyobrażenia.

Chyba że to kolejny eufemizm funkcjonujący wśród kobiet pokroju Susan.

– Powiem ci, kiedy będę mogła, Casey Paul. Teraz nie mogę. Nie pytaj.

Oczywiście, że nie. Odwiozłem ją do domu możliwie najostrożniej.

Przez następne kilka dni opowiedziała mi, kawałek po kawałku, co się stało. Siedziała późno

wieczorem i słuchała muzyki z gramofonu. Macleod położył się przed godziną. Puszczała raz po raz
część wolną *III Koncertu fortepianowego* Prokofiewa,
którego słuchaliśmy przed kilkoma dniami w Royal
Festival Hall. Potem włożyła płytę w okładkę i poszła na górę. Właśnie sięgała do klamki drzwi swojej sypialni, kiedy została złapana za włosy od tyłu
i mąż, mówiąc: „Jak idzie twoja pieprzona edukacja
muzyczna?", uderzył jej twarzą o zamknięte drzwi.
Po czym wrócił do łóżka.

Oględziny dentysty wykazały, że dwa siekacze są
nie do uratowania. Dwa zęby po ich obu stronach
też pewno trzeba będzie usunąć. Górna szczęka pęk-
ła, ale to z czasem samo się zagoi. Dentysta zrobi jej
protezę. Spytał, czy Susan powie, jak to się stało, ale
nie naciskał, gdy odparła, że wolałaby nie.

Gdy siniaki rozkwitły na jej twarzy wściekły-
mi barwami, a ona starała się jak najdokładniej je
przypudrować; gdy woziłem ją do miasta na kolejne wizyty i z powrotem; gdy przez wiele dni nie
mogłem jej skłonić, żeby na mnie spojrzała, a przez
wiele tygodni – by mnie pocałowała; gdy zdałem
sobie sprawę, że już nigdy nie będę mógł postukać
w jej „królicze zęby", dawno wyrzucone do jakiegoś
śmietnika na Wimpole Street; gdy zrozumiałem, że
teraz spoczywa na mnie większa odpowiedzialność;
gdy złapałem się na rozmyślaniu, i to nie czczym,
jak mógłbym zabić Gordona Macleoda; gdy najpierw babcia, a potem – wróciwszy z wakacji – rodzice doprowadzali mnie do szału swoimi ostrożny-
mi, bezpiecznymi i banalnymi poglądami na życie;
gdy dzielność i nieużalanie się nad sobą Susan mało

nie złamały mi serca; gdy codziennie opuszczałem jej dom dobrą godzinę przed powrotem Macleoda; gdy dała słowo – czy może to było jego słowo? – że nic takiego się już nie powtórzy, a ja je przyjąłem; gdy zalały mnie złość, współczucie i przerażenie; gdy uświadomiłem sobie, że Susan będzie musiała jakimś sposobem odejść od tego drania, ze mną lub beze mnie, ale oczywiście ze mną; gdy jednocześnie dopadła mnie pewna niemoc; gdy to wszystko się działo, dowiedziałem się trochę więcej o małżeństwie Macleodów.

Tamten siniak na jej ramieniu oczywiście nie tylko był wielkości kciuka – to był odcisk kciuka, który powstał, kiedy Macleod posadził ją siłą na krześle, żeby wysłuchała jego oskarżeń. Zdarzało się chwytanie i policzkowanie, i więcej niż jeden lub dwa ciosy. Macleod stawiał kieliszek sherry i kazał jej „przyłączyć się do zabawy". Kiedy odmawiała, chwytał ją za włosy, odchylał jej głowę do tyłu i przystawiał kieliszek do ust. Albo wypijała, albo wylewał jej alkohol na brodę, wlewał do gardła, zalewał sukienkę. Wszystkie jego ataki były słowne lub fizyczne, nigdy seksualne; choć czy nie kryło się za nimi nic seksualnego... cóż, tego nie umiem powiedzieć ani mnie to, w istocie, nie interesuje. Tak, zazwyczaj szły w parze z jego pijaństwem, chociaż niekoniecznie; tak, bała się go, tyle że zwykle się nie bała. Przez lata nauczyła się radzić sobie z nim. Tak, ilekroć ją atakował, była to oczywiście – w jego mniemaniu – jej wina; doprowadzała go do tego swoją cholerną beztroską bezczelnością – to było jedno z jego określeń. A także swoim brakiem odpowiedzialności i głupotą. Jakiś czas po tym jak uderzył jej twarzą o drzwi, zszedł na dół i tak wygiął płytę z *III Koncertem fortepianowym* Prokofiewa, że się złamała.

Zapewne ignorancji i snobizmowi należy przypisać to, że dotąd zakładałem, iż przemoc domowa dotyka tylko niższe klasy, w których postępuje się inaczej, w których – jak wnioskowałem z moich lektur raczej niż ze znajomości realiów życia w ubogich dzielnicach – kobiety wolą, żeby mężowie je bili, niż żeby je zdradzali. Jeśli cię bije, to znaczy, że cię kocha i podobne brednie. Przemoc zadawana przez mężów ze stopniem naukowym z Cambridge była dla mnie nie do pojęcia. Oczywiście dotąd nie była to kwestia, o której miałbym powód rozmyślać. Ale gdybym o niej myślał, zapewne obstawiałbym, że przemoc mężów z klasy robotniczej ma związek z brakiem umiejętności wysłowienia się: polegają na pięściach, podczas gdy mężowie z klasy średniej na słowach. I mimo przedstawionych tu dowodów trzeba było kilku lat, bym wyrzekł się tych mylnych przekonań.

Proteza nieustannie dokuczała Susan; wiele razy jeździliśmy do miasta, żeby ją dopasować. Dentysta wstawił jej też cztery sztuczne zęby, które były prostsze niż jej własne, i skrócił siekacze o parę milimetrów. Subtelna różnica, ale mnie zawsze rzucała się w oczy. Zęby, w które dawniej miłośnie stukałem, znikły na zawsze; i nie miałem najmniejszej ochoty dotykać ich zamienników.

Nigdy nie odstąpiłem jedynie od tego, że zachowanie Gordona Macleoda stanowiło przestępstwo zagrożone odpowiedzialnością absolutną. I że ponosił za nie absolutną winę. Mężczyzna uderza kobietę; mąż uderza żonę; pijak uderza trzeźwą małżonkę. Nie mieli oni nic na obronę i nie było żadnych okoliczności łagodzących. To fakt, że sprawa nigdy nie trafiłaby do sądu, że Anglia klasy średniej ma tysiąc sposobów, by uniknąć prawdy, że nigdy publicznie nie rezygnuje się z przyzwoitości, tak jak nigdy nie rezygnuje się z odzienia, że Susan nigdy by się nie poskarżyła na niego jakiejkolwiek władzy czy choćby dentyście – dla mnie wszystko to nie miało znaczenia, może tylko z socjologicznego punktu widzenia. Facet był winny bez dwóch zdań, a ja będę go nienawidził do końca swoich dni. Tyle wiedziałem.

Od tamtego zdarzenia minął jakiś rok, kiedy odwiedziłem Joan i oświadczyłem jej, że zamierzamy przeprowadzić się do Londynu.

Nie uznajesz kompromisu w miłości i w związku z tym jesteś bezkompromisowym przeciwnikiem instytucji małżeństwa. Przemyślałeś dokładnie tę sprawę i wymyśliłeś wiele wyszukanych metafor. Małżeństwo to buda dla psa, w której mieszka samozadowolenie nigdy nieuwiązane na łańcuchu. Małżeństwo to pudełko na biżuterię, które w jakimś tajemniczym procesie będącym odwrotnością alchemii zamienia złoto, srebro i diamenty w zwykły metal, stras i kwarc. Małżeństwo to opuszczony hangar na łodzie, w którym jest stary dwuosobowy kajak, nienadający się do pływania, bo ma dziurawe dno i tylko jedno wiosło. Małżeństwo to… och, masz w zanadrzu dziesiątki takich przenośni.

Pamiętasz swoich rodziców i ich przyjaciół. W sumie, nie przeceniając ich, byli ludźmi porządnymi; uczciwi, pracowici, uprzejmi dla siebie nawzajem, nie kontrolowali przesadnie swoich dzieci. Życie rodzinne oznaczało dla nich właściwie to samo co dla pokolenia ich rodziców, choć z taką akurat dodatkową szczyptą wolności społecznej, która pozwalała im wyobrażać sobie, że są pionierami. Ale gdzie w tym wszystkim miłość, pytałeś. I nawet nie miałeś na myśli seksu – bo o tym wolałeś nie myśleć.

I tak, kiedy wkroczyłeś do domu Macleodów i przyjrzałeś się innemu stylowi życia, w pierwszej chwili pomyślałeś o tym, jak ograniczony wydaje się twój własny dom, jak pozbawiony energii i emocji. Potem, stopniowo, zdałeś sobie sprawę, że małżeństwo Gordona i Susan Macleodów jest w istocie w znacznie gorszym stanie niż którekolwiek małżeństwo w kręgu znajomych twoich rodziców, i stałeś się tym bardziej bezkompromisowy. Było oczywiste, że Susan powinna mieszkać z tobą, otoczona miłością; równie oczywiste było to, że powinna opuścić Macleoda; to, że powinna się z nim rozwieść – zwłaszcza po tym, co jej zrobił – wydawało się nie tylko uznaniem faktów, nie tylko romantycznym obowiązkiem, lecz także niezbędnym pierwszym krokiem ku temu, by jeszcze raz mogła się stać autentyczną osobą. Nie, nie „jeszcze raz": w gruncie rzeczy po raz pierwszy. Jakież to musi być dla niej ekscytujące?

Przekonujesz ją, żeby poszła do prawnika. Nie, nie chce, żebyś jej towarzyszył. Część ciebie – ta, która w niedalekiej przyszłości wyobraża sobie wolną i niezależną Susan – przyjmuje jej decyzję z aprobatą.

– Jak poszło?

– Powiedział, że mam mętlik w głowie.

– Powiedział coś takiego?

– Nie. Niezupełnie. Ale wyjaśniłam mu różne sprawy. Większość spraw. O tobie mu oczywiście nie powiedziałam. No i cóż, chyba uznał, że po prostu prysnęłam. Dałam dyla. Być może pomyślał, że ma to związek z Nieuchronnym.

– Ale… czy nie wytłumaczyłaś mu, co się stało… co on ci zrobił?

– Nie wdawałam się w szczegóły. Mówiłam ogólnie.

– Ale nie możesz się rozwieść z przyczyn ogólnych. Rozwód możesz otrzymać tylko z przyczyn konkretnych.

– Tylko się na mnie nie wściekaj, Paul. Robię, co w mojej mocy.

– Tak, ale…

– Powiedział, że na początek powinnam wszystko sobie spisać. Bo widział, że było mi trudno mówić wprost.

– To brzmi bardzo rozsądnie.

Nagle aprobujesz tego prawnika.

– To więc spróbuję zrobić.

Kiedy po kilku tygodniach pytasz, jak jej idzie pisanie oświadczenia, kręci głową i nie odpowiada.

– Ale musisz to zrobić – mówisz.

– Ty nie wiesz, jakie to dla mnie trudne.

– Chciałabyś, żebym ci pomógł?

– Nie, muszę to zrobić sama.

Przyjmujesz jej słowa z uznaniem. To będzie początek, narodziny nowej Susan. Próbujesz delikatnie doradzać.

– Myślę, że potrzebują szczegółów. – Wiesz już coś o prawie rozwodowym. – Co się dokładnie wydarzyło i mniej więcej kiedy.

Po kolejnych dwóch tygodniach pytasz, jak jej idzie.

– Nie skreślaj mnie jeszcze, Casey Paul – tak brzmi jej odpowiedź.

A ilekroć to mówi – choć nigdy nie myślisz, że czyni to z wyrachowania, bo nie jest wyrachowana – rozdziera ci serce. Oczywiście, że jej nie skreślisz.

A potem, znów po paru tygodniach, daje ci kilka kartek papieru.

– Nie czytaj tego przy mnie.

Zabierasz to, co napisała, i z pierwszym zdaniem twój optymizm gaśnie. Przemieniła swoje życie, i małżeństwo, w humorystyczny komiks, który przypomina ci twórczość Jamesa Thurbera. A może tym jest. To historia mężczyzny w trzyczęściowym garniturze, pana Słoniowe Portki, który co wieczór chodzi do pubu – albo do baru na Grand Central Station – i wraca do domu w stanie niepokojącym jego żonę i dzieci. Przewraca wieszak na kapelusze, kopie doniczki z kwiatami, krzyczy na psa – szerzy się Wielki Popłoch i Przygnębienie, a on hałasuje, aż zaśnie na kanapie i będzie chrapać tak głośno, że dachówki pospadają z dachu.

Nie wiesz, co powiedzieć. Nie mówisz nic. Udajesz, że jeszcze zastanawiasz się nad tym dokumentem. Wiesz, że musisz być wobec niej bardzo delikatny i bardzo cierpliwy. Znów tłumaczysz, że prawnicy muszą poznać szczegóły, dowiedzieć się, gdzie, kiedy i – najważniejsze – co. Ona patrzy na ciebie i kiwa głową.

Powoli, z upływem kolejnych tygodni i miesięcy, zaczynasz rozumieć, że to nigdy się nie wydarzy. Ma dość siły, żeby cię kochać, dość siły, żeby uciec z tobą, ale nie dość, by wejść na salę sądową i złożyć zeznania przeciw swojemu mężowi, opisując dziesiątki lat wyzutej z seksu tyranii, alkoholizmu i agresji. Nie będzie w stanie – nawet przez prawnika – poprosić dentystę, żeby opisał jej obrażenia. Nie jest zdolna publicznie potwierdzić tego, co potrafi przyznać prywatnie.

Zdajesz sobie sprawę, że nawet jeśli jest tym wolnym duchem, za jakiego ją miałeś, jest też skrzywdzonym wolnym duchem. Rozumiesz, że u źródeł tej sytuacji leży wstyd. Wstyd osobisty i wstyd społeczny. Może nie przejmować się tym, że wyrzucono ją z klubu tenisowego – jako nierządnicę – ale nie potrafi wyjawić prawdy o swoim małżeństwie. Przypominasz sobie dawne sprawy, w których przestępcy – nawet mordercy – poślubiali swoje wspólniczki, bo żony nie można zmusić, żeby zeznawała przeciw mężowi. Ale dziś, z dala od przestępczego światka, w przyzwoitej Wiosce i wielu, wielu podobnych milczących miejscach w całym kraju są żony, w których został wykształcony – przez konwencje społeczne i małżeńskie – naturalny odruch, by nie składać zeznań przeciw swoim mężom.

A do tego dochodzi inny czynnik, o którym,

o dziwo, nie pomyślałeś. Pewnego spokojnego wieczoru – spokojnego, bo oficjalnie zarzuciłeś cały pro-
jekt i zarówno cała fałszywa nadzieja, jak i irytacja
już z ciebie uleciały – ona mówi ci cicho:

– Zresztą gdybym to zrobiła, poruszyłby temat
twojej osoby.

Jesteś zdumiony. Czujesz, że nie miałeś nic wspólnego z rozpadem małżeństwa Macleodów; byłeś tylko postronną osobą, która naświetliła to, co byłoby
dla każdego oczywiste. Tak, zakochałeś się w niej;
tak, uciekłeś z nią; ale to był skutek, nie przyczyna.

Niemniej może masz szczęście, że w kodeksie nie
ma już starego paragrafu dotyczącego uwiedzenia.
Wyobrażasz sobie, że zostajesz wezwany na świad-
ka i poproszony, byś się wytłumaczył. Przez głowę
przelatuje ci myśl, że to byłoby wspaniałe, heroiczne; odgrywasz w myślach przesłuchanie, w którym
wypadasz oszałamiająco. Aż do ostatniego pytania.
Och, a przy okazji, młody kusicielu, młody uwodzi-
cielu, mógłbym spytać, gdzie pracujesz? Oczywiście,
odpowiadasz, uczę się, żeby zostać prawnikiem.
Zdajesz sobie sprawę, że może będziesz musiał
zmienić zawód.

Wiesz, że czasem po wizycie w domu, którego
połowa należy do niej, odwiedza Joan. To dobry
pomysł, nawet jeśli po powrocie jej włosy śmierdzą
dymem z papierosów. Pewnego razu czujesz z jej ust
zapach sherry.

– Napiłaś się z Joan?

– Czy się napiłam? Niech pomyślę… Bardzo możliwe.

– Cóż, nie powinnaś. Pić i prowadzić. To szaleństwo.

– Tak jest – zgadza się prześmiewczo.

Innym razem jej włosy mają zapach dymu, a usta –
miętówek. Myślisz sobie: to głupie.

– Słuchaj, jeśli pijesz z Joan, nie obrażaj mojej in-
teligencji, zjadając potem kilka miętówek.

– Rzecz w tym, że części trasy nie lubię. Przypra-
wia mnie o dreszcze. Ostre zakręty. Zauważyłam, że
kapka sherry z Joan koi mi nerwy. A po miętówki
sięgam nie ze względu na ciebie, skarbie, tylko na
wypadek, gdyby zatrzymała mnie policja.

– Jestem pewien, że policjanci są równie podejrz-
liwi wobec kierowców, od których czuć miętówki,
jak wobec tych, od których czuć alkohol.

– Ty mi się tu nie zamieniaj w policjanta, Paul. Ani
w prawnika, nawet jeśli masz nim zostać. Robię, co
w mojej mocy. Więcej nie potrafię.

– Oczywiście.

Całujesz ją. Tak jak i ona nie masz najmniejszej
ochoty na konfrontację. Oczywiście, że jej ufasz,
oczywiście, że ją kochasz, oczywiście, że jesteś zdecydowanie za młody, żeby być policjantem albo
prawnikiem.

I tak we wspólnej radości przeżywacie kilka nie-
skomplikowanych miesięcy.

Ale pewnego lutowego popołudnia ona spóźnia
się, wracając z Wioski. Wiesz, że nie lubi prowadzić
po ciemku. Wyobrażasz sobie jej samochód w rowie,
jej zakrwawioną głowę na desce rozdzielczej i miętówki wysypujące się z torebki.

Dzwonisz do Joan.

– Trochę się martwię o Susan.

– Czemu?

– O której od ciebie wyjechała?

– Kiedy?

– Dzisiaj.

– Nie widziałam się dziś z Susan – odpowiada opanowanym głosem. – I nie byłam z nią umówiona.

– Kurwa – rzucasz.

– Daj znać, jak wróci bezpiecznie.

– Jasne – mówisz, słuchając jedynie piąte przez dziesiąte.

– I Paul.

– Tak?

– Niech tylko wróci bezpiecznie, to najważniejsze.

– Tak.

To najważniejsze. I ona wraca bezpiecznie. I nie czuć jej włosów dymem, ani z ust sherry.

– Przepraszam, że się spóźniłam, skarbie – mówi, kładąc torebkę.

– Tak, martwiłem się.

– Niepotrzebnie.

– Niemniej martwię się.

Nie drążysz tematu. Po kolacji zbierasz naczynia i upewniwszy się, że stoisz do niej plecami, pytasz:

– Jak tam stara Joan?

– Joan? Jak zawsze. Joan się nie zmienia. Właśnie to jest w niej miłe.

Myjesz talerze i nie drążysz tematu. Jesteś kochankiem, nie prawnikiem, mówisz sobie. Tyle że zostaniesz prawnikiem, bo musisz być godny zaufania i stateczny, żeby lepiej się nią opiekować.

*

Kłoda pamięci dzieli się wzdłuż słojów. Nie pamiętasz więc okresów spokoju – wyjść, wesołości, dyżurnych żartów, nawet nauki – które wypełniają czas między tamtą ostatnią rozmową a dniem, w którym zmartwiony serią późnych powrotów z Wioski, mówisz do niej cicho i pokornie:

– Wiem, że nie zawsze jeździsz do Joan, kiedy mówisz, że jedziesz.

Odwraca wzrok.

– Sprawdzasz mnie, Casey Paul? To potworne i okrutne sprawdzać innych.

– Tak, ale nie mogę przestać się martwić i nie mogę znieść myśli, że jesteś sama w domu… z nim.

– Och, jestem tam zupełnie bezpieczna – mówi i przez chwilę panuje cisza. – Słuchaj, Paul, nie mówię ci o tym, bo nie chcę, żeby te dwie części mojego życia na siebie zachodziły. Chcę wybudować wokół nas dwojga mur.

– Ale?

– Ale mam z nim do omówienia różne kwestie praktyczne.

– Na przykład rozwód?

Natychmiast wstydzisz się swojego sarkazmu.

– Nie marudź mi tak, panie Marudo. Muszę załatwiać te sprawy w swoim tempie. To wszystko jest bardziej skomplikowane, niż myślisz.

– Okej.

– My, on i ja, mamy razem dwoje dzieci, nie zapominaj o tym.

– Nie zapominam. – Choć oczywiście zapominasz. Często.

– Musimy rozmawiać o pieniądzach. O samochodzie. O domu. Myślę, że tego lata należałoby go odmalować.

– Rozmawiacie o malowaniu domu?

– Dość, panie Marudo.

– Okej – mówisz. – Ale kochasz mnie, a jego nie.

– Wiesz, że tak właśnie jest, Casey Paul. Inaczej nie byłoby mnie tutaj.

– A on pewnie chciałby, żebyś wróciła.

– Najbardziej nienawidzę – mówi – kiedy pada na kolana.

– Pada na kolana?

W swoich słoniowych portkach, myślę.

– Tak, to okropne, krępujące, poniżające.

– I co, błaga, żebyś z nim została?

– Tak. Widzisz, czemu ci o tym nie mówię?

Młodzi Galanci przyjeżdżali na Henry Road i spali na podłodze na stertach poduszek, jak psy. Im więcej ich było, tym bardziej energiczna i swobodna stawała się Susan. Więc to było dobre. Czasem przywozili swoje dziewczyny, których reakcje na Henry Road początkowo mnie intrygowały. Stałem się ekspertem od wyczuwania zawoalowanej dezaprobaty. Nie wynikało to z jakiejś mojej niechęci czy paranoi, tylko z czystych obserwacji. Ponadto bawiła mnie ortodoksyjność ich poglądów na seks. Można by pomyśleć – czyż nie? – że dziewczyna albo młoda kobieta zaraz po dwudziestce powinna cieszyć się na myśl, że za prawie trzydzieści lat wciąż jeszcze może spotkać ją coś ekscytującego: że jej serce i ciało nadal będą doznawać ekscytacji i że jej przyszłość niekoniecznie musi sprowadzać się do umacniania pozycji społecznej, które idzie w parze z powolnym gaśnięciem emocji. Byłem zaskoczony, że żadna z nich nie odkryła w moim związku z Susan powodu do radości. Wszystkie reagowały tak, jak zareagowaliby ich rodzice: niepokojem, poczuciem zagrożenia, prawieniem morałów. Może nie mogły się doczekać, aż same będą matkami, i wyobrażały sobie, jak ich ukochani synowie wpadają w sidła starszej kobiety. Można by pomyśleć, że Susan to czarownica, że mnie zaczarowała, i należałoby ją publicznie wychłostać. Cóż, istotnie, zaczarowała mnie. A dezaprobata ze strony kobiet w moim wieku tylko zwiększała przyjemność, jaką czerpałem z naszej oryginalności, oraz moją determinację, by dalej siać zgorszenie wśród pozbawionych wyobraźni moralistek. Cóż, wszyscy musimy mieć w życiu jakiś cel, prawda? Tak jak każdy młody człowiek powinien mieć reputację.

Mniej więcej w tym okresie jeden z lokatorów wyprowadził się, zwalniając pokój na najwyższym piętrze, a jego miejsce zajął Eric, który właśnie zerwał ze swoją (moralistyczną, domagającą się ślubu) dziewczyną. To wniosło do domu nową dynamikę, może nawet jeszcze lepszą. Eric całym sercem popierał nasz związek i mógł mieć oko na Susan pod moją nieobecność. Susan pozwoliła mu płacić czynsz, przez co wydało mi się jeszcze bardziej nielogiczne, że ode mnie nie chciała przyjąć pieniędzy. Ale wiedziałem, jak by zareagowała, gdybym ponowił moją propozycję.

Minęło kilka miesięcy. Pewnego wieczoru, gdy Susan poszła już spać, Eric powiedział:

– Głupio mi o tym mówić…

– Tak?

Wyglądał na zawstydzonego, co było do niego niepodobne.

– …ale widzisz, Susan podkrada mi whisky.

– Whisky? Ona nawet nie pije whisky.

– Cóż, to ona albo ty, albo duch.

– Jesteś pewny?

– Zaznaczyłem poziom na butelce.

– Jak długo to trwa?

– Kilka tygodni. Może miesięcy?

– Miesięcy? Czemu nic mi nie powiedziałeś?

– Chciałem się upewnić. A Susan zmieniła taktykę.

– Jak to?

– W pewnym momencie musiała zauważyć, że na butelce jest kreska. Zaczęła więc brać łyczek czy haust, czy ile tam wypija, a potem dopełniać butelkę do poziomu kreski wodą.

– Sprytne.

– Nieszczególnie. Wręcz banalna zagrywka. Mój tata robił tak, jak mama usiłowała go skłonić, żeby przestał pić.

– Aha.

Byłem rozczarowany. Chciałem, żeby Susan zawsze prezentowała taką oryginalność, jaką miała w moich oczach.

– W związku z tym zrobiłem to, co podpowiadała logika. Sam przestałem pić z butelki. Przychodziła, wypijała łyk, dopełniała butelkę wodą. Pozwoliłem, żeby to trwało, aż zobaczyłem, że whisky zaczyna blednąć. W końcu, dla potwierdzenia, nalałem sobie szklankę. Jedna porcja whisky na jakieś piętnaście porcji wody, tak bym obstawiał.

– O kurwa.

– Tak, kurwa.

– Pomówię z nią – obiecałem.

Ale nie pomówiłem. Czy kierowało mną tchórzostwo, nadzieja, że znajdzie się jakieś inne wytłumaczenie, czy pełen znużenia opór przed dopuszczeniem do głosu własnych podejrzeń?

– A ja na razie będę trzymał alkohol na szafie.

– Dobry plan.

To był dobry plan do dnia, w którym Eric powiedział cicho:

– Nauczyła się sięgać na szafę.

Zabrzmiało to tak, jakby mówił o jakiejś małpiej sztuczce, a nie o normalnej czynności z użyciem krzesła. Ale ja też miałem takie odczucie.

Zauważasz, że czasem sprawia wrażenie nie podchmielonej, ale rozkojarzonej. Jakby miała zmęczony umysł, nie twarz. Potem, przypadkiem, zauważasz, że połyka jakąś pigułkę.

– Boli cię głowa?

– Nie – odpowiada.

Jest w jednym z tych nastrojów – myśli jasno, nie użala się nad sobą, a mimo to wydaje się pokonana – które boleśnie ściskają cię za serce. Podchodzi i siada na brzegu łóżka.

– Byłam u lekarza. Wyjaśniłam, co się stało. Powiedziałam, że czuję się przygnębiona. Dał mi pigułki rozweselające.

– Przykro mi, że ich potrzebujesz. Widać nie spełniam twoich oczekiwań.

– Nie chodzi o ciebie, Paul. I nie jest to wobec ciebie fair. Ale myślę, że jeśli przetrwam ten... okres przystosowania, będzie lepiej.

– Powiedziałaś mu, że trochę za dużo pijesz?

– Nie pytał o to.

– To nie znaczy, że nie powinnaś była mu tego powiedzieć.

– Nie będziemy się o to sprzeczać, prawda?

– Nie. Nie będziemy. Nigdy.

– W takim razie wszystko się ułoży. Zobaczysz.

Myśląc o tej rozmowie później, zaczynasz rozumieć – właściwie po raz pierwszy – że ona ma więcej do stracenia niż ty. Znacznie więcej. Ty zostawiasz za sobą przeszłość, z której właściwie chętnie rezygnujesz. Wierzyłeś i nadal wierzysz równie głęboko, że liczy się tylko miłość; że ona kompensuje wszystko inne; że jeśli wam dwojgu się ułoży, wszystko inne też się poukłada. Zdajesz sobie sprawę, że to, co ona za sobą zostawiła – nawet jej związek z Gordonem Macleodem – jest bardziej złożone, niż przypuszczałeś. Myślałeś, że bez bólu i komplikacji można jednym ruchem odciąć różne składowe życia. Zdajesz sobie sprawę, że jeśli w Wiosce, kiedy ją poznałeś, wydawała się wyobcowana, to zabierając ją stamtąd, skazałeś ją na jeszcze większe wyobcowanie.

Wszystko to oznacza, że musisz podwoić swoje zaangażowanie. Musisz przebrnąć przez ten trudny okres, a potem wszystko stanie się jaśniejsze, lepsze. Ona w to wierzy, więc ty też musisz wierzyć.

*

Zbliżając się do Wioski, wybierasz boczną drogę, żeby nie przejeżdżać koło domu rodziców.

– Gdzie Susan? – to pierwsze słowa Joan, kiedy otwiera drzwi.

– Przyjechałem sam.

– Czy ona wie?

Lubisz to, że Joan zawsze od razu przechodzi do sedna. To nawet dość przyjemne – taki zimny prysznic, zanim usiądziesz z poplamioną szklanką ciepłego ginu.

– Nie.

– W takim razie sytuacja musi być poważna. Uciszę te małe szczekacze.

Zapadasz się w fotel, który czuć psami, a obok pojawia się drink. Kiedy zbierasz myśli, Joan odzywa się pierwsza.

– Punkt Pierwszy. Nie jestem żadną pośredniczką. Cokolwiek powiesz, zostanie w tym pokoju i nie dotrze do Susan. Punkt Drugi. Nie jestem psychoanalitykiem ani żadnym ośrodkiem pomocy, nawet nie lubię słuchać o zmartwieniach innych. Zazwyczaj uważam, że powinni po prostu wziąć się w garść, przestać marudzić, zakasać rękawy i tak dalej. Punkt Trzeci. Jestem tylko starą moczymordą, której nie wyszło w życiu i która teraz mieszka sama ze swoimi psami. Więc żaden ze mnie autorytet. Nawet w kwestii krzyżówek, jak kiedyś zauważyłeś.

– Ale kochasz Susan.

– Oczywiście, że tak. Jak ona się miewa?

– Za dużo pije.

– Ile to jest „za dużo"?

– Dla niej każda ilość.

– Możliwe, że masz rację.

– I bierze antydepresanty.

– Cóż, kto ich nie brał – mówi Joan. – Lekarze rozdają je jak cukierki. Zwłaszcza kobietom w pewnym wieku. Pomagają jej?

– Trudno powiedzieć. Staje się po nich zamroczona. Ale inaczej niż po alkoholu.

– Tak, to też pamiętam.

– No więc?

– No więc co?

– No więc co powinienem zrobić?

– Paul, mój drogi, przecież powiedziałam, że nie udzielam rad. Przez tyle lat stosowałam się do własnych i patrz, dokąd mnie to zaprowadziło. Więc już ich nie udzielam.

Kiwasz głową. Nie jesteś też specjalnie zaskoczony.

– Poradziłabym ci jedynie…

– Tak?

– …żebyś napił się tego, co masz przy łokciu.

Posłusznie wypijasz łyk.

– Okej – mówisz. – Nie udzielasz rad. Ale… nie wiem, może jest coś, co powinienem wiedzieć, a nie wiem? Coś, co możesz mi powiedzieć o Susan albo o Susan i o mnie, co mogłoby pomóc?

– Mogę tylko powiedzieć, że jeśli wszystko się popsuje i posypie, ty pewnie jakoś to przebolejesz, a ona pewnie nie.

Jesteś wstrząśnięty.

– To niezbyt miłe z twojej strony.

– Nie jestem od bycia miłą, Paul. Prawda nie jest

miła. Sam się wkrótce przekonasz, jak trochę pożyjesz.

– Mam wrażenie, że już sporo przeżyłem.

– I może, kurwa, dobrze. – Twoja twarz niewątpliwie wygląda, jakby cię właśnie spoliczkowano. – No, Paul, nie przyjechałeś tu po to, żebym cię przytuliła i zapewniła, że w ogrodzie mieszkają wróżki.

– Prawda. Powiedz jeszcze tylko, co myślisz o tym. Susan co jakiś czas jeździ zobaczyć się z Macleodem. Pewnie częściej, niż mówi.

– Czy to cię niepokoi?

– Głównie dlatego, że jeśli jeszcze kiedyś ją tknie, będę musiał go zabić.

Joan się śmieje.

– Och, jakże ja tęsknię za melodramatyzmem młodości.

– Nie traktuj mnie protekcjonalnie, Joan.

– Nie traktuję cię protekcjonalnie. Oczywiście nie zrobiłbyś tego. Ale i tak podziwiam cię za intencję.

Zastanawiasz się, czy jej słowa są prześmiewcze. Ale Joan taka nie bywa.

– Czemu uważasz, że bym tego nie zrobił?

– Bo w Wiosce ostatnie morderstwo popełnił zapewne ktoś ubrany w średniowieczne szaty.

Śmiejesz się i wypijasz kolejny łyk ginu.

– Martwię się – mówisz. – Martwię się, że nie zdołam jej uratować.

Nie odpowiada i to cię drażni.

– I co ty na to? – pytasz.

– Mówiłam ci, że nie jestem pieprzoną wyrocznią. Równie dobrze możesz przeczytać swój horoskop w „Advertiser & Gazette". Kiedy razem uciekaliście,

159

powiedziałam, że oboje macie jaja. Macie jaja i macie miłość. Jeśli to nie jest dość dobre dla świata, to świat nie jest dość dobry dla was.

– Teraz przemawiasz jak wyrocznia.

– W takim razie powinnam pójść wyszorować sobie język mydłem.

Któregoś dnia po powrocie do domu zastajesz ją z ranami i siniakami na twarzy, obejmującą się rękami w obronnym geście.

– Potknęłam się o tamten stopień w ogrodzie – mówi, jakby to było znane zagrożenie, o którym już rozmawialiście. – Niestety jestem ostatnio bardzo rozchwiana.

Istotnie jest „rozchwiana". Teraz, kiedy gdzieś idziecie, odruchowo bierzesz ją pod rękę i zwracasz uwagę na nierówne chodniki. Ale na jej twarzy widnieje też znamienny rumieniec. Dzwonisz po doktora – nie tego prywatnego, do którego poszła po swoje pigułki rozweselające.

Doktor Kenny jest czepialskim, wścibskim mężczyzną w średnim wieku, ale odpowiednim typem lekarza – takim, który jest zdania, że wizyty domowe dostarczają informacji przydatnych do postawienia diagnozy. Prowadzisz go na górę do sypialni Susan; jej siniaki nabierają koloru.

Po powrocie na dół chce zamienić z tobą kilka słów.

– Bardzo proszę.

– To dość zagadkowy przypadek – zaczyna. – Kobiety w jej wieku zwykle nie upadają.

– Ostatnio jest bardzo rozchwiana.

– Tak, ona też użyła tego słowa. A pan, jeśli mogę spytać, jest…?

– Jestem jej lokatorem… nie, kimś więcej, kimś w rodzaju chrześniaka.

– Hmm. I mieszkacie tu tylko we dwoje?

– W pokojach na poddaszu jest jeszcze dwóch lokatorów. – Postanawiasz nie podnosić Erica do rangi drugiego chrześniaka.

– Czy ona ma rodzinę?

– Tak, ale… obecnie jest z nimi skłócona.

– A więc nie ma żadnego wsparcia? To znaczy, nie licząc pana?

– Na to by wychodziło.

– Jak mówię, to dość zagadkowa sprawa. Myśli pan, że może mieć związek z alkoholem?

– Och nie – odpowiadasz szybko. – Ona nie pije. Nienawidzi alkoholu. To jeden z powodów, dla których zostawiła męża. On jest alkoholikiem. Flachy i flaszki – dodajesz, nie potrafiąc się powstrzymać.

Zdajesz sobie sprawę z dwóch rzeczy. Po pierwsze, kłamiesz odruchowo, żeby chronić Susan – nawet jeśli prawda pozwoliłaby jej skuteczniej pomóc. Zaczynasz też widzieć, jak wasz związek, a raczej wasza kohabitacja, może jawić się osobie z zewnątrz.

– W takim razie, jeśli mogę spytać, co ona robi całymi dniami?

– Ona… jest wolontariuszką u samarytanów.

To też nieprawda. Susan wspomniała, że ma taki pomysł; ty natomiast jesteś przeciwny. Uważasz, że nie powinna próbować pomagać innym, kiedy sama potrzebuje pomocy.

– To niewiele, prawda?

– Cóż… zajmuje się też domem.

Lekarz rozgląda się. Wokół widać straszny bałagan. Zdajesz sobie sprawę, że twoje odpowiedzi go nie satysfakcjonują. I dlaczego miałoby być inaczej?

– Jeśli to się powtórzy, będziemy musieli zbadać sprawę – mówi.

Potem bierze swoją torbę i wychodzi.

Zbadać sprawę? – myślisz. Zbadać sprawę? Widział, że kłamiesz. Ale co zbadać? Może domyśla się, że jesteś jej kochankiem, i podejrzewa, że ją bijesz. Chryste Panie, myślisz: wygląda na to, że chcąc uchronić ją przed posądzeniem o pijaństwo, narażasz siebie na oskarżenie o stosowanie przemocy. Może to ostatnie ostrzeżenie.

Co nie znaczy, że policja na pewno wykazałaby zainteresowanie. Pamiętasz pewien incydent sprzed roku czy dwóch. Jesteście z Susan w samochodzie i przejechaliście zaledwie pół kilometra, kiedy zauważasz na chodniku awanturującą się parę. Widzisz, jak mężczyzna naciera na kobietę, i przed oczami staje ci dom Macleodów. Ten mężczyzna jeszcze nie bije, ale wygląda, jakby zaraz miał zacząć. Może oboje są pijani, nie jesteś w stanie stwierdzić. Opuszczasz okno, a kobieta krzyczy: „Dzwońcie po policję!". Chwycił ją i trzyma. „Dzwońcie po policję!". Pędzisz do domu, dzwonisz pod numer alarmowy i przyjeżdża radiowóz, który zabiera was w miejsce możliwego przestępstwa. Para się oddaliła, ale wkrótce zauważacie ich kilka ulic dalej. Stoją w odległości dziesięciu metrów od siebie i obrzucają się mięsem.

– A, znamy ich – mówi młody posterunkowy. – To tylko kłótnia małżeńska.

– Nie aresztuje go pan?

Jesteście mniej więcej w tym samym wieku, ale on wie, że zna życie lepiej niż ty.

– Cóż, proszę pana, mamy taką politykę, że nie ingerujemy w kłótnie małżeńskie. No, chyba że zrobi się naprawdę gorąco. Wygląda na to, że oni po prostu się posprzeczali. W końcu mamy piątkowy wieczór.

Po czym odwozi was do domu.

Zdajesz sobie sprawę, że chcesz, by służba publiczna wkraczała w życie innych, ale nie w twoje. Zdajesz sobie też sprawę, że twoja prawdomówność stała się niebezpiecznie elastyczna. I zastanawiasz się, czy nie powinieneś był wysiąść z samochodu i spróbować odciągnąć tamtego mężczyznę od kobiety.

Pośród twoich problemów jest i taki: przez długi czas nie dopuszczasz do siebie myśli, że ona pije. Jak to możliwe, skoro pije jej mąż i picie ją mierzi? Nienawidzi nawet zapachu alkoholu i nienawidzi fałszywych emocji, jakie alkohol wyzwala. Po nim Macleod staje się bardziej ordynarny, gniewny, grubiańsko sentymentalny; kiedy chwytał ją za włosy i siłą przystawiał jej do ust szklankę, wolała, żeby sherry spłynęła jej na sukienkę niż do gardła. Nie było też w jej życiu nikogo, kto służyłby za wiarygodny kontrprzykład: alkohol jako coś wytwornego, coś, co pozwala wyzbyć się zahamowań, coś, co da się kontrolować, jeśli wiemy, kiedy można sobie pozwolić, a kiedy nie.

Wierzysz jej. Nigdy nie pytasz o coraz częstsze spóźnienia i chwile słabości. Kiedy przychodzisz i zastajesz ją otępiałą i zmętniałą, mówisz sobie, że niechcący połknęła jedną pigułkę rozweselającą więcej – i czasem tak jest. A ponieważ nieuchronnie uważasz, że jednym z powodów, dla których sięga po antydepresanty, jest to, że ty nie jesteś w stanie uszczęśliwić jej na tyle, by ich nie potrzebowała, czujesz się winny, i to poczucie winy nie pozwala ci o nic pytać. Więc kiedy podnosi zmętniały wzrok, klepie miejsce na kanapie obok siebie i mówi: „Całe życie na ciebie czekałam", czujesz, jak twoje serce rozrywa się i rozdziera, i najbardziej na świecie pragniesz sprawić, by poczuła się dobrze, i to na jej warunkach, a nie na twoich. Siadasz więc obok i ujmujesz ją za nadgarstki.

Tak jak wierzysz, że wasza miłość jest jedyna w swoim rodzaju, tak też wierzysz, że jedyne w swoim rodzaju są wasze problemy – jej problemy. Jesteś za młody, by rozumieć, że wszystkie ludzkie zachowania wpisują się w pewne schematy i kategorie i że jej – wasz – przypadek wcale nie jest jedyny. Chcesz, żeby ona była jakimś wyjątkiem, a nie jakąkolwiek regułą. Gdyby ktoś w rozmowie z tobą spróbował użyć takiego słowa jak współuzależnienie – o ile ten termin już wtedy istniał – wyśmiałbyś je jako amerykański żargon. Może natomiast w większym stopniu przemówiłaby do ciebie następująca statystyczna korelacja, z której wówczas nie zdawałeś sobie sprawy: partnerzy alkoholików, dalecy od odrazy – czy raczej mimo odrazy – wobec tego nałogu często sami w niego popadają.

Ale dla ciebie następnym etapem jest akceptacja jakiegoś promila tego, co masz przed oczami. Rozumiesz, że w pewnych bardzo szczególnych okolicznościach ona musi podnieść się na duchu odrobiną alkoholu – co teraz czasem przyznaje. Oczywiście, kiedy jeździ do Wioski, musi dotrzymywać towarzystwa Joan; oczywiście, że czasem boi się coraz większego ruchu na drogach i ostrego i krętego przejazdu po wzgórzach, a kapka czegoś mocniejszego jej pomaga; oczywiście, że czasem, kiedy większość dnia spędzasz w college'u, jest bardzo samotna. Ma też swój „zły czas", jak go nazywa – zwykle między piątą a szóstą po południu, choć w miarę jak dni stają się krótsze i zmrok zapada wcześniej, jej zły czas również zaczyna się odpowiednio wcześniej i, oczywiście, trwa do tej samej godziny co zawsze.

Wierzysz w to, co ci mówi. Wierzysz, że butelka, którą trzyma pod zlewem, za wybielaczem i płynem do naczyń, i preparatem do czyszczenia srebra, to jedyna butelka, z której pije. Kiedy proponuje, żebyś zrobił na tej butelce kreskę ołówkiem, dzięki czemu oboje będziecie widzieli, ile wypija, jesteś podbudowany i myślisz, że te kreski są zupełnie inne niż na butelce Erica. Nie przypuszczasz też, że w domu mogą być jakieś inne butelki. Kiedy przyjaciele próbują cię ostrzec – „Trochę mnie martwi picie Susan", mówi jeden, „Rany, przez słuchawkę można wyczuć procenty", mówi inny – reagujesz różnie. Chronisz ją, zaprzeczając prawdzie; przyznajesz, że zdarzają się jej chwile słabości; mówisz, że rozmawialiście o tym i obiecała, że „do kogoś pójdzie". Czasem nawet wszystko w jednej rozmowie. Ale jesteś też urażony tymi przyjacielskimi próbami pomocy. Bo jej nie potrzebujesz: we dwoje, ponieważ się kochacie, sami poradzicie sobie z tą sytuacją, wielkie dzięki. A to nieco zraża twoich przyjaciół, i zraża ich też do niej. Coraz częściej orientujesz się, że mówisz: „Ona po prostu miała zły dzień", a od tego powtarzania sam w to zaczynasz wierzyć.

Bo wciąż jest wiele dobrych godzin i dobrych dni, kiedy dom wypełniają trzeźwość i radość, a jej oczy i uśmiech są takie jak wtedy, gdy się poznaliście, i robicie razem coś prostego, na przykład jedziecie do lasu na spacer, idziecie do kina i trzymacie się za ręce, a nagły przypływ uczuć mówi ci, że wszystko jest bardzo łatwe i nieskomplikowane, i tak wasza miłość uzyskuje potwierdzenie, twoja miłość do niej i jej do ciebie. I właśnie w takich chwilach chciałbyś pokazywać ją znajomym: Spójrzcie, wciąż jest sobą, nie tylko „wewnątrz", ale też tutaj, teraz, na zewnątrz. I ani przez chwilę nie postaje ci w głowie, że jednym z powodów, dla których oni zwykle widzą ją na gazie, może być to, że wmówiła sobie, kierując się jakąś pokrętną logiką, iż zanim się z nimi zmierzy, potrzebuje kapki czegoś dla kurażu.

Każdy etap niezauważenie przechodzi w kolejny. A teraz przychodzi etap paradoksu, który początkowo trudno ci pojąć. Jeśli ją kochasz, a kochasz niezachwianie, i jeśli to, że ją kochasz, oznacza, że ją rozumiesz, to musisz też rozumieć, dlaczego pije. Przebiegasz w myślach całą jej pre-historię i historię najnowszą, i obecną sytuację, i prawdopodobną przyszłość. Rozumiesz to wszystko i zanim się

zorientujesz, okazuje się, że jakimś sposobem przeszedłeś od całkowitego wyparcia jej alkoholizmu do
całkowitego zrozumienia jego przyczyn.

Ale tu wkracza też brutalna chronologia. O ile
wiesz, w latach spędzonych z Macleodem Susan
pijała tylko od czasu do czasu. A teraz kiedy żyje
z tobą, jest – staje się, stała się – alkoholiczką. To dla
ciebie za dużo, żebyś mógł to wszystko przyjąć do
wiadomości, a co dopiero znieść.

Siedzi w łóżku w swojej pikowanej lizesce, wokół
niej leżą gazety, przy jej łokciu stoi kubek dawno już
wystygłej kawy. Ma zmarszczone czoło i wysuniętą
do przodu brodę, jakby cały dzień rozmyślała. Jest
szósta wieczór, a ty jesteś na ostatnim roku prawa.
Siadasz na brzegu materaca.

– Casey Paul – zaczyna, czułym niepewnym tonem – doszłam do wniosku, że coś jest bardzo nie
tak.

– Myślę, że możesz mieć rację – odpowiadasz cicho.

Wreszcie, myślisz, może to moment przełomu. Bo
tak to przebiega, nieprawdaż? Dochodzi do kryzysu, wtedy następuje moment przesilenia, a potem
wszystko na powrót staje się jasne, racjonalne i radosne.

– Ale cały dzień nad tym główkuję i nie mogę
dojść, o co chodzi.

I co teraz? Przechodzisz wprost do kwestii picia?
Sugerujesz, żeby znów poszła do lekarza, do specjali-
sty, psychiatry? Masz dwadzieścia pięć lat i nie jesteś
przygotowany na tego typu sytuację. W gazetach nie

ma artykułów „Jak sobie radzić z pijącą kochanką w średnim wieku". Jesteś sam. Nie masz jeszcze żadnej teorii życia, poznałeś tylko niektóre jego przyjemności i bolączki. Nadal jednak wierzysz w miłość, i w to, co miłość może sprawić, jak potrafi odmienić czyjeś życie, a w istocie życie dwóch osób. Wierzysz, że jest niezniszczalna, wytrwała, że potrafi zdystansować każdego przeciwnika. To, w istocie, na razie twoja jedyna teoria.

Robisz więc, co możesz. Ujmujesz jej nadgarstek i opowiadasz o tym, jak się poznaliście i zakochaliście, jak dobrano was w drodze losowania, a potem wasze losy splotły się ze sobą, jak uciekliście w najlepszym miłosnym stylu, i mówisz tak dalej, z pełną powagą i pełnym przekonaniem, a potem łagodnie sugerujesz, że ostatnio trochę za dużo pije.

– Och, ty w kółko tylko o tym – odpowiada, jakby to była jakaś twoja nużąca i pedantyczna obsesja, z którą ona właściwie nie ma nic wspólnego. – Ale jeśli chcesz, żebym przyznała ci rację, zrobię to. Może czasem wypijam parę kropli więcej, niż powinnam.

Tłumisz wewnętrzny głos, który upomina: „Nie, nie parę kropli, parę butelek więcej, niż powinnaś".

Ciągnie dalej:

– Mówię o czymś znacznie ważniejszym niż to. Myślę, że coś jest bardzo nie tak.

– Chodzi ci o coś, co sprawia, że pijesz? Coś, o czym nie wiem?

Twoje myśli biegną ku jakiemuś potwornemu, doniosłemu wydarzeniu z jej dzieciństwa, czemuś znacznie gorszemu niż „imprezowy całus" wujka Humpha.

168

– Och, czasem naprawdę bywasz Strasznym Nudziarzem – mówi kpiąco. – Nie, o coś o wiele ważniejszego. O to, co się za tym wszystkim kryje.

Zaczynasz już trochę tracić cierpliwość.

– A co twoim zdaniem mogłoby się kryć za tym wszystkim?

– Może Ruski.

– Ruski? – reagujesz, cóż, tak, krzykiem.

– Och, Paul, postaraj się nadążyć. Nie mam na myśli prawdziwych Rusków. To tylko przenośnia.

Jak, na przykład, Ku Klux Klan albo KGB, albo CIA, albo Che Guevara. Podejrzewasz, że ta jedna ulotna szansa właśnie ci się wymyka, i nie wiesz, czy to twoja wina, jej wina, czy niczyja wina.

– Dobrze – mówisz. – Rosjanie to przenośnia.

Ale ona odczytuje to tylko jako cwaną impertynencję.

– Nic z tego nie będzie, jeśli nie nadążasz. Coś się za tym wszystkim kryje, tuż poza zasięgiem wzroku. Coś, co wszystko spina. Coś, co, jeśli to na nowo poskładamy, naprawi to wszystko, naprawi nas wszystkich, nie rozumiesz?

Dajesz z siebie wszystko i podejmujesz próbę.

– Coś jak buddyzm?

– Och, nie mów takich głupstw. Wiesz, co myślę o religii.

– Cóż, to był tylko taki pomysł – mówisz żartobliwie.

– Nie za dobry.

Jak szybko to, co z początku było niezobowiązujące, łagodne i obiecujące, przerodziło się w coś pełnego gniewu i drwiny. I jakże odległego od tego, co ty uważasz za sedno problemu, co nie tylko się za tym wszystkim kryje, ale jest też na wierzchu i wszędzie pomiędzy: butelki pod zlewem, pod łóżkiem, za regałami, w jej brzuchu, w jej głowie, w jej sercu. Może to prawda, że nie znasz przyczyny, jeśli naprawdę istnieje jakaś jedna poznawalna przyczyna, ale tobie i tak wydaje się, że możesz tylko pracować – walczyć – z objawami, które manifestują się każdego dnia.

Oczywiście wiesz, co myśli o religii. Jest zdecydowanie niechętna misjonarzom, niezależnie od tego, czy pragną nawracać w dalekich krajach, czy na progach podmiejskich domów. I jest też ta historia z Malty, którą opowiedziała ci więcej niż raz. Kiedy ich córki były małe, Gordon Macleod został na parę lat oddelegowany do pracy na Maltę. Ona też pojechała i mieszkała tam jakiś czas. I na zawsze zapadł jej w pamięć rower księdza. Tak, tłumaczyła, to strasznie katolickie miejsce. Kościół jest wszechmocny, a wszyscy są mu bardzo posłuszni. Kościół ciemięży ludzi, zmuszając kobiety, by rodziły jak najwięcej dzieci: na wyspie absolutnie nie da się kupić żadnych środków antykoncepcyjnych. Są pod tym względem bardzo zacofani – John Bell & Croyden zostaliby przepędzeni – więc trzeba wszystko przywozić z sobą.

Tak czy inaczej, ciągnie, czasem zdarza się, że mimo wszystkich swoich modłów młoda żona nie zachodzi w ciążę zaraz po ślubie, powiedzmy przez rok czy dwa. Albo może jakaś kobieta ma dwoje dzieci i rozpaczliwie pragnie trzeciego, ale to się nie udaje. I w takich przypadkach przyjeżdża ksiądz i stawia swój rower przy drzwiach wejściowych, żeby wszyscy – a zwłaszcza mąż – wiedzieli, że dopóki rower nie zniknie, nie wolno przeszkadzać. A kiedy po dziewięciu miesiącach – choć oczywiście czasem trzeba kilku wizyt księdza – rodzina zostaje pobłogosławiona, to błogosławieństwo nazywane jest „dzieckiem księdza" i uznawane za dar od Boga. I czasem w rodzinie jest więcej niż jedno dziecko księdza. Możesz to sobie wyobrazić, Paul? Czy nie uważasz tego za barbarzyństwo?

Owszem, tak – mówisz to za każdym razem. A teraz jakaś część ciebie – ta ponura, zrozpaczona, sarkastyczna – zastanawia się, czy jeśli to nie Ruski kryją się za tym wszystkim, to może Watykan.

Nadal śpicie w jednym łóżku, ale od dawna się nie kochaliście. Nie zastanawiasz się, ile czasu kalendarzowego minęło, bo liczy się to, jak ten upływ czasu odczuwa serce. Dowiadujesz się na temat seksu więcej, niżbyś chciał – czy więcej, niż powinno być dopuszczalne w młodym jeszcze wieku. Niektóre odkrycia powinny przychodzić później w życiu, kiedy mogłyby mniej zaboleć.

Wiesz już, że istnieje dobry seks i zły seks. Naturalnie wolisz dobry niż zły. Ale też, jako że jesteś młody, uważasz, iż mimo wszystko, w sumie, z całym dobrodziejstwem inwentarza, zły seks jest lepszy niż żaden. I czasem lepszy niż masturbacja, choć czasem nie.

Ale jeśli myślałeś, że to jedyne istniejące kategorie seksu, teraz dowiadujesz się, że się myliłeś. Bo jest kategoria, o której istnieniu nie wiedziałeś, coś, co nie jest, jak mógłbyś zakładać, gdybyś wcześniej o tym usłyszał, podkategorią złego seksu; i jest to seks smutny. Smutny seks jest najsmutniejszy ze wszystkich.

Smutny seks jest wtedy, gdy pasta do zębów w jej ustach nie maskuje skutecznie zapachu słodkiej sherry, a ona szepcze: „Rozwesel mnie, Casey Paul". I spełniasz jej prośbę. Choć rozweselanie jej wiąże się też z zasmucaniem siebie.

Smutny seks jest wtedy, gdy ona jest już na haju od pigułki rozweselającej, a ty myślisz, że jeśli ją zerżniesz, może to rozweseli ją trochę bardziej.

Smutny seks jest wtedy, gdy jesteś w takiej rozpaczy, gdy sytuacja jest tak patowa, pre-historia tak przytłaczająca, równowaga twojej duszy codziennie, co chwila tak zagrożona, że dochodzisz do wniosku, iż równie dobrze możesz zapomnieć się na kilka minut, pół godziny, właśnie w seksie. Ale nie zapominasz się ani nie zapominasz o stanie swojej duszy, nawet na ułamek sekundy.

Smutny seks jest wtedy, gdy czujesz, że zupełnie się od niej oddalasz, a ona oddala się od ciebie, ale to sposób, by sobie powiedzieć, że nadal łączy was jakaś więź; że żadne nie rezygnuje z drugiego, nawet jeśli jakaś część ciebie obawia się, iż powinieneś zrezygnować. Potem odkrywasz, że upieranie się przy tej więzi to to samo co przedłużanie bólu.

Smutny seks jest wtedy, gdy kochasz się z kobietą, a jednocześnie rozmyślasz, jak zabić jej męża, nawet jeśli jest to coś, czego nigdy nie zdołałbyś zrobić, bo nie jesteś tego rodzaju człowiekiem. Ale tak jak twoje ciało pracuje, tak też pracuje twój umysł – orientujesz się, że myślisz: „Tak, gdybym zastał go, jak ją dusi, mógłbym chyba uderzyć go łopatą w głowę albo dźgnąć nożem kuchennym", choć zdajesz sobie sprawę, że zważywszy, jak beznadziejny jesteś w rękoczynach, mogłoby się to skończyć tym, że łopata albo nóż ześlizęłyby się z niego i trafiły ją. Potem ta druga wersja w twojej głowie staje się jeszcze bardziej szalona, bo pojawia się w niej sugestia, że gdybyś miał chybić i trafić ją zamiast niego, może potajemnie chcesz ją skrzywdzić, bo ona – ta kobieta, która leży teraz nago pod tobą – wpakowała cię w to beznadziejne bagno w tak młodym wieku.

Smutny seks jest wtedy, gdy ona jest trzeźwa, pragniecie się nawzajem, wiesz, że mimo wszystko zawsze będziesz ją kochał, tak jak ona zawsze będzie kochać ciebie, ale teraz zdajesz sobie sprawę – może oboje ją sobie zdajecie – że wzajemna miłość niekoniecznie prowadzi do szczęścia. I tak, kochając się, nie tyle szukacie pociechy, ile podejmujecie beznadziejną próbę zaprzeczenia temu, że oboje jesteście nieszczęśliwi.

Dobry seks jest lepszy niż zły seks. Zły seks jest lepszy niż brak seksu, wyjąwszy sytuacje, kiedy brak seksu jest lepszy niż zły seks. Seks z samym sobą jest lepszy niż brak seksu, wyjąwszy sytuacje, kiedy brak seksu jest lepszy niż seks z samym sobą. Smutny seks zawsze jest znacznie gorszy niż dobry seks, zły seks, seks z samym sobą i brak seksu. Smutny seks jest najsmutniejszy ze wszystkich.

Na uczelni poznajesz Paulę – przyjazną, bezpośrednią blondynkę – która poszła na prawo po kilku latach w wojsku. Kiedy pokazuje ci streszczenie sprawy z wykładu, na którym cię nie było, stwierdzasz, że ma ładny charakter pisma. Pewnego ranka zapraszasz ją na kawę, potem zaczynacie razem jadać na lunch kanapki w pobliskim parku. Pewnego wieczoru zabierasz ją do kina i całujesz na pożegnanie. Wymieniacie się numerami telefonów.

Po kilku dniach ona pyta:

– Kim jest ta wariatka, która mieszka w twoim domu?

– Słucham? – Już czujesz, jak po ciele rozchodzi ci się zimny dreszcz.

– Zadzwoniłam do ciebie wczoraj wieczorem. Odebrała jakaś kobieta.

– To musiała być właścicielka domu.

– Wydawała się kompletnie obłąkana.

Nabierasz powietrza.

– Jest trochę ekscentryczna – mówisz.

Chcesz, żeby ta rozmowa natychmiast się skończyła. Żałujesz, że w ogóle się zaczęła. Żałujesz, że Paula zadzwoniła pod numer, który jej dałeś. Bardzo byś chciał, żeby nie wdawała się w szczegóły, ale wiesz, że się w nie wda.

– Zapytałam, o której będziesz, a ona powiedziała: „Och, ten młody człowiek to paskudny hulaka, nie można na nim w ogóle polegać". A potem nagle zrobiła się szalenie dystyngowana i rzuciła coś w stylu: „Jeśli pani pozwoli, że pójdę po ołówek, chętnie przekażę wiadomość, o ile zechce pani takową zostawić". Odłożyłam słuchawkę, zanim wróciła.

Patrzy na ciebie wyczekująco, pewna, że przedstawisz jej wyjaśnienie, które ją usatysfakcjonuje. Nie trzeba wiele; możliwe, że wystarczyłby żart.

Przychodzą ci do głowy różne ekstrawaganckie kłamstwa, aż wybierasz ćwierćprawdę i zamiast wyrachowanego mataczenia – a także wiedziony uporem i opiekuńczością wobec Susan – powtarzasz:

– Jest trochę ekscentryczna.

I to, jak można się spodziewać, koniec twoich relacji z Paulą. I zdajesz sobie sprawę, że prawdopodobnie tak samo będzie z innymi przyjaznymi i bezpośrednimi dziewczynami o ładnym charakterze pisma.

Mniej więcej w tym samym czasie przestajesz myśleć o jej rodzinie, używając przezwisk. Pan Słoniowe Portki i panna Gburowata, i tak dalej – niegdyś to wszystko było nowe i zabawne, stanowiło element wczesnych miłosnych wygłupów i zachłanności. Ale była to też żartobliwa metoda minimalizowania ich obecności w jej życiu. A skoro zaczynasz myśleć o sobie jako o dorosłym – nieważne, że z konieczności i przedwcześnie – im też trzeba pozwolić dojrzeć.

Zauważasz jeszcze, że już nie przechodzisz z łatwością na ten prywatny, kpiarski język miłości, którym się dawniej komunikowaliście. Może ciężar tego, co na siebie wziąłeś, na razie przygniótł i zniszczył dekoracyjność waszych uczuć. Oczywiście wciąż ją kochasz, i mówisz jej to, ale dziś używasz do tego prostszych słów. Może kiedy rozwiążesz jej problem albo ona rozwiąże go sama, znów będzie miejsce na taką żartobliwość. Nie jesteś pewny.

Susan jednakże nie przestaje używać swoich powiedzonek. To jej sposób na utrzymywanie, że nic się nie zmieniło, ona ma się dobrze, ty masz się dobrze, wszystko jest dobrze. Ale ona, ty i wszystko nie macie się dobrze, a te znajome słowa czasem wywołują ukłucie zażenowania, choć częściej przeszywający ból. Wchodzisz do domu, specjalnie robiąc przy tym tyle hałasu, żeby ją uprzedzić, a kiedy schodzisz po kilku stopniach do kuchni, zastajesz ją w znajomej pozie: czerwona na twarzy stoi przy piecyku gazowym i marszczy czoło nad gazetą, jakby świat naprawdę powinien rozwiązać swoje problemy. Potem podnosi ożywiony wzrok i mówi: „Całe życie na ciebie czekałam" albo „Jest ten paskudny hulaka", a wtedy radosność – nawet ta chwilowa – ucieka z ciebie jak woda z odkorkowanej wanny. Rozglądasz się i oceniasz sytuację. Otwierasz szafki, żeby zobaczyć, czy jest w nich coś, z czego dałoby się coś zrobić. A ona ci nie przeszkadza, tylko od czasu do czasu rzuca uwagi, które mają pokazać, że wciąż jest w stanie zrozumieć gazetę.

– Wszystko wydaje się strasznie pogmatwane, zgodzisz się, Casey Paul?

Na co ty pytasz:

– Gdzie dokładnie?

Na co ona odpowiada:

– Och, właściwie wszędzie.

W którym to momencie może się zdarzyć, że ciśniesz opróżnioną puszkę po pomidorach śliwkowych do śmietnika, a ona cię zbeszta:

– Trzymaj nerwy na wodzy, Casey Paul!

Dzięki kilkumiesięcznym manewrom zapisujesz ją w pierwszej kolejności do lekarza ogólnego, a potem do psychiatry w pobliskim szpitalu. Nie chce, żebyś z nią szedł, ale nalegasz, wiedząc, co zapewne się stanie, jeśli nie pójdziesz. Jesteście umówieni o trzeciej, przychodzicie za kwadrans. W poczekalni jest już z dziesięciu innych pacjentów i uświadamiasz sobie, że szpital umawia wszystkich na jedną godzinę, kiedy psychiatra zaczyna przyjmować. Rozumiesz, dlaczego prowadzą taką politykę: wariaci – a jako młody człowiek używasz tego pojęcia w dość szerokim znaczeniu – zapewne nie są najbardziej punktualnymi ludźmi na świecie: najlepiej więc wezwać ich wszystkich jednocześnie.

Susan udaje się do damskiej toalety, co może być próbą ucieczki. Puszczasz ją, zakładając, że masz pięćdziesiąt procent szans, iż nie wróci. Ale wraca, a ty łapiesz się na cynicznej myśli, że pewnie poszła do szpitalnego sklepu, żeby sprawdzić, czy mają alkohol, albo może wypytywała pielęgniarki, gdzie jest bar, na co usłyszała irytującą odpowiedź, że w szpitalu nie ma takowego.

Zdajesz sobie sprawę, że współczucie i wrogość mogą współistnieć. Odkrywasz, jak wiele pozornie sprzecznych emocji może krzewić się obok siebie w jednym ludzkim sercu. Jesteś zły na książki, które czytałeś i z których żadna nie przygotowała cię na to. Niewątpliwie czytałeś niewłaściwe lektury. Albo w niewłaściwy sposób.

Czujesz, nawet w tym późnym, rozpaczliwym stadium, że twoja sytuacja emocjonalna wciąż jest ciekawsza niż sytuacja emocjonalna twoich przyjaciół. Oni (w większości) mają dziewczyny i (w większości) uprawiają seks z osobami w swoim wieku;

niektórzy przeszli inspekcję rodziców swoich dziewczyn, spotkali się z aprobatą, dezaprobatą lub wyrokiem w zawieszeniu. Większość ma plan na przyszłe życie, który uwzględnia obecną dziewczynę – a jeśli nie, to jakąś bardzo podobną. Plan, żeby zamieszkać w bruździe. Ale na razie mają tylko tradycyjne młodzieńcze radości, rozsądne marzenia i niejasne frustracje charakterystyczne dla ludzi po dwudziestce, którzy pozostają w związkach z rówieśnicami. A ty jesteś tutaj, w szpitalnej poczekalni, otoczony przez szaleńców, zakochany w kobiecie, którą określono mianem potencjalnie szalonej.

A co najdziwniejsze, po części cię to raduje. Myślisz: nie tylko kochasz Susan bardziej, niż oni kochają swoje dziewczyny – musi tak być, inaczej nie siedziałbyś tu wśród tych wszystkich czubków – ale też wiesz ciekawsze życie. Oni mogą oceniać rozmiary mózgów i piersi swoich dziewczyn oraz kont oszczędnościowych przyszłych teściów i wyobrażać sobie, że wygrali; ale ty wciąż masz nad nimi przewagę, bo twój związek jest bardziej fascynujący, bardziej skomplikowany i bardziej tragiczny. A dowodzi tego fakt, że siedzisz tutaj na metalowym krześle i jednym okiem czytasz porzucone przez kogoś czasopismo, podczas gdy twoja ukochana marzy o – czym? Bez wątpienia o ucieczce; ucieczce stąd, ucieczce od ciebie, ucieczce przed życiem? Ona też chwieje się pod ciężarem skrajnych, nieznośnych i sprzecznych emocji. Oboje jesteście pogrążeni w bólu. A jednak, mimo że wiesz, jak głupi i agresywny jest świat męskiego współzawodnictwa, nadal mówisz sobie, że jesteś zwycięzcą. A kiedy dochodzisz w swoich rozmyślaniach do tego punktu, narzuca się kolejny logiczny wniosek: Ty też jesteś czubkiem. Ewidentnie jesteś kopniętym całkowitym zupełnym czubkiem. Z drugiej strony jesteś najmłodszym pieprzonym czubkiem w całej poczekalni. Znów więc wygrałeś! Dawny bokserski czempion w kategorii do dwunastu lat i do czterdziestu kilogramów zostaje szpitalnym czempionem w kategorii do lat dwudziestu sześciu!

W tym momencie drzwi gabinetu konsultacyjnego otwiera okrągły łysy mężczyzna w garniturze.

– Pan Ellis – wywołuje cicho.

Nikt nie reaguje. Obeznany z brakiem koncentracji, wybiórczą głuchotą i innymi ułomnościami swoich pacjentów lekarz podnosi głos:

– Pan ELLIS!

Jakiś stary dureń ubrany w trzy swetry i parkę wstaje z krzesła; na głowie ma frotową opaskę, która przytrzymuje dziesięć kosmyków białych włosów wyrastających mu z czubka czaszki. Przez chwilę stoi, rozglądając się, jakby może czekał na aplauz za to, że rozpoznał własne nazwisko, po czym wchodzi za lekarzem do gabinetu.

Nie jesteś przygotowany na to, co się dzieje potem. Słyszysz, jak psychiatra bardzo wyraźnie mówi:

– Jak się dziś miewamy, panie Ellis?

Patrzysz na zamknięte drzwi. Widzisz, że między skrzydłem a podłogą jest kilkucentymetrowa szpara. Domyślasz się, że lekarz znajduje się twarzą do drzwi. Nie słyszysz odpowiedzi starego głuchego głupca, ale może takowa w ogóle nie padła, bo następnie, dość głośno, by wybudzić innych drzemiących czubków, padają słowa:

– JAK PAŃSKA DEPRESJA, PANIE ELLIS?

Nie jesteś pewien, czy Susan w ogóle zwraca uwagę na to, co się dzieje wokół. Ze swojej strony myślisz, że raczej nic z tego nie będzie.

Jest jej wstyd, wszechobecny. I jest też twój wstyd, który czasem jawi się jako duma, czasem jako coś na kształt szlachetnego realizmu; ale też, przede wszystkim, jako to, czym jest – po prostu wstydem.

Pewnego wieczoru wracasz do domu i zastajesz ją zawianą na krześle; w stojącej obok szklance na wodę są jeszcze dobre trzy centymetry nie-wody. Postanawiasz zachowywać się tak, jakby to wszystko było całkiem normalne – wręcz jakby na tym właśnie polegało życie domowe. Idziesz do kuchni i zaczynasz rozglądać się za czymś, z czego można by coś zrobić. Znajdujesz jajka: pytasz, czy miałaby ochotę na omlet.

– Dla ciebie to łatwe – odpowiada wojowniczo.

– Co jest dla mnie łatwe?

– To odpowiedź sprytnego prawnika – mówi, wypijając łyk na twoich oczach, co zdarza się jej rzadko. Właśnie zamierzasz wrócić do rozbijania jajek, kiedy dodaje: – Dziś zmarł Gerald.

– Jaki Gerald?

Nie przypominasz sobie, tak na poczekaniu, żeby wśród waszych wspólnych znajomych był jakiś Gerald.

– No właśnie, jaki Gerald? Pan Mądrala. Mój

Gerald. Gerald, o którym ci mówiłam. Ten, z którym byłam zaręczona. Dziś jest rocznica jego śmierci.

Czujesz się okropnie. Nie dlatego, że zapomniałeś – nigdy wcześniej ci nie mówiła – ale dlatego, że w przeciwieństwie do ciebie ona ma zmarłych, o których powinna pamiętać. Jej narzeczony, brat, który zaginął gdzieś nad Atlantykiem, ojciec Gordona – jego imię wypadło ci już z pamięci – który miał do niej słabość. Ty nie masz w swoim życiu takich postaci, żadnych zgryzot, dziur, strat. Nie wiesz więc, jak to jest. Wierzysz, że każdy powinien pamiętać swoich zmarłych, a inni powinni szanować tę potrzebę i pragnienie. W istocie jesteś dość zazdrosny i żałujesz, że i ty nie masz kilku własnych zmarłych.

Później zaczynasz nabierać podejrzeń. Nigdy wcześniej nie wspomniała, kiedy Gerald umarł. A ty nie masz żadnego sposobu, żeby to sprawdzić. Tak jak, w szczęśliwszych czasach, nie miałeś żadnego sposobu, żeby sprawdzić, czy podała prawdziwą liczbę, mówiąc, ile razy się kochaliście. Może kiedy usłyszała twój klucz w zamku i nie była w stanie wstać, a także nie chciało jej się ukryć szklanki, którą ma przy łokciu, postanowiła – nie, to zbyt rozmyślny czasownik, by opisywać nim jej procesy myślowe tego wieczoru – „uświadomiła sobie", tak, nagle uświadomiła sobie, że to rocznica śmierci Geralda. Choć równie dobrze mogłaby to być rocznica śmierci Aleca albo ojca Gordona. Któż mógłby to stwierdzić? Kto wiedział? I, koniec końców, kogo to obchodziło?

*

Mówiłem, że nigdy nie prowadziłem pamiętnika. To niezupełna prawda. Był taki moment, gdy pogrążony w samotności i chaosie, myślałem, że pisanie o tym może pomóc. Używałem zeszytu w twardej okładce, czarnego atramentu, zostawiałem drugą stronę pustą. Starałem się być obiektywny. Nie ma sensu, myślałem, wyrzucać z siebie tylko poczucia krzywdy i zdrady. Pamiętam, że pierwsze zdanie, jakie napisałem, brzmiało:

„Wszyscy alkoholicy to kłamcy".

Stwierdzenie to, oczywiście, nie opierało się na jakiejś licznej próbie ani szeroko zakrojonych badaniach. Ale wtedy wierzyłem, a teraz, kilkadziesiąt lat później, mając więcej doświadczenia praktycznego, wierzę, że to fundamentalna prawda na temat tego stanu. Dalej napisałem:

„Wszyscy kochankowie mówią prawdę".

I tu znów – próba nie była duża, obejmowała głównie mnie. Wydawało mi się oczywiste, że miłość i prawda są powiązane; w istocie, jak może już wspomniałem, życie w miłości to życie w prawdzie.

A na koniec konkluzja tego pseudosylogizmu:

„Alkoholik jest więc przeciwieństwem kochanka".

To wydawało się nie tylko logiczne, lecz także zbieżne z moimi obserwacjami.

Dziś, całe wieki później, drugie z tych twierdzeń wydaje się najmniej przekonujące. Widziałem zbyt wiele przykładów kochanków, którzy – dalecy od życia w prawdzie – zamieszkiwali jakąś krainę fantazji, gdzie królowały ułuda i pycha, a rzeczywistości nie szło uświadczyć.

A jednak, nawet kiedy pisałem w zeszycie, dążąc do obiektywizmu, moje wysiłki podważał subiektywizm. Na przykład zdałem sobie sprawę, patrząc wstecz na czas spędzony w Wiosce, że choć postrzegałem siebie jako kochanka oraz człowieka prawdomównego, prawdę mówiłem tylko sobie i Susan. Kłamałem rodzicom, rodzinie Susan, swoim bliskim przyjaciołom; nawet w klubie tenisowym ukrywałem swoje ja. Otaczałem strefę prawdy szańcami kłamstw. Tak jak ona teraz cały czas okłamywała mnie w kwestii picia. A także okłamywała siebie. A mimo to wciąż potrafiła zapewniać, że mnie kocha.

Zacząłem więc podejrzewać, że niesłusznie uznałem alkoholizm za przeciwieństwo miłości. Może te dwa stany są znacznie bliższe, niż sobie wyobrażałem. Alkoholizm z pewnością jest równie obsesyjny – równie bezkompromisowy – jak miłość; może też dla alkoholika łyk czegoś mocnego jest tak odurzający jak dla kochanka dawka seksu. Czy jest więc możliwe, że alkoholik to po prostu kochanek, któremu zmienił się obiekt i ostrość jego lub jej – nie, jej – miłości?

Moje obserwacje i rozważania zajęły już kilkadziesiąt stron, kiedy pewnego wieczoru wróciłem do domu i zastałem Susan w stanie, który znałem aż za dobrze: czerwona na twarzy, bełkotliwa, drażliwa, a jednocześnie wytworna, udająca, że wszystko jest jak najlepiej na tym najlepszym ze światów. Poszedłem do swojego pokoju i odkryłem, że moje biurko zostało niewprawnie przetrząśnięte. Nawet wtedy miałem w nawyku zachowywać porządek i wiedziałem, co gdzie leży. Jako że w biurku znajdowały się moje Notatki o Alkoholizmie, znużony założyłem, że zapewne je przeczytała. Niemniej, pomyślałem, może na dłuższą metę taki wstrząs będzie dla niej korzystny. Bo na krótką metę ewidentnie nie był.

Gdy następnym razem sięgnąłem po zeszyt, by coś w nim dopisać, zobaczyłem, że Susan zrobiła coś więcej, niż tylko przeczytała. Pod moim ostatnim wpisem zostawiła komentarz tym samym czarnym atramentem i tym samym piórem. Chwiejną ręką napisała:

„Twoim piórem na atrament, aż mnie znienawidzisz".

Nie oskarżyłem jej o to, że przetrząsnęła moje biurko, przeczytała mój zeszyt, pisała w nim. Oczami wyobraźni widziałem, jak kulturalnie protestuje: „Nie, nie wydaje mi się". Byłem znużony ciągłymi konfrontacjami. Ale z drugiej strony byłem równie znużony ciągłym udawaniem, że wszystko jest dobrze, ciągłym unikaniem prawdy. Zdałem sobie też sprawę, że w przyszłości nie będę w stanie niczego napisać, nie wyobrażając sobie jednocześnie, jak siedzi przy moim biurku i studiuje te najnowsze oskarżenia. To byłoby nieznośne dla nas obojga: z mojej strony zapis bólu, z jej strony mgliste, choć gniewne przyznanie, że sprawia ból. Toteż wyrzuciłem zeszyt.

Ale to jej niepełne zdanie, zapisane niepewną ręką, obcym jej piórem, zostało ze mną, już na zawsze. Choćby ze względu na swoją niejednoznaczność. Czy miała na myśli: „Używasz swojego pióra na atrament, by spisywać to, za co mnie potem znienawidzisz"? Czy też: „Zostawiam swój znak twoim piórem na atrament, bo chcę sprawić, żebyś mnie znienawidził"? To krytyka i agresja czy masochizm i żal nad sobą? Może kiedy pisała, wiedziała, co chce powiedzieć, ale potem nie sposób już było tego dociec. Możecie uznać tę drugą interpretację za zbyt subtelną i pomyślaną tak, by zwolnić mnie z odpowiedzialności. Ale – i to zostało zawarte w innej dawno utraconej notatce – z mojego doświadczenia wynika, że alkoholik chce prowokować, odtrąca pomoc, żeby uzasadnić swoje osamotnienie. Gdyby więc zdołała przekonać samą siebie, że jej nienawidzę, miałaby tym więcej powodów, żeby szukać pocieszenia w butelce.

Wieziesz ją gdzieś samochodem. Nie ma powodu, żeby obawiała się tej podróży – później ją odbierzesz i odwieziesz do domu. Ale zanim nakłonisz ją, żeby wsiadła, jak zwykle pojawiają się różne trudności. A kiedy właśnie masz zwolnić hamulec ręczny, ona biegnie z powrotem do domu i wraca z dużą jaskrawożółtą plastikową torbą na pranie, którą stawia między stopami. Nie mówi po co. Ty nie pytasz. Do tego już doszło.

A potem myślisz sobie: Ach, pieprzyć to.

– Po co ta torba? – pytasz.

– Widzisz, rzecz w tym – odpowiada – że nie czuję się najlepiej i niewykluczone, że zrobi mi się niedobrze. Jako że będziemy jechać samochodem i tak dalej.

Nie, myślisz, jako że jesteś pijana i tak dalej. Znajomy lekarz powiedział ci, że alkoholicy czasem wymiotują tak gwałtownie, że mogą sobie przedziurawić przełyk. Ostatecznie ona nie wymiotuje, ale równie dobrze mogłaby. Bo już wypełniła ci głowę tym, jak wymiotuje do tej żółtej torby, a ty nie możesz się od tego uwolnić. Równie dobrze mógłbyś słyszeć jej odruch wymiotny, a potem torsje i to, jak treść żołądkowa skapuje do jaskrawożółtego plastiku. Do tego oczywiście dochodzi smród. Wymówki, kłamstwa. Jej kłamstwa, twoje kłamstwa.

Bo to już nie tylko kwestia tego, że ona cię okłamuje. Kiedy to robi, masz dwie możliwości: skonfrontować się z nią albo przyjąć, co mówi. Zwykle, ze znużenia i z potrzeby spokoju – i tak, z miłości – przyjmujesz to, co mówi. Tolerujesz kłamstwo. I tak stajesz się kłamcą *per procura*. A tylko mały krok dzieli przyjmowanie jej kłamstw od kłamania samemu – ze znużenia i z potrzeby spokoju, a także z miłości – tak, z tego powodu też.

Przeszedłeś daleką drogę. Lata temu, kiedy zacząłeś kłamać rodzicom, robiłeś to jakby z upodobaniem, nie bacząc na konsekwencje; miałeś niemal wrażenie, że to buduje twój charakter. Potem zacząłeś kłamać na wszystkie strony: żeby ją chronić i żeby chronić waszą miłość. Jeszcze później ona zaczyna okłamywać ciebie, żeby ukryć przed tobą swój sekret; a teraz kłamie jakby z upodobaniem, nie bacząc na konsekwencje. Toteż, naturalnie, ty zaczynasz okłamywać ją. Czemu? Ma to jakiś związek z potrzebą stworzenia wewnętrznej przestrzeni, która pozostałaby nienaruszona – i w której ty sam pozostałbyś nienaruszony. I tak to teraz wygląda. Miłość i prawda – gdzie one się podziały?

Zadajesz sobie pytanie: zostając z nią, wykazujesz się odwagą czy też tchórzostwem? Może jednym i drugim? A może to po prostu nieuniknione?

Zaczęła jeździć do Wioski pociągiem. Pochwalasz to: myślisz, że za tą decyzją stoi świadomość, iż nie powinna prowadzić. Odwozisz ją na stację, mówi ci, o której ma pociąg powrotny, choć najczęściej przyjeżdża dopiero następnym albo jeszcze późniejszym. A kiedy mówi: „Nie zawracaj sobie głowy i nie odbieraj mnie", chroni swój świat wewnętrzny. A kiedy odpowiadasz: „W porządku – na pewno sobie poradzisz?", ty chronisz swój.

Pewnego wieczoru dzwoni telefon.

– Czy to Henry?

– Nie, pomyłka.

Właśnie chcesz odłożyć słuchawkę, kiedy mężczyzna recytuje twój numer.

– Tak, zgadza się.

– Cóż, dobry wieczór panu. Tutaj straż kolejowa z dworca Waterloo. Mamy tu… nieco strapioną panią. Znaleźliśmy ją śpiącą w pociągu i, cóż, miała otwartą torebkę, a w środku sporo pieniędzy, więc sam pan rozumie…

– Tak, rozumiem.

– Podała nam ten numer i imię: Henry.

W tle słyszysz jej głos:

– Henry, tu macie numer, Henry.

Ach, chodzi jej o Henry Road.

Jedziesz więc na Waterloo, znajdujesz biuro straży kolejowej i jest tam, siedzi pełna energii i czeka, aż ją odbierzesz, pewna, że się zjawisz. Dwaj funkcjonariusze są uprzejmi i zatroskani. Niewątpliwie przywykli do pomagania pijanym starszym paniom chrapiącym w pustych wagonach. Nie żeby ona była stara, tyle tylko, że kiedy jest pijana, nagle zaczynasz o niej myśleć jako o pijanej starszej pani.

– Cóż, dziękuję bardzo, że się nią panowie zaopiekowali.

– Och, proszę pana, nie sprawiała żadnych kłopotów. Była cicha jak mysz. Niech pani na siebie uważa.

Odpowiada im majestatycznym skinieniem. Bierzesz ten zagubiony bagaż pod rękę i ruszacie. A twoją irytację i rozpacz łagodzi pewna duma wynikająca z tego, że „nie sprawiała żadnych kłopotów". Choć co by było, gdyby sprawiła?

Ostatecznie, powodowany bardziej rozpaczą niż nadzieją, próbujesz surowej miłości, a przynajmniej tego, co przez to rozumiesz. Nie pozwalasz, by cokolwiek uszło jej na sucho. Obnażasz jej kłamstwa. Wylewasz zawartość wszystkich butelek, jakie znajdujesz, niektóre w miejscach oczywistych, inne w tak dziwnych, że musiała schować je po pijaku, a potem zapomnieć, gdzie je ukryła. W trzech pobliskich sklepach, które sprzedają alkohol, prosisz, żeby jej nie obsługiwali. Dajesz w każdym zdjęcie, żeby mieli przy kasie. Nie mówisz jej o tym; sądzisz, że upokorzenie, jakiego dozna, gdy odmówią jej obsługi, wstrząśnie nią. Nigdy się tego jednak nie dowiesz, a ona omija tę przeszkodę, jeżdżąc trochę dalej.

Dochodzą cię różne słuchy. Niektórzy wstydzą się mówić ci o tym, co zaszło, inni nie. Pewien znajomy, z autobusu jakieś półtora kilometra od Henry Road, zauważył ją w uliczce przy sklepie monopolowym, jak podnosiła do ust dopiero co nabytą butelkę. Ten obraz zapada ci głęboko w pamięć i z cudzej opowieści przeistacza się w osobiste wspomnienie. Sąsiad mówi ci, że twoja ciocia była w zeszłą sobotę w Cap and Bells i tam wypiła pięć sherry z rzędu, po czym przestali ją obsługiwać.

– To nie jest odpowiedni pub dla kogoś takiego jak ona – dodaje z troską. – Przychodzą tam najróżniejsze typy.

Wyobrażasz sobie tę scenę, od wstydliwego pierwszego zamówienia przy barze po chwiejny powrót do domu, i to też trafia do twojego banku pamięci.

Mówisz jej, że swoim zachowaniem zabija twoją miłość do niej. Nie wspominasz o jej miłości do ciebie.

– W takim razie musisz mnie zostawić – mówi poruszona, poważnie i racjonalnie.

Wiesz, że tego nie zrobisz. Pytanie, czy ona też to wie.

Piszesz do niej list. Skoro ustne nagany natychmiast ulatniają się jej z głowy, może zapadną jej w pamięć pisemne. Informujesz ją, że jeśli będzie tak dalej postępować, niemal na pewno umrze na rozmiękczenie mózgu, że już nic więcej nie możesz dla niej zrobić, tylko przyjść na jej pogrzeb, kiedy nadejdzie czas. Zostawiasz list na stole w kuchni, w kopercie z jej imieniem. Nigdy nie wspomina, że go dostała, otworzyła, przeczytała. „Twoim piórem na atrament, aż mnie znienawidzisz".

Zdajesz sobie sprawę, że surowa miłość jest też surowa wobec tego, kto kocha.

Zabierasz ją na lotnisko Gatwick. Martha zaprosiła ją do Brukseli, gdzie pracuje jako eurokratka. Ku twojemu zdziwieniu Susan przystaje na jej propozycję. Obiecujesz, że zadbasz, by podróż była dla niej jak najłatwiejsza. Zawieziesz ją na lotnisko i będziesz jej towarzyszył przy odprawie. Kiwa głową, potem mówi wprost:

– Możliwe, że będziesz musiał dać mi się napić, zanim wsiądę do samolotu. Belgijski kufel dla kurażu.

Jej słowa budzą w tobie więcej niż ulgę: jesteś niemal ośmielony.

Wieczór przed wyjazdem jest wpółspakowana i wpółpijana. Idziesz do łóżka. Ona dalej pakuje się i pije. Następnego ranka przychodzi do ciebie, zasłaniając sobie usta dłonią.

– Obawiam się, że chyba nie będę mogła nigdzie pojechać.

Patrzysz na nią w milczeniu.

– Zgubiłam zęby. Nigdzie nie mogę ich znaleźć. Myślę, że mogłam wyrzucić je do ogrodu.

Mówisz tylko:

– Musimy wyjechać przed drugą.

Postanawiasz pozwolić jej, by dalej niszczyła sobie życie.

Ale może nie reagując – nie oferując ani pomocy, ani upomnienia – wreszcie choć raz postępujesz właściwie. Po paru godzinach chodzi po domu z zębami na miejscu, nie wspominając o tym, że je zgubiła, ani o tym, że je znalazła.

O drugiej wkładasz jej walizkę na tylne siedzenie samochodu, jeszcze raz sprawdzasz, czy wzięliście bilet i paszport, i ruszacie. Nie było żadnego zamieszania, żadnego pospiesznego wracania po żółtą torbę na pranie. Jak ujął to strażnik kolejowy, siedzi obok ciebie cicha jak mysz.

Kiedy zbliżacie się do Redhill, odwraca się i mówi wstydliwym zdezorientowanym tonem, jakbyś był jej szoferem, a nie kochankiem:

– Zechciałbyś mi powiedzieć, dokąd się udajemy?

– Lecisz do Brukseli. W odwiedziny do Marthy.

– Och, nie wydaje mi się. Musiało zajść jakieś nieporozumienie.

– Dlatego masz w torebce bilet i paszport.

Choć w rzeczywistości znajdują się w twojej kieszeni, jako że nie chcesz, by podzieliły los jej zębów.

– Ale ja nie wiem, gdzie ona mieszka.

– Przyjedzie po ciebie na lotnisko.

Zapada chwila ciszy.

– Tak – mówi, kiwając głową. – Zdaje się, że sobie przypominam.

Więcej się nie opiera. Jakaś część ciebie myśli, że powinna mieć na szyi plakietkę z nazwiskiem i celem podróży, jak uchodźca wojenny. A może też maskę przeciwgazową w pudełku.

W barze kupujesz jej podwójną sherry, którą sączy ze swobodną dystynkcją. Myślisz: mogłoby być gorzej. Tak teraz reagujesz. Masz jak najniższe oczekiwania.

Wyjazd okazuje się sukcesem. Zwiedziła miasto i przywiozła ci kilka pocztówek. Panna Gburowata, oznajmia, stała się Znacznie Mniej, może pod wpływem uroczego Belga, który też im towarzyszył. Jej wspomnienia są wyraźniejsze niż zwykle, co oznacza, że zachowywała umiar. Cieszysz się ze względu na nią, choć czujesz się trochę dotknięty, że jest się jej łatwiej wziąć w garść dla innych niż dla ciebie. A przynajmniej tak się wydaje.

Ale potem mówi ci, że ostatniego ranka przed powrotem stało się jasne, czemu naprawdę córka ją zaprosiła. Ona, panna Gburowata, jest zdania, że matka powinna wrócić do pana Gordona Macleoda. Który wyraża wielką skruchę i obiecuje, że jeśli ona wróci, będzie się dobrze zachowywał. Według Susan, według jej córki.

Żeby zaoszczędzić czas i emocje, zaczynasz zwracać się do niej wprost, jak do alkoholiczki. Koniec ze „Zdaje się, że mamy problem, Czy wiesz, na czym on może polegać, Może mógłbym zaproponować...", nic z tych rzeczy. Tak więc pewnego dnia proponujesz, żeby zgłosiła się do Anonimowych Alkoholików, choć nie wiesz, czy działają gdzieś w waszej okolicy.

– Nie pójdę do żadnych dewotów – odpowiada stanowczo.

Zważywszy na jej niechęć do księży i głęboką awersję do misjonarzy, ta reakcja jest zrozumiała. Niewątpliwie uznaje AA za kolejną grupę amerykańskich misjonarzy, którzy wtrącają się w systemy wierzeń innych państw, prowadząc chromych i kulawych przed olśniewające oblicze swojego Boga. Nie winisz jej.

Obecnie skupiasz się już właściwie tylko na zwykłych codziennych kryzysach. Co jakiś czas wybiegasz myślami w przyszłość i widzisz jedno rozwiązanie, które ma w sobie przerażającą logikę. Wygląda tak. Ona nie pije cały czas. Nie każdego dnia. Potrafi wytrzymać parę dni, nie szukając pocieszenia w butelce. Ale od picia jej pamięć robi się coraz słabsza. Więc logika podpowiada: jeśli będzie dalej niszczyć swoją pamięć w tym tempie, może dojść do takiego etapu, że zapomni o swoim alkoholizmie! Czy to się może zdarzyć? Byłby to jakiś sposób, żeby ją wyleczyć. Ale myślisz też: równie dobrze możesz dać sobie spokój i zaserwować jej terapię elektrowstrząsową.

Oto jeden z problemów. W głębi serca nie myślisz o alkoholizmie jako o chorobie fizycznej. Może i słyszałeś, że nią jest, ale nie jesteś przekonany. Nie możesz nic poradzić na to, że myślisz tak jak wielu ludzi – w tym takich, z którymi raczej nie chciałbyś być kojarzony – myśli o nim od wieków: jako o chorobie natury moralnej. A jednym z powodów, dla których tak o nim myślisz, jest to, że ona też tak to postrzega. Kiedy jest najbardziej przytomna, najbardziej racjonalna, najłagodniejsza i tak samo jak ty udręczona tym, co się z nią dzieje, mówi ci – i zawsze mówiła – że nienawidzi swojego alkoholizmu i że jest on dla niej źródłem głębokiego wstydu i poczucia winy: musisz więc ją opuścić, bo ona jest „do niczego". Cierpi na chorobę natury moralnej, dlatego szpitale ani lekarze nie mogą jej wyleczyć. Nie mogą naprawić zepsutej osobowości należącej do zużytego pokolenia. Znów nalega, byś ją opuścił.

Ale nie możesz opuścić Susan. Jakże mógłbyś zabrać jej swoją miłość? Jeśli ty nie będziesz jej kochał, to kto? A może jest jeszcze gorzej. Może nie tylko kochasz ją, ale też jesteś od niej uzależniony. To by dopiero była ironia, prawda?

Któregoś dnia staje ci w głowie pewien obraz, obraz waszego związku. Jesteś w domu na Henry Road, przy oknie na piętrze. Ona jakimś sposobem wyszła przez nie, a ty ją trzymasz. Oczywiście za nadgarstki. Ale jej ciężar sprawia, że nie jesteś w stanie wciągnąć jej do środka. Udaje ci się jedynie utrzymać się w pokoju i nie dać się jej, z nią, wyciągnąć. W pewnym momencie ona otwiera usta, żeby krzyknąć, ale nie dobywa się z nich żaden dźwięk. Obluzowuje się natomiast jej proteza; słyszysz, jak z plastikowym stukotem uderza o ziemię. Utknęliście tam, oboje, spleceni z sobą, i będziecie tak trwali, aż zabraknie ci sił i ona spadnie.

To tylko metafora – albo najgorszy koszmar; są jednak metafory, które trzymają się głowy mocniej niż zapamiętane wydarzenia.

W myślach staje ci inny obraz, tym razem oparty na zapamiętanym wydarzeniu. Znów jesteście w Wiosce, w pełni miłości, dyskretnie, acz całkowicie sobą pochłonięci. Ona ma na sobie wzorzystą sukienkę i wiedząc, że ją obserwujesz – bo zawsze ją obserwujesz – podchodzi do perkalowej kanapy, opada na nią ciężko i mówi:

– Spójrz, Casey Paul! Znikam! Rozpływam się w powietrzu!

I przez chwilę, patrząc na nią, widzisz tylko jej twarz i fragment nóg w rajstopach.

Teraz znów znika. Jej ciało wciąż tu jest, ale to, co w środku – jej umysł, pamięć, serce – powoli zamierają. Jej pamięć, zasnuta mrokiem i nieprawdą, skłania się ku logice tylko w procesie konfabulacji. Umysł oscyluje między pełną osłupienia inercją a histerycznym rozchwianiem. Ale znika też jej serce i to, och, to jest najtrudniejsze do zniesienia. Jakby, miotając się, wzburzyła błoto, które zalega w każdym z nas. A teraz na powierzchnię wypływa nieukierunkowana złość i strach, i frustracja, i szorstkość, i egoizm, i nieufność. Kiedy mówi ci z powagą, że w jej przemyślanej ocenie twoje zachowanie wobec niej jest ostatnio nie tylko potworne, lecz także bezspornie zbrodnicze, naprawdę uważa, że tak jest. A cała jej słodycz, gotowość do śmiechu i ufność, istota kobiety, w której się zakochałeś, przestały być widoczne.

Dawniej – by zniechęcić przyjaciół, którzy chcieli was odwiedzić – mówiłeś: „Och, ona ma zły dzień. Nie jest sobą". A kiedy widzieli ją pijaną, oznajmiałeś: „Ale w głębi duszy jest nadal taka sama. W głębi duszy jest nadal taka sama". Ile razy mówiłeś to innym, kiedy w istocie rzeczy słowa te były przeznaczone dla ciebie?

A potem przychodzi dzień, w którym już w nie nie wierzysz. Nie wierzysz już, że w głębi duszy jest nadal taka sama. Teraz wierzysz, że „jak-nie-ona" to nowa ona. Obawiasz się, że ostatecznie i całkowicie rozpływa się w powietrzu.

Ale podejmujesz jeszcze jeden ostateczny wysiłek, i ona też. Załatwiasz jej miejsce w szpitalu. Nie w National Temperance, na co liczyłeś, ale na ogólnym oddziale żeńskim. Kiedy ją przyjmują, siedzisz obok na ławce i jeszcze raz tłumaczysz łagodnie, jak do tego doszło i co dla niej zrobią, i jak to pomoże.

– Zrobię, co mogę, Casey Paul – mówi słodko.

Całujesz ją w skroń i obiecujesz odwiedzać codziennie. I odwiedzasz.

Na początek usypiają ją na trzy dni, licząc, że uda się łagodnie oczyścić jej organizm z alkoholu, a jednocześnie ukoić zaburzony umysł. Siedzisz przy niej, pogrążonej w lekkim śnie, i myślisz, że tym razem na pewno się uda. Tym razem jest pod opieką lekarską, problem został jasno określony – nawet ona nie robi uników – i wreszcie Coś Zostanie Zrobione. Patrzysz na jej spokojną twarz i myślisz o waszych najlepszych, spędzonych wspólnie latach, i wyobrażasz sobie, że wszystko, co wtedy mieliście, teraz wróci.

Kiedy przychodzisz czwartego dnia, ona nadal śpi. Mówisz, że chcesz porozmawiać z lekarzem, i pojawia się jakiś dwudziestoletni stażysta z podkładką do pisania. Pytasz, czemu nie odstawiono środków uspokajających.

– Wybudziliśmy ją dziś rano, ale natychmiast zaczęła zakłócać spokój.

– Zakłócać spokój?

– Tak. Zaatakowała pielęgniarki.

Nie możesz w to uwierzyć. Prosisz, by powtórzył. Powtarza.

– Więc znów ją uśpiliśmy. Niech się pan nie martwi, to bardzo mała dawka. Pokażę panu.

Przykręca trochę kroplówkę. Niemal w jednej chwili Susan zaczyna się ruszać.

– Widzi pan?

Następnie znów podkręca kroplówkę i usypia ją. Cała ta sytuacja wydaje ci się bardzo złowieszcza. Przekazałeś ją pod opiekę jakiemuś młodocianemu technokracie, który w ogóle jej nie zna.

– A pan to jej...?

– Chrześniak – odpowiadasz automatycznie.

A może mówisz „kuzyn" albo też „lokator", który przynajmniej ma trzy właściwe litery.

– Cóż, jeśli po ponownym wybudzeniu znów zacznie zakłócać spokój, będziemy musieli zamknąć ją na oddziale psychiatrycznym.

– Na oddziale psychiatrycznym? – Jesteś przerażony. – Ale ona nie jest obłąkana. Jest alkoholiczką, potrzebuje leczenia.

– Tak jak i inni pacjenci. Którzy wymagają opieki pielęgniarek. Nie może być tak, że ktoś atakuje pielęgniarki.

Nadal nie wierzysz w prawdziwość tego oskarżenia.

– Ale... nie możecie jej tak po prostu zamknąć.

– Ma pan rację, potrzebne są dwa podpisy. Ale w takich przypadkach to czysta formalność.

Zdajesz sobie sprawę, że wcale nie przywiozłeś jej w bezpieczne miejsce. Oddałeś ją w ręce fanatyka, który w dawnych czasach przepisałby kaftan bezpieczeństwa i serię elektrowstrząsów. Susan nazwałaby go „małym Hitlerem". Kto wie, może to zrobiła. Po części masz nadzieję, że tak.

Mówisz:

– Chciałbym tu być, kiedy znów ją wybudzicie. Myślę, że to by pomogło.

– W porządku – odpowiada ten szorstki młody człowiek, do którego pałasz już głęboką nienawiścią. Ale – tak to jest w szpitalach – kiedy przychodzisz następnym razem, tego aroganckiego gnoja tam nie ma i już nigdy go nie spotkasz. Tym razem kroplówkę obsługuje lekarka. Susan budzi się powoli. Podnosi wzrok, widzi cię i się uśmiecha.

– Całe życie na ciebie czekałam – mówi. – Ty paskudny hulako.

Lekarka reaguje lekkim zdziwieniem, ale ty całujesz Susan w czoło i zostajecie sami.

– Przyszedłeś, żeby zabrać mnie do domu?

– Jeszcze nie, skarbie – odpowiadasz. – Musisz zostać tu jakiś czas. Dopóki cię nie wyleczą.

– Ale ze mną jest wszystko w porządku. Jestem całkowicie zdrowa i nalegam, żebyś natychmiast zabrał mnie do domu. Zabierz mnie na Henry.

Ujmujesz ją za nadgarstki. Ściskasz bardzo mocno. Tłumaczysz, że lekarze nie wypuszczą jej, dopóki jej nie wyleczą. Przypominasz obietnicę, którą złożyła ci, kiedy ją tu przywiozłeś. Mówisz, że kiedy poprzednio ją wybudzili, zaatakowała pielęgniarki.

– Nie, nie wydaje mi się – oświadcza swoim najwynioślejszym wytwornym tonem, jakbyś był jakimś źle poinformowanym wieśniakiem.

Przemawiasz do niej długo, prosisz, by obiecała, że do twojej jutrzejszej wizyty będzie się dobrze zachowywać. Chociaż do jutra. Nie odpowiada. Naciskasz. Wtedy obiecuje, ale w jej głosie słychać upór, który znasz aż za dobrze.

Nazajutrz wchodzisz do szpitala, spodziewając się najgorszego: że znów podano jej środki uspokajające albo wręcz przeniesiono na oddział dla umysłowo chorych. Ale ona jest raźna i dobrze wygląda. Wita cię tak, jakbyś był jej gościem. Mija was pielęgniarka.

– Pokojówki są tu arcydobre – mówi, machając do przechodzącej.

Myślisz: Jaką obrać taktykę? Zaakceptować? Zakwestionować? Uznajesz, że nie można karmić jej urojeń.

– To nie są pokojówki, Susan, to pielęgniarki.

Przypuszczasz, że pomyliła szpital z hotelem, co w sumie nie jest przecież takie dziwne.

– Niektóre rzeczywiście są pielęgniarkami – zgadza się. Po czym rozczarowana twoim brakiem przenikliwości dodaje: – Ale większość to pokojówki.

Nie drążysz tematu.

– Opowiedziałam im o tobie – mówi.

Ogarnia cię przygnębienie, ale tego tematu też nie drążysz.

Nazajutrz znów jest wzburzona. Wstała z łóżka i siedzi na krześle. Na stoliku przed nią leży pięć par okularów i egzemplarz powieści P.G. Wodehouse'a, które zdobyła jakimś tajemniczym sposobem.

– Skąd masz te wszystkie okulary?

– Och – odpowiada swobodnie. – Nie wiem, skąd się biorą. Zdaje się, że ludzie mi je dają.

Wkłada parę, która wyraźnie nie należy do niej, i otwiera książkę na chybił trafił.

– On jest arczyzabawny, nieprawdaż?

Zgadzasz się. Zawsze lubiła Wodehouse'a i bierzesz to za dobry, nawet jeśli nieco wyrwany z kontekstu znak. Opowiadasz jej, co jest w gazetach. Wspominasz o pocztówce, którą dostałeś od Erica.

Mówisz, że na Henry Road jest wszystko w porządku. Słucha cię od niechcenia, po czym bierze inne okulary – choć i tym razem nie swoje – znów otwiera książkę na chybił trafił i zapewne widząc równie niewyraźnie jak poprzednio, oświadcza:

– To arcybzdury, nieprawdaż?

Myślisz, że pęknie ci serce, teraz, tutaj, natychmiast.

Kolejnego dnia znów jest na środkach uspokajających. Kobieta z łóżka obok zagaduje do ciebie i pyta, co jest Twojej Babci. Jesteś tym wszystkim tak znużony, że mówisz:

– Jest alkoholiczką.

Kobieta odwraca się zniesmaczona. Doskonale wiesz, co sobie myśli. Po co dawać porządne szpitalne łóżko komuś, kto pije? I to kobiecie? Odkryłeś, że uzależnieni od alkoholu mężczyźni mogą być zabawni, nawet wzruszający. Młodym obojga płci, kiedy piją tyle, że tracą nad sobą kontrolę, można pobłażać. Ale kobiety uzależnione od alkoholu, w takim wieku, w którym powinny wiedzieć lepiej, w którym mogłyby być matkami, a nawet babkami – to zdecydowanie najniższa kategoria.

Następnego dnia znów jest wybudzona i nie chce na ciebie spojrzeć. Toteż po prostu siedzisz tam jakiś czas. Zerkasz na stolik przed nią. Tym razem w czasie nocnych wędrówek udało się jej upolować tylko dwie pary okularów należące do innych pacjentów oraz brukowiec, którego nigdy nie miałaby w domu.

– Uważam – oznajmia w końcu – że zostaniesz zapamiętany jako jeden z największych zbrodniarzy w historii świata.

Masz ochotę przyznać jej rację. Czemu nie?

Nie grozi jej, że zostanie zamknięta na oddziale psychiatrycznym – tamten mały Hitler poszedł praktykować swoją czarną magię na innych, mniej kłopotliwych pacjentach. Ale słyszysz, że nie można jej dalej leczyć, że odpoczynek chyba dobrze jej zrobił, że to nie jest dla niej odpowiednie miejsce i że potrzebują jej łóżka. Doskonale rozumiesz ten punkt widzenia, ale zadajesz sobie następujące pytanie: Jakie miejsce w takim razie jest dla niej odpowiednie? Zastępuje ono szersze pytanie: Gdzie jest jej miejsce na świecie?

Gdy opuszczacie salę szpitalną, kobieta w łóżku obok ostentacyjnie was ignoruje.

Potrzeba było kilku lat, żebyś zrozumiał, ile pod jej lekceważącym uśmiechem kryje się paniki i pandemonium. Dlatego właśnie potrzebuje ciebie, stałego i niezłomnego. Przyjąłeś tę rolę ochoczo, z miłością. Będąc jej gwarantem, czujesz się dorosły. To oznacza oczywiście, że na większą część okresu między dwudziestym a trzydziestym rokiem życia zmuszony byłeś zrezygnować z tego, do czego inni przedstawiciele twojego pokolenia mieli powszechny dostęp: z szalonego pieprzenia się z kim popadnie, z hipisowskich podróży, z narkotyków, ze schodzenia na manowce, nawet z wielkiego próżniactwa. Byłeś też zmuszony zrezygnować z pijaństwa; ale przecież mieszkałeś z kimś, kogo trudno by uznać za jego reklamę. Nie miałeś jej tego wszystkiego za złe (może oprócz niemożności picia); ani też nie traktowałeś tego jako jakiegoś niesprawiedliwego ciężaru, który na siebie wziąłeś. Był to po prostu jeden z warunków waszego związku. I sprawił, że osiągnąłeś dorosłość albo dojrzałość, choć nie tą drogą, którą się zwykle obiera.

Ale w miarę jak między wami zaczyna się psuć, a wszystkie twoje próby ratowania jej zawodzą, przyjmujesz do wiadomości coś, czego właściwie nie wypierałeś, tylko nie miałeś czasu dostrzec: że ta szczególna dynamika waszego związku wywołuje twoją własną wersję paniki i pandemonium. Podczas gdy na znajomych z uczelni zapewne sprawiasz wrażenie sympatycznego i rozsądnego, choć może nieco wycofanego, pod powierzchnią buzuje mieszanina bezpodstawnego optymizmu i dojmującego niepokoju. Twój wewnętrzny nastrój waha się zależnie od jej nastroju: tyle że jej radosność, nawet kiedy jest nieuzasadniona, wydaje ci się autentyczna, tymczasem swoją uznajesz za warunkową. Nieustannie pytasz sam siebie, jak długo potrwa ta krótka chwila szczęścia. Miesiąc, tydzień, dwadzieścia minut? Oczywiście nie możesz tego stwierdzić, bo to nie zależy od ciebie. I o ile twoja obecność może wpływać na nią uspokajająco, o tyle nie działa w drugą stronę.

Nigdy nie myślisz o niej jak o dziecku, nawet w obliczu jej najbardziej samolubnych występków. Ale kiedy obserwujesz, jak jakiś niespokojny rodzic pilnuje swojej latorośli – widzisz obawę przy każdym koślawym kroku, lęk przed każdą chwilą „rozchwiania", ogólniejszy strach, że dziecko może się po prostu oddalić i zgubić – wiesz, że ty też to znasz. Nie wspominając o nagłych zmianach dziecięcego nastroju od błogiego uniesienia i całkowitego zaufania po wściekłość, łzy i poczucie odrzucenia. To też jest ci znane. Tyle że ta burzliwa zmienna aura duszy teraz ogarnia mózg i ciało dojrzałej kobiety.

Właśnie to ostatecznie sprawia, że się poddajesz i wyprowadzasz. Nieopodal, tylko kilkanaście ulic dalej, do taniego jednopokojowego mieszkania. Ona na to nalega, kierowana zarówno dobrymi, jak i złymi pobudkami: ponieważ wyczuwa, że jeśli ma cię zatrzymać, musi ci pozwolić trochę się oddalić; i ponieważ chce, byś zniknął z domu, bo dzięki temu będzie mogła pić, kiedy tylko najdzie ją ochota. Ale w rzeczywistości niewiele się zmienia: nadal jesteś równie blisko. Nie chce, żebyś zabrał choć jedną książkę ze swojego gabinetu czy jakiś kupiony wspólnie bibelot lub jakiekolwiek ubranie ze swojej szafy: takie działania wywołują u niej napady żalu. Czasem zakradasz się do domu, wyjmujesz książkę i przestawiasz inne na półce, żeby zatrzeć ślady kradzieży; niekiedy, żeby się nie zdradzić, wstawiasz kilka tanich książek ze sklepu charytatywnego.

I tak wiedziesz życie tu i tam. Nadal jadasz z nią śniadanie, a także kolację – którą zazwyczaj gotujesz; chodzicie na wspólne wyprawy; Eric zdaje ci sprawozdania dotyczące jej picia. Lubiąc ją i troszcząc się o nią, ale nie kochając się w niej, jest wiarygodniejszym świadkiem, niż kiedykolwiek byłeś ty. Susan nadal robi ci pranie i czasem twoje najlepsze koszule wracają czule przypalone. Prasowanie po pijaku to jedno z mniejszych, aczkolwiek wciąż bolesnych zaskoczeń, jakie zgotowało ci życie.

*

Potem, prawie niezauważenie, rozpoczyna się niemal ostatni etap. Możliwe, że nadal rozpaczliwie chcesz ją ocalić, ale jakiś instynkt albo duma, albo potrzeba samoobrony sprawiają, że teraz wyraźniej widzisz jej oddanie butelce i odbierasz je bardziej osobiście: jako odrzucenie ciebie, twojej pomocy, twojej miłości. A ponieważ mało kto potrafi znieść miłosne odrzucenie, narasta w tobie niechęć, która ścina się w agresję, i łapiesz się na tym, że – nie na głos, oczywiście, bo nie potrafisz być naprawdę okrutny, zwłaszcza wobec niej – mówisz: „No dalej, zniszcz samą siebie, jeśli tego właśnie chcesz". I jesteś wstrząśnięty tym, że odkrywasz u siebie takie myśli.

Ale prawda jest taka, choć ty nie zdajesz sobie z tego sprawy – teraz, w ferworze i mroku całej tej sytuacji, zorientujesz się dopiero dużo później – że nawet nie słysząc twoich słów, ona się z tobą zgodzi. Bo jej niewypowiedziana odpowiedź brzmi: „Tak, właśnie tego chcę. I rzeczywiście zniszczę samą siebie, bo jestem bezwartościową osobą. Przestań więc zawracać mi głowę i wtrącać się ze swoimi dobrymi intencjami. Po prostu pozwól mi zrobić swoje".

Pracujesz w kancelarii w południowym Londynie, która specjalizuje się w pomocy prawnej. Podoba ci się różnorodność spraw, jakimi się zajmujesz; podoba ci się, że w większości z nich możesz coś poradzić. Możesz wywalczyć dla ludzi należną im sprawiedliwość i tym samym ich uszczęśliwić. Jesteś świadomy, jakie to paradoksalne. Jesteś też świadomy innego, długofalowego paradoksu: aby opiekować się Susan, musisz pracować, a im więcej pracujesz, tym więcej czasu spędzasz z dala od niej i tym trudniej ci się nią opiekować.

Jak przewidziała Susan, znalazłeś sobie też dziewczynę. I to nie taką, która ucieknie po pierwszym telefonie. Anna także, co być może nieuniknione, jest prawniczką. Opowiedziałeś jej część historii Susan. Nie próbowałeś ograniczyć się do stwierdzenia, że jest „ekscentryczna". Przedstawiasz je sobie i wygląda na to, że się dogadują. Susan nie mówi nic, co mogłoby cię zawstydzić. Anna jest pogodna i praktyczna. Uważa, że Susan nie dba wystarczająco o swoją dietę, dlatego raz w tygodniu przynosi jej prawdziwy chleb, kilka pomidorów i pół kilo francuskiego masła. Czasem nikt nie otwiera drzwi, zostawia więc swój dar na ganku.

Pewnego wieczoru jesteś w domu, kiedy dzwoni telefon. To jeden z lokatorów.

– Myślę, że powinieneś przyjść. Była u nas policja. Z bronią.

Powtarzasz jego słowa Annie, potem biegniesz po samochód. Pod domem na Henry Road stoi karetka, jej niebieskie światło wiruje, drzwi są otwarte. Parkujesz, przechodzisz przez jezdnię i oto jest – na wózku inwalidzkim, zwrócona do ulicy, z czołem owiniętym szerokim bandażem, który unosi jej włosy, upodabniając ją do Stasia Straszydło. Na jej twarzy, jak często bywa po zażegnaniu jakiegoś nagłego kryzysu, maluje się lekko rozbawiony spokój. Obserwuje ulicę, sanitariuszy mocujących wózek i twoje przybycie niczym królowa na tronie. Niebieskie światło wiruje na tle pulsującego wolniej pomarańczowego.

Ten widok jest jednocześnie rzeczywisty i nierzeczywisty; filmowy, fantasmagoryczny.

Potem wózek unosi się powoli na podnośniku, a kiedy drzwi karetki już mają się zamknąć, ona unosi rękę w geście papieskiego błogosławieństwa. Pytasz sanitariuszy, dokąd ją zabierają, i jedziesz za karetką. Kiedy docierasz na oddział ratunkowy, oni już spisują wstępne informacje.

– Jestem jej krewnym – mówisz.

– Syn? – pytają.

Jesteś bliski przytaknięcia, żeby zaoszczędzić czas, ale mogą zapytać o różnicę w nazwiskach. Toteż, jeszcze raz, zostajesz jej bratankiem.

– Tak naprawdę nie jest moim bratankiem – mówi ona. – Mogłabym wam powiedzieć to i owo o tym młodym człowieku.

Patrzysz na lekarza i okłamujesz go, lekko marszcząc czoło i nieznacznie ruszając głową. Tym samym wchodzisz z nim w zmowę – Susan chwilowo odbiło.

– Niech pan zapyta go o klub tenisowy – mówi.

– Dojdziemy do tego, pani Macleod. Ale najpierw…

I tak to się toczy. Zatrzymają ją na noc, może zrobią parę badań. Możliwe, że po prostu jest w szoku. Zadzwonią do ciebie, kiedy będą gotowi ją wypisać. Sanitariusze powiedzieli, że to tylko skaleczenie, ale jako że na czole, było dużo krwi. Może trzeba będzie założyć parę szwów, a może nie.

Nazajutrz ją wypisują, nadal zupełnie pozbawioną władz umysłowych.

– Najwyższa pora – mówi, kiedy prowadzisz ją na parking. – Wszystko to było naprawdę arcyciekawe.

Znasz ten jej nastrój aż za dobrze. Coś udało się zaobserwować albo doświadczyć, albo odkryć i choć nie ma z czymkolwiek wiele wspólnego, budzi głębokie, przemożne zainteresowanie i trzeba o tym koniecznie opowiedzieć.

– Zaczekajmy, aż wrócimy do domu.

Przeszedłeś na język szpitalny, gdzie robi się lub prosi o coś w imieniu „nas".

– Dobrze, panie Psuju.

Na Henry Road wprowadzasz ją do kuchni, sadzasz, robisz jej herbatę z jedną kostką cukru więcej i dajesz herbatnika. Ignoruje jedno i drugie.

– Cóż – zaczyna – to wszystko było niezwykle fascynujące. Ależ przygoda. Widzisz, wczoraj wieczorem do domu weszli dwaj uzbrojeni mężczyźni.

– Uzbrojeni?

– To właśnie powiedziałam. Uzbrojeni. Nie przerywaj mi, dopiero zaczęłam. Więc tak, dwaj uzbrojeni mężczyźni. Chodzili po domu i czegoś szukali. Nie wiem czego.

– To byli złodzieje?

Czujesz, że możesz zadawać pytania, które nie podważają fundamentalnej prawdziwości jej urojenia.

– Cóż, też tak pomyślałam. Powiedziałam im więc: „Złoto w sztabkach jest pod łóżkiem".

– Czy to nie było nieco pochopne?

– Nie, pomyślałam, że to zbije ich z tropu. Choć oczywiście nie wiedziałam, co to za trop. Obaj byli bardzo uprzejmi i dobrze wychowani. Ma się rozumieć, jak na uzbrojonych bandytów. Powiedzieli, że nie chcą mi zawracać głowy, więc jeśli nie mam nic przeciwko, po prostu zajmą się tym, po co przyszli.

– Ale przecież do ciebie strzelali? – mówisz i wskazujesz jej czoło, które zdobi duży opatrunek z gazy.

– Boże, nie, byli na to zdecydowanie zbyt uprzejmi. Niemniej było to spore zakłócenie, więc czułam się zobowiązana zadzwonić po policję.

– Próbowali cię powstrzymać?

– Och nie, byli jak najbardziej za. Zgodzili się ze mną, że policja może im pomóc znaleźć to, czego szukają.

– Ale nie powiedzieli ci, co to takiego?

Puszcza twoje pytanie mimo uszu i ciągnie:

– Ale to, co naprawdę chciałam ci powiedzieć, to że mieli wszędzie pióra.

– Rany.

– Wystawały im z pup. Mieli je we włosach. Wszędzie.

– A jaką mieli broń?

– Och, kto by się znał na broni? – odpowiada lekceważąco. – A potem przyjechała policja, otworzyłam im drzwi i wszystkim się zajęli.

– Doszło do strzelaniny?

– Strzelaniny? Nie bądź śmieszny. Brytyjska policja jest na to zdecydowanie zbyt profesjonalna.

– Ale aresztowali ich?

– Naturalnie. Niby po co ich wezwałam, jak myślisz?

– A jak zraniłaś się w głowę?

– Cóż, tego oczywiście nie pamiętam. Moim zdaniem to najmniej interesująca część tej historii.

– Cieszę się, że ostatecznie wszystko dobrze się skończyło.

– Wiesz, Paul – mówi – czasem jestem tobą naprawdę rozczarowana. To było tak przyjemne i tak fascynujące, a ty ciągle tylko rzucasz te banalne komentarze i banalne pytania. Oczywiście, że wszystko dobrze się skończyło. Wszystko zawsze dobrze się kończy, czyż nie?

Nie odpowiadasz. W końcu masz swoją dumę. A twoim zdaniem myśl, że wszystko zawsze dobrze się kończy, i myśl przeciwstawna, że wszystko zawsze kończy się źle, są równie banalne.

– No, nie dąsaj się. To były jedne z najciekawszych dwudziestu czterech godzin mojego życia i wszyscy – w s z y s c y – byli dla mnie naprawdę bardzo mili.

Bandyci. Policja. Sanitariusze. Szpital. Ruski. Watykan. A więc jest dobrze na ziemi.

Tego wieczoru, nad pizzami na wynos, zrelacjonowałem cały ten sensacyjny incydent Annie. Opowiedziałem jej to z czułością, troską, niemal z rozbawieniem, choć nie do końca. Wyimaginowani bandyci, prawdziwi policjanci, złoto w sztabkach, pióra, sanitariusze, szpital. Pominąłem niektóre uwagi krytyczne Susan wobec mojego charakteru. Byłem jednak świadom, że Anna nie reaguje tak, jak przewidywałem.

W końcu powiedziała:

– Wydaje się, że to straszne marnotrawstwo publicznych pieniędzy.

– To dziwny sposób patrzenia na tę sytuację.

– Czyżby? Policja, uzbrojona jednostka – Wydział Specjalny – karetka, szpital. Wszyscy latają w kółko i się z nią cackają tylko dlatego, że się schlała. To dotyczy też ciebie.

– Mnie? Myślałaś, że niby jak zareaguję, kiedy zadzwoni lokator i powie, że w domu są uzbrojeni policjanci?

– M y ś l a ł a m, że zareagujesz właśnie tak, jak zareagowałeś.

– W takim razie...

– I m y ś l ę, że postąpiłbyś tak samo, gdybyśmy akurat wychodzili do restauracji lub do kina albo wyjeżdżali na wakacje i już byśmy się spóźniali na samolot.

Zastanowiłem się nad tym.

– Tak, nie sądzę, bym zachował się inaczej.

Zdałem sobie sprawę, że zbliżamy się do martwego punktu. Jednym z powodów, dla których w ogóle zacząłem się spotykać z Anną, było to, że ona zawsze mówi, co myśli. To, oprócz dobrych stron, miało też złe. Pewnie tak jest z wszystkimi cechami charakteru.

– Słuchaj – powiedziałem. – Kiedy się ze sobą związaliśmy, rozmawialiśmy o... tym wszystkim.

Jakoś nie mogłem w tamtej chwili wypowiedzieć imienia Susan.

– Ty mówiłeś. Ja słuchałam. Niekoniecznie się zgadzałam.

– W takim razie wprowadziłaś mnie w błąd.

– Nie, Paul, to ty nie powiedziałeś mi całej prawdy. Może kiedy w przyszłości będę sięgać po terminarz, żeby wpisać wyjście na kolację albo do teatru, lub weekendowy wypad, powinnam zawsze robić adnotację: może ulec zmianie zależnie od dawki alkoholu spożytej przez Susan Macleod.

– To bardzo krzywdzące.

– Może i krzywdzące, ale tak się też składa, że prawdziwe.

Zamilkliśmy. Pytanie, czy któreś z nas chce pójść dalej. Anna chciała.

– A skoro już przy tym jesteśmy, Paul, mogę też powiedzieć, że Susan Macleod... nie jest kobietą w moim typie.

– Rozumiem.

– Ale ze względu na ciebie zawsze będę się starała być dla niej miła.

– Tak, cóż, to bardzo wielkoduszne z twojej strony. A skoro już przy tym jesteśmy, ja też mogę powiedzieć, że kiedyś obiecałem jej, iż zawsze w moim życiu będzie dla niej miejsce, nawet jeśli tylko na poddaszu.

– Paul, ja nie chcę w swoim życiu poddasza. – I wtedy to powiedziała. – Zwłaszcza takiego, na którym mieszka wariatka.

Pozwoliłem, by ta ostatnia uwaga wypełniła ciszę, która narastała między nami. W końcu, niewątpliwie afektowanym tonem, powiedziałem:

– Przykro mi, że uważasz ją za wariatkę.

Nie wycofała się ze swoich słów. Zdałem sobie sprawę, że jestem jedyną osobą na świecie, która rozumie Susan. I nawet jeśli się wyprowadziłem, jak mógłbym ją porzucić?

Anna i ja byliśmy razem jeszcze kilka tygodni, na wpół ukrywając przed sobą swoje myśli. Ale nie byłem zaskoczony, kiedy mnie zostawiła. Ani też, na tym etapie, jej nie winiłem.

I tak, koniec końców, próbowałeś czułej i surowej miłości, uczuć i rozsądku, prawdy i kłamstw, obietnic i gróźb, nadziei i stoicyzmu. Ale nie jesteś maszyną, która bez trudu przełącza się z jednego trybu na inny. Każda strategia wyczerpuje cię emocjonalnie, tak jak i ją; może bardziej. Czasem kiedy, lekko podpita, wpada w ten swój irytujący nonszalancki nastrój i odrzuca zarówno rzeczywistość, jak i twoją troskę, łapiesz się na tym, że myślisz: może na dłuższą metę niszczy siebie, ale na krótką, większą krzywdę wyrządza tobie. Obezwładnia cię bezradny, pełen frustracji gniew i, co najgorsze, gniew prawy. Nienawidzisz swojej prawości.

Przypominasz sobie o funduszu ucieczkowym, który ci dała, kiedy studiowałeś na uniwersytecie. Nigdy dotąd nie myślałeś, żeby go spożytkować. Teraz wypłacasz całość, w gotówce. Udajesz się do małego anonimowego hotelu na południowym krańcu Edgware Road, tuż przy Marble Arch. Nie jest to modna ani droga okolica. Obok mieści się mała libańska restauracja. Przez pięć dni, które spędzasz w hotelu, nie pijesz. Chcesz mieć jasny umysł; nie chcesz, żeby twój gniew ani użalanie się nad sobą uległy wyolbrzymieniu lub wypaczeniu. Chcesz, żeby twoje uczucia były takie, jakie są.

Z pobliskiej budki telefonicznej bierzesz kilka wizytówek prostytutek. Przymocowano je masą klejącą i przed rozłożeniem ich na małym biurku w pokoju hotelowym zdejmujesz małe lepkie kulki i wyrzucasz do kosza na śmieci. Jesteś przy tym bardzo ostrożny. Potem rozkładasz wizytówki jak karty do pasjansa i decydujesz, którą z tych wytwornych kobiet oferujących „wizyty hotelowe" chcesz zerżnąć. Dzwonisz pod pierwszy numer. Kobieta, naturalnie, wygląda zupełnie inaczej niż na zdjęciu. Zauważasz, ale nic cię to nie obchodzi ani tym bardziej nie protestujesz: w skali wszystkich rozczarowań to nic nie znaczy. To miejsce i sama transakcja są dokładnym przeciwieństwem tego, jak dotychczas wyobrażałeś sobie miłość i seks. Niemniej – w swojej kategorii – jest w porządku. Sprawna, przyjemna, pozbawiona emocji; w porządku.

Na ścianie wisi tania reprodukcja *Pola pszenicy z krukami* van Gogha. Lubisz na nią patrzeć: to także skuteczna, drugorzędna, podrobiona przyjemność. Uważasz, że drugorzędność ma swoje zalety. Może daje większą pewność niż pierwszorzędność. Na przykład, stojąc przed prawdziwym van Goghiem, można się zdenerwować, ulec rozdmuchanym wątpliwościom, czy reaguje się właściwie. Tymczasem nikogo – a zwłaszcza ciebie – nie obchodzi, jak zareagujesz na tanią reprodukcję na ścianie w hotelu. Może tak właśnie powinieneś żyć. Pamiętasz, że kiedy byłeś studentem, ktoś twierdził, iż jeśli w życiu obniżysz swoje oczekiwania, nigdy się nie rozczarujesz. Zastanawiasz się, czy to prawda.

Kiedy wraca pożądanie, zamawiasz kolejną prostytutkę. Potem zjadasz libańską kolację. Oglądasz telewizję. Leżysz na łóżku i celowo nie myślisz o Susan ani o niczym z nią związanym. Nie obchodzi cię, jak ktoś mógłby cię ocenić, gdyby widział, gdzie teraz jesteś i co robisz. Z uporem, niemal bez żadnej prawdziwej przyjemności, wydajesz swój fundusz ucieczkowy, aż zostaje z niego tylko tyle, ile kosztuje bilet autobusowy na powrót do południowo-wschodniego Londynu. Nie czynisz sobie wyrzutów; nie masz też poczucia winy ani teraz, ani później. Nigdy nikomu nie opowiadasz o tym epizodzie. Ale zaczynasz się zastanawiać – nie pierwszy raz w życiu – czy nie lepiej jednak czuć mniej.

III

Czasem zadawał sobie pewne pytanie dotyczące życia. Które wspomnienia są prawdziwsze, te szczęśliwe czy te nieszczęśliwe? Ostatecznie uznał, że na to pytanie nie ma odpowiedzi.

Od kilkudziesięciu lat prowadził mały notatnik. Zapisywał w nim, co ludzie mówią o miłości. Wielcy pisarze, telewizyjni mędrcy, guru samopomocy, ludzie, których spotykał przez lata spędzone za granicą. Zbierał dowody. A potem, co mniej więcej parę lat, czytał wszystko i wykreślał te cytaty, których nie uznawał już za prawdziwe. Zwykle zostawało mu tylko parę prawd tymczasowych. Tymczasowych, bo następnym razem te też zapewne wykreśli, zostawiając kilka innych.

Niedawno jechał pociągiem do Bristolu. Po drugiej stronie przejścia siedziała kobieta z rozłożoną „Daily Mail". Zobaczył krzykliwy nagłówek opatrzony dużym zdjęciem. CZTERDZIESTODZIEWIĘCIOLETNIA NAUCZYCIELKA WLAŁA W SIEBIE OSIEM KIELISZKÓW WINA, POSYPAŁA SOBIE DEKOLT CZIPSAMI I POWIEDZIAŁA DO UCZNIA: „POCZĘSTUJ SIĘ".

Po takim nagłówku po co ktoś miałby czytać artykuł? I jakie są szanse, że znalazłby w nim inny morał niż ten tak jawnie sugerowany? Nie większe niż gdyby pół wieku temu gazeta ta w swojej moralizatorskiej pasji opisała przypadek, który wtedy nie trafił nawet do lokalnej „Advertiser & Gazette". Przez następne dziesięć minut albo i dłużej pracował nad nagłówkiem, którym mogłaby być opatrzona jego własna historia. Wreszcie wymyślił coś takiego: KTOŚ SZUKA NOWEJ RAKIETY? SKANDAL W KLUBIE TENISOWYM – CZTERDZIESTOOŚMIOLETNIA GOSPODYNI DOMOWA I DZIEWIĘTNASTOLETNI DŁUGOWŁOSY STUDENT WYRZUCENI ZA BARA-BARA. A tekst pod nagłówkiem pisałby się sam: „W zeszłym tygodniu za koronkowymi firanami i żywopłotami z wawrzynu w liściastym Surrey przeszła fala oburzenia, kiedy pojawiły się pikantne doniesienia o...".

Niektórzy na starość postanawiają zamieszkać nad morzem. Obserwują zbliżającą się i cofającą wodę, burzącą się na plaży pianę, dalej fale przyboju, a jeszcze dalej może słyszą oceaniczne fale czasu, i w tym niewidocznym odległym bezmiarze znajdują jakieś pocieszenie w marności swojego życia i nieuchronnej śmiertelności. On wolał inną ciecz, o innym rytmie i innym przeznaczeniu. Ale nie widział w niej nic wiecznego: po prostu mleko zamieniające się w ser. Był podejrzliwy wobec całościowego postrzegania świata i nieufny wobec nieokreślonych tęsknot. Wolał codzienną rzeczywistość. I przyznawał też, że jego świat, jego życie, powoli się skurczyły. Ale był z tego zadowolony.

*

Na przykład myślał, że do śmierci pewnie już nie będzie uprawiał seksu. Zapewne. Być może. Chyba że. Ale ogólnie biorąc, myślał, że nie. Do seksu potrzeba dwojga ludzi. Dwóch osób, pierwszej i drugiej: ty i ja, ciebie i mnie. Ale teraz jego krzykliwa dotąd pierwszoosobowość wyciszyła się. Tak jakby postrzegał i wiódł swoje życie w trzeciej osobie. Co jak uważał, pozwalało mu właściwiej je ocenić.

A więc znajomy problem pamięci. Rozumiał, że pamięć jest niewiarygodna i uprzedzona, ale w którą stronę? Czy skłania się ku optymizmowi? To początkowo miało sens. Wspominałeś przeszłość radośnie, bo to potwierdzało zasadność twojego istnienia. Nie musiałeś postrzegać swojego życia jako jakiegoś triumfu – jego życie na pewno nim nie było – ale musiałeś mówić sobie, że było interesujące, przyjemne, sensowne. Sensowne? To chyba lekka przesada. Niemniej optymistyczne wspomnienia mogłyby ułatwić rozstanie z życiem, złagodzić ból gaśnięcia.

Ale równie dobrze można by postawić tezę przeciwną. Jeśli pamięć skłania się ku pesymizmowi, jeśli z perspektywy czasu wszystko wydaje się czarniejsze i mroczniejsze, niż rzeczywiście było, może dzięki temu łatwiej nam zrezygnować z życia. Jeśli, jak nieżyjąca już od ponad trzydziestu lat poczciwa stara Joan, doświadczyłeś piekła za życia, to czemu miałbyś się bać rzeczywistego piekła lub, co bardziej prawdopodobne, wiecznego niebytu? W jego umyśle pojawiły się słowa uchwycone przez kamerę czołową brytyjskiego żołnierza w Afganistanie – słowa

219

wypowiedziane przez innego żołnierza, kiedy dokonywał egzekucji rannego więźnia. „Proszę, niech ścichnie za tobą doczesny zamęt, ty pizdo", powiedział mężczyzna, zanim pociągnął za spust. Wtedy wydało mu się imponujące, że ktoś cytuje Szekspira na współczesnym polu bitwy. Czemu teraz przyszło mu to do głowy? Może przez przekleństwa Joan. Zaczął się więc zastanawiać nad tym, jakie zalety ma uczucie, że życie to tylko pieprzony doczesny zamęt, który musi ścichnąć. A mężczyźni to tylko pizdy; nie kobiety – mężczyźni. Pamięć pesymistyczna może mieć też pewną zaletę ewolucyjną. Nie miałbyś nic przeciwko temu, żeby zrobić miejsce innym w kolejce po jedzenie; mógłbyś uważać, że to twój społeczny obowiązek wyprawić się na odludzie lub też, dla wyższego dobra, dać się nabić na pal na jakimś wzgórzu.

Ale to była teoria, a tu były kwestie praktyczne. Uważał, że do jego ostatnich zadań należy to, by pamiętać ją właściwie. Co nie znaczyło: wiernie, dzień po dniu, rok po roku, od początku, przez środek, do końca. Koniec był potworny, a nad początkiem ciążyło za dużo środka. Nie, miał na myśli coś innego: jego ostatnim obowiązkiem wobec ich obojga było pamiętać ją i nosić w sercu taką, jaka była, kiedy zostali parą. Cofać się wspomnieniami do tego, co nadal uważał za jej niewinność: niewinność duchową. Zanim ta niewinność została zamazana. Tak, to właściwe określenie: szalone alkoholowe graffiti. Jej twarz też się zamazała, wskutek czego nie potrafił już jej zobaczyć. Zobaczyć, przypomnieć sobie, jaka była, zanim ją stracił, stracił ją z oczu, zanim zniknęła na tle perkalowej kanapy – „Spójrz, Casey Paul, rozpływam się w powietrzu!'". Zanim stracił z oczu pierwszą osobę – jedyną osobę – którą kochał.

Miał oczywiście zdjęcia i one pomagały. Uśmiecha się do niego, opierając się o pień drzewa w jakimś dawno zapomnianym lesie. Smagana wiatrem na rozległej pustej plaży, w oddali za nią widać rząd kabin z pozamykanymi okiennicami. Było nawet zdjęcie, na którym ma na sobie tę sukienkę do tenisa z zieloną lamówką. Zdjęcia były przydatne, ale jakoś zawsze potwierdzały wspomnienia, zamiast je wyzwalać.

Usiłował nakłonić swój umysł, żeby pochwycił ją w locie. Żeby pamiętał jej radosność, jej śmiech, jej nonkonformizm i jej miłość do niego, zanim wszystko zaszło mgłą. Jej szykowność i mężne próby zbudowania szczęścia, kiedy zawsze miała na to małe szanse, zawsze mieli małe szanse. Tak, tego właśnie szukał: Susan szczęśliwej, Susan optymistycznej, mimo że nie miała pojęcia, co przyniesie przyszłość. To był pewien talent, fortunny aspekt jej osobowości. On sam zwykle patrzył w przyszłość i na podstawie oceny prawdopodobieństwa podejmował decyzję, czy wskazany jest optymizm, czy pesymizm. Jego temperament kształtowało życie, jej życie kształtował temperament. To drugie było oczywiście bardziej ryzykowne; przynosiło więcej radości, ale nie zapewniało żadnej asekuracji. Niemniej, pomyślał, przynajmniej nie pokonały ich kwestie praktyczne.

A więc było to wszystko i było też to, że ona akceptowała go takim, jaki był. Nie, lepiej: cieszyła się nim takim, jaki był. I miała do niego zaufanie; patrzyła na niego i nie wątpiła w niego; myślała, że zostanie kimś, że coś osiągnie. I w pewnym sensie osiągnął, choć inaczej, niż mogliby przewidzieć.

Mawiała: „Wpakujmy wszystkich Młodych Galantów do austina i pojedźmy nad morze". Albo do katedry w Chichester, albo do Stonehenge, albo do księgarni z używanymi książkami, albo do lasu, w którym rośnie tysiącletnie drzewo. Albo na horror, choć będzie na nim umierać ze strachu. Albo do wesołego miasteczka, gdzie będą się rozbijać samochodzikami elektrycznymi, opychać się watą cukrową, gdzie nie uda im się strącić kokosów z podstawek, a różne maszyny będą unosić ich w powietrze, aż zabraknie im tchu. Nie wiedział, czy robił to wszystko wtedy, z nią; część może później, część nawet z innymi ludźmi. Ale właśnie takiego pamiętania potrzebował i właśnie takie pamiętanie sprowadzało ją z powrotem, nawet jeśli w rzeczywistości nigdy jej tam nie było.

Żadnej asekuracji. Zawsze, ilekroć o niej myślał, powracał do niego jeden obraz. Trzymał ją za nadgarstki, zwisającą przez okno, i nie mógł jej wciągnąć ani puścić, dwa życia, w bolesnym zastygnięciu, czekały, aż coś się wydarzy. I co takiego się wydarzyło? Cóż, próbował zorganizować ludzi, którzy ułożyliby materace, by złagodzić jej upadek; albo wezwał strażaków, żeby rozciągnęli pod nią siatkę asekuracyjną; albo… Ale byli spleceni za nadgarstki jak akrobaci na trapezie; nie tylko on ją trzymał, ona też trzymała jego. A w końcu zabrakło mu sił i puścił. I choć jej upadek został zamortyzowany, i tak był bardzo poważny, bo jak mu kiedyś powiedziała, miała ciężkie kości.

Oczywiście znalazł się w jego notatniku taki wpis: „Lepiej kochać i stracić niż nie kochać w ogóle". Zachował go przez kilka lat; potem wykreślił. Potem znów go wpisał; potem znów go wykreślił. Teraz miał dwa wpisy obok siebie, jeden czysty i prawdziwy, drugi przekreślony i fałszywy.

Kiedy wracał myślami do życia w Wiosce, pamiętał je jako oparte na prostym systemie. Na każdą dolegliwość było jedno lekarstwo. Na ból gardła TCP; na skaleczenia dettol; na ból głowy disprin; na ciężar w klatce piersiowej – vicks. A dalej były sprawy większej wagi, ale i tam każdy problem miał jedno rozwiązanie. Lekarstwem na seks jest małżeństwo; lekarstwem na miłość jest małżeństwo; lekarstwem na niewierność jest rozwód; lekarstwem na smutek jest praca; lekarstwem na potworny smutek jest alkohol; lekarstwem na śmierć jest krucha wiara w życie pozagrobowe.

Jako nastolatek pragnął dodatkowych komplikacji. I życie mu je zapewniło. Czasem czuł, że doświadczył ich aż nadto.

Kilka tygodni po kłótni z Anną zrezygnował z wynajmowanego pokoju i wrócił na Henry Road. Gdzieś, w jakiejś powieści, którą później przeczytał, natknął się na takie zdanie: „Zakochał się tak, jakby popełniał samobójstwo". Niezupełnie tak było, ale w pewnym sensie nie miał wyboru. Nie mógł mieszkać z Susan; nie mógł zbudować osobnego życia z dala od niej; toteż znów z nią zamieszkał. To odwaga czy tchórzostwo? A może zwykła nieuchronność?

Przynajmniej teraz był zaznajomiony z porządkiem chaosu życia, do którego wracał. Na jego ponowne pojawienie się zareagowała nie radością czy ulgą, lecz niefrasobliwym brakiem zdziwienia. Bo ten powrót zawsze był oczywisty. Bo młodym mężczyznom trzeba pozwalać na wyskoki, ale nie należy im gratulować, kiedy wrócą tam, skąd nigdy nie powinni byli odchodzić. Odnotował tę dyskusyjną reakcję, ale nie czuł się nią dotknięty; na tle tego wszystkiego, czym mógłby się czuć dotknięty, to naprawdę nie miało znaczenia.

I tak – jak długo? Jakieś cztery, pięć lat? – żyli dalej pod jednym dachem, gdzie doświadczali dobrych dni i złych tygodni, tłumionej furii, sporadycznych wybuchów i coraz większej izolacji towarzyskiej. I to wszystko już nie sprawiało, że czuł się interesujący; teraz czuł, że jest nieudacznikiem i wyrzutkiem. Przez ten czas nigdy nie zawarł bliskiej znajomości z inną kobietą. Po paru latach Eric nie mógł dłużej znieść atmosfery i się wyprowadził. Dwa pokoje na poddaszu zostały wynajęte pielęgniarkom. Cóż, nie zdołał zwerbować policjantów.

Ale pewne odkrycie z tamtych lat było dla niego zaskoczeniem i uczyniło jego dalsze życie, kiedy już nadeszło, łatwiejszym. Kierowniczka biura oznajmiła, że jest w ciąży; zaczęto szukać zastępstwa, ale nie można było znaleźć nikogo odpowiedniego;

zaproponował, że mógłby przejąć jej obowiązki. Nie wypełniały całego dnia, dalej zatem zajmował się też pomocą prawną. Ale okazało się, że codzienna robota papierkowa, prowadzenie terminarza, poczta, rachunki – nawet coś tak trywialnego jak ekspres do kawy i dystrybutor wody – sprawiają mu cichą satysfakcję. Po części, bez wątpienia, ponieważ nierzadko przyjeżdżał z Henry Road w takim stanie, że nadawał się właściwie tylko do prostych prac biurowych. Ale też porządkowanie stało się dla niego źródłem niespodziewanej przyjemności. A współpracownicy byli mu szczerze wdzięczni za to, że ułatwiał im życie. Kontrast z Henry Road był uderzający. Kiedy Susan ostatnio podziękowała mu za to, że czyni jej życie mniej uciążliwym?

Kierowniczka biura, tłumacząc się ekscytującym zaskoczeniem, jakim okazała się miłość macierzyńska, oznajmiła, że nie wróci do pracy. Objął więc oficjalnie jej stanowisko; a po latach te praktyczne umiejętności stały się dla niego drogą ucieczki. Prowadził biura kancelarii prawnych, instytucji charytatywnych, organizacji pozarządowych i dzięki temu mógł podróżować i przenosić się, gdy odczuł taką potrzebę. Pracował w Afryce, w Ameryce Północnej i Południowej. Ustalony porządek zaspokajał tę część jego osobowości, o której istnieniu nie wiedział. Pamiętał, jak w klubie tenisowym w Wiosce szokował go sposób gry niektórych starszych członków. Z pewnością byli dobrzy, ale bez wyrazu i pomysłowości, jakby tylko wykonywali polecenia jakiegoś od dawna nieżyjącego trenera. Cóż, to byli oni, wtedy. Teraz on potrafił pokierować biurem – gdziekolwiek, kiedykolwiek – jak każdy wyćwiczony wyrobnik. Satysfakcję zatrzymywał dla siebie. A przez lata dowiedział się też, czemu służą pieniądze: co można – a czego nie – dzięki nim osiągnąć. I jeszcze coś. To była poniżej jego kwalifikacji. Nie żeby traktował ją niepoważnie; to nie. Ale odkąd obniżył swoje oczekiwania zawodowe, okazało się, że rzadko się rozczarowywał.

Miał obowiązek spoglądać wstecz, na to, jaka była, i ocalić ją. Ale nie chodziło tylko o nią. Miał też obowiązek wobec siebie. Spoglądać wstecz i... ocalić siebie? Przed czym? Przed „późniejszą życiową katastrofą"? Nie, to głupi melodramatyzm. Jego życie nie było katastrofą. Jego serce – tak, jego serce zostało wypalone. Ale znalazł sposób, żeby żyć, i kontynuował to życie, które doprowadziło go tutaj. A stąd miał obowiązek zobaczyć siebie takim, jaki był dawniej. Dziwne, że kiedy jesteś młody, nie masz żadnych zobowiązań wobec przyszłości; ale kiedy jesteś stary, masz zobowiązania wobec przeszłości. Wobec tego jednego, czego nie możesz zmienić.

Pamiętał, jak w szkole nauczyciele prowadzili go przez świat powieści i sztuk, w których często pojawiał się Konflikt między Miłością a Obowiązkiem. W tamtych dawnych historiach niewinna, lecz namiętna miłość napotykała przeszkodę w postaci obowiązku wobec rodziny, Kościoła, króla, państwa. Niektórzy bohaterowie zwyciężali, niektórzy przegrywali, niektórych spotykało jedno i drugie

jednocześnie; zwykle wynikała z tego jakaś trage-
dia. Niewątpliwie w społeczeństwach religijnych,
patriarchalnych, hierarchicznych takie konflikty
istniały nadal i wciąż dostarczały materiału pisa-
rzom. Ale w Wiosce? Jego rodzina nie chodziła do
kościoła. Nie było bardzo hierarchicznej struktury
społecznej, chyba że uznać za hierarchiczne zarzą-
dy klubów tenisowego i golfowego, z uprawnie-
niami do usuwania członków. Trudno byłoby też
mówić o patriarchacie – wystarczy wspomnieć jego
matkę. Co do obowiązku wobec rodziny: nie czuł
się w żaden sposób zobowiązany do ugłaskiwania
rodziców. Rzeczywiście ciężar odpowiedzialności
został przesunięty i teraz to rodzice musieli zaakceptować wszelkie „wybory życiowe" dziecka. Jak
ucieczka na grecką wyspę z fryzjerem Pedrem albo
przyprowadzenie do domu nastoletniej przyszłej
mamy.

To uwolnienie od dawnych dogmatów przyniosło jednak nowe zawiłości. Poczucie obowiązku zostało zinternalizowane. Miłość sama w sobie była
Obowiązkiem. Miałeś Obowiązek wobec Miłości,
tym bardziej że teraz była ona centralnym punktem
twojego systemu przekonań. A Miłość niosła z sobą
wiele Obowiązków. Tak więc, nawet pozornie nie-
ważka, Miłość potrafiła ciążyć i krępować, a Obowiązki potrafiły powodować tak wielkie katastrofy
jak w dawnych czasach.

Jeszcze jedno, co zrozumiał z czasem. Dawniej
wyobrażał sobie, że we współczesnym świecie
czas i miejsce przestały mieć w historiach miłości

znaczenie. Spoglądając wstecz, zobaczył jednak, że w jego historii odegrały znacznie większą rolę, niż mu się zdawało. Uległ temu staremu, trwałemu, niewykorzenionemu złudzeniu: że kochankowie w jakiś sposób znajdują się poza czasem.

Teraz zbaczał z tematu. Susan i on przed laty. Jest jej wstyd, któremu trzeba stawić czoło. Ale jest też, wiedział, jego wstyd.

Pewien wpis w notatniku przetrwał kilka rewizji. „W miłości wszystko jest jednocześnie prawdą i fałszem; to jedyny temat, na który nie da się powiedzieć nic absurdalnego". Lubił tę uwagę, odkąd ją odkrył. Bo według niego przechodziła w szerszą myśl: sama miłość nigdy nie jest absurdalna, absurdami nie są też ci, którzy jej doświadczają. Pomimo surowych norm w dziedzinie uczuć i zachowań, które może chcieć narzucać społeczeństwo, miłość się im wymyka. Czasem na wiejskim podwórzu widywało się nieprawdopodobne formy więzi – gęś zakochaną w ośle, kocię bawiące się bezpiecznie między łapami uwiązanego mastifa. Na ludzkim podwórzu też istniały formy więzi, które były równie nieprawdopodobne, a mimo to ich uczestnikom nigdy nie wydawały się absurdalne.

Trwałym skutkiem kontaktów z domem Macleodów była jego niechęć do gniewnych mężczyzn. Nie, nie niechęć – wstręt. Gniew jako oznaka władzy, oznaka męskości, gniew jako zapowiedź przemocy fizycznej, tego wszystkiego nienawidził. W gniewie była obrzydliwa fałszywa cnota: spójrz na mnie, jaki jestem zły, jak gotuję się, bo przepełniają mnie emocje, spójrz, jak naprawdę żyję (w przeciwieństwie do tamtych zimnych ryb), spójrz, jak to udowodnię, chwytając cię za włosy i uderzając twoją twarzą o drzwi. A teraz spójrz, do czego mnie doprowadziłaś! O to też się gniewam!

Jemu wydawało się, że gniew nigdy nie jest tylko gniewem. Miłość zwykle, sama w sobie, była tylko miłością, nawet jeśli niektórych popychała do zachowań, które kazały ci przypuszczać, że wygasła, a może nigdy jej nie było. Ale gniew, zwłaszcza taki, który ukrywa się pod warstwą zadufania (a może każdy gniew się pod nią ukrywa), często był wyrazem czegoś jeszcze: nudy, pogardy, poczucia wyższości, porażki, nienawiści. Albo nawet czegoś pozornie trywialnego, jak irytacja z powodu uzależnienia od kobiecej praktyczności.

Mimo to, ku swojemu sporemu zdziwieniu, wreszcie przestał nienawidzić Macleoda. Prawda, człowiek od dawna nie żył – choć nienawiść do zmarłych jest całkiem możliwa, a nawet rozsądna; a kiedyś wyobrażał sobie, że będzie żył z tą nienawiścią do dnia swojej śmierci. Ale stało się inaczej.

Nie był pewny chronologii tego wszystkiego. W jakimś momencie Macleod przeszedł na emeryturę, ale nadal mieszkał w tamtym dużym domu, obsługiwany przez gospodynię, do której odnosił się z wyszukaną staroświecką grzecznością. Raz w tygodniu chodził do klubu golfowego i uderzał w nieruchomą piłkę, jakby była jego osobistym wrogiem.

Uprawiał zaciekle ogród, zaciekle palił, włączał tele-pudło i pił do niego, aż z trudem mógł dotrzeć do łóżka. Często złodziejka, pani Dyer, kiedy przychodziła, zastawała pusty szumiący ekran.

Potem, pewnego zimowego poranka, podczas sadzenia kapusty, Macleod upadł na twardą ziemię i znaleziono go dopiero po kilku godzinach; udar zdążył już poczynić to, co najgorsze. Na wpół sparaliżowany i całkowicie uciszony, teraz był zależny od regularnych odwiedzin pielęgniarki, comiesięcznych wizyt córek, bardziej nieregularnych przyjazdów Susan. Od czasu do czasu wpadał do niego Maurice, stary znajomy z „Reynolds News", i świadomie łamiąc zalecenia lekarskie, wyciągał pół butelki whisky i wlewał Macleodowi trochę do gardła, a znajome oczy odpowiadały mu mruganiem. Kiedy gospodyni znalazła go martwego, owiniętego w pościel, na podłodze, Susan już dawno przekazała pełnomocnictwo Marcie i Clarze. Dom, wraz z niechcianą zawartością, został sprzedany podejrzanemu miejscowemu, który mógł występować jako przykrywka dla firmy deweloperskiej.

Gdzieś wśród tego ciągu zdarzeń przestał nienawidzić Macleoda. Nie wybaczył mu – nie uważał przebaczenia za przeciwieństwo nienawiści – ale doszedł do wniosku, że jego wściekła antypatia i nocne napady szału jakoś przestały mieć znaczenie. Z drugiej strony nie czuł wobec Macleoda litości, mimo niedołęstwa i wszystkich upokorzeń, jakie go spotkały. Te uważał za nieuchronność; w istocie dziś większość tego, co się zdarzało, uważał za nieuchronne.

Kwestia odpowiedzialności? Zostawiał ją postronnym obserwatorom: tylko ci, którzy mają odpowiednio mało materiału dowodowego i wiedzy, mogą z przekonaniem rozdzielić winę. On, nawet z tak odległej perspektywy, nadal był na to zdecydowanie zbyt uwikłany. A ponadto osiągnął taki etap w życiu, że zaczął tworzyć przeciwstawne scenariusze. Co by było, gdyby zamiast tamtego wydarzyło się to? Rozważania te były jałowe, choć wciągające (i może odsuwały kwestię odpowiedzialności). Na przykład, co by było, gdyby przychodząc do klubu tenisowego, nie miał dziewiętnastu lat i tyle wolnego czasu, a także nie był – z czego wówczas niemal nie zdawał sobie sprawy – tak głodny miłości? Co by było, gdyby Susan, wiedziona skrupułami natury religijnej lub moralnej, zniechęciła go i nauczyła go tylko taktycznego sprytu w grze deblowej? Co by było, gdyby Macleod nadal okazywał żonie seksualne zainteresowanie? Wtedy to wszystko mogłoby się nie wydarzyć. Ale że się wydarzyło, to aby przypisać komuś winę, należałoby cofnąć się do pre-historii, która, w dwóch z trzech przypadków, była już niedostępna.

Te pełne emocji pierwsze miesiące przeorganizowały jego teraźniejszość i określiły przyszłość, nawet po dziś dzień. Ale co by było, na przykład, gdyby z Susan się sobie nie podobali? Co by było, gdyby jedna z ich wielu przykrywek wcale nie była przykrywką? Był młodym człowiekiem, który woził ją, bo potrzebowała nowych okularów. Przyjaźnił się z jedną lub obiema jej córkami. Był jakby protegowanym Gordona. Teraz, w stanie powoli osiągniętego spokoju, okazało się, że może sobie z łatwością wyobrazić, iż było inaczej, niż było; zupełnie inne fakty i uczucia.

Zaciekawiony, poszedł tą drogą. Na przykład zaczął pomagać Staremu Macleodowi w ogrodzie. Oprócz gry w tenisa z Susan zaczął grywać w golfa, pobierał lekcje w klubie i często, kiedy jeszcze na trawie połyskiwały krople rosy, był partnerem Gordona – jak miał go nazywać – przy miejscowych osiemnastu dołkach. Jego obecność sprawiała, że Stary Macleod się rozluźniał: szorstkość była tylko maską, a dzięki Paulowi odprężał się nieco na kołeczku; Paul nawet nauczył go (przejrzawszy amerykański podręcznik do gry w golfa), jak kochać tę małą piłkę z wgłębieniami, zamiast jej nienawidzić. On – Casey Paul, jak nazywała go teraz nie tylko Susan – odkrył, że lubi się napić: gin z Joan, piwo z Gordonem, od czasu do czasu szklaneczka sherry z Susan; choć wszyscy się zgadzali, że przychodzi taka chwila, kiedy wystarczy, kiedy jeden drink więcej to już za dużo. A co by było, gdyby potem – czemu nie doprowadzić tego alternatywnego życia do konwencjonalnej konkluzji – on i jedna z córek Macleodów (jak ujęliby to ich rodzice) „poczuliby do siebie miętę". Martha czy Clara? Oczywiście Clara, która z charakteru bardziej przypominała Susan. Ale to był scenariusz przeciwstawny, więc wybrał Marthę.

Bezpośrednią konsekwencją było to, że Macleodowie rzeczywiście przyszli do jego rodziców na sherry – oboje z Marthą bardzo się tego obawiali, ale ostatecznie poszło całkiem nieźle. Wiadomo było, że te dwie pary nigdy nie stworzą zgodnej czwórki do brydża, ale nic tak nie pomaga przymknąć oczu na niedopasowanie jak ustalenie daty z pastorem kościoła Świętego Michała. A jako że ten przeciwstawny scenariusz już dawno wymknął się spod kontroli, postanowił ozdobić dzień ślubu niesamowicie piękną pogodą, aż po podwójną tęczę. Potem, pod wpływem zachcianki, wziął sobie siostrę, której nigdy nie miał. Żeby trochę wzburzyć rodziców, zrobił z niej lesbijkę. A, i przyprowadziła ona na uroczystość swoje dziecko. Jedyne dziecko w całym zachodnim świecie, które podczas ślubu nie rozpłakało się w nieodpowiednim momencie. Czemu nie?

Pokręcił głową, by oczyścić umysł z tej dziwnej wizji. Na życie można było patrzeć w dwojaki sposób, a przynajmniej istniały dwie skrajne perspektywy, które łączyło kontinuum. Jedna zakładała, że każde ludzkie działanie siłą rzeczy unicestwia każde inne działanie, które można było podjąć w zamian; w związku z tym życie składa się z ciągu małych i dużych wyborów, przejawów wolnej woli, a człowiek jest jak kapitan parowca, który sapiąc, płynie w dół potężnej Missisipi życia. Druga zakładała, że wszystko jest nieuchronne, że rządzi pre-historia, że życie ludzkie to nic więcej tylko sęk na kłodzie, którą niesie potężna Missisipi, ciągniętej i gnębionej, popychanej i miotanej prądami i wirami, i zagrożeniami, nad którymi nie da się zapanować. Paul uważał, że to nie musi być jedno albo drugie. Uważał, że życie – oczywiście jego własne – można najpierw przeżyć pod rządami nieuchronności, a potem pod rządami wolnej woli. Ale zdawał sobie też sprawę, że przy retrospektywnej reorganizacji życia zawsze zachodzi obawa przekłamania na swoją korzyść.

Po chwili zastanowienia doszedł do wniosku, że najmniej prawdopodobnym elementem jego przeciwstawnego scenariusza jest to, że Martha mogłaby go uznać za potencjalnego kandydata na męża.

Czy żałował, że – jak zawsze nazywał to w myślach – „oddał" Susan? Nie: właściwym określeniem może być poczucie winy albo wyrzuty sumienia – bardziej radykalni znajomi żalu. Ale była w tym oddaniu także nieuchronność, co nadawało mu innego moralnego zabarwienia. Okazało się, że po prostu nie mógł tego dłużej ciągnąć. Nie mógł jej uratować, musiał więc ratować siebie. Po prostu.

Nie, oczywiście, że nie; to było znacznie bardziej skomplikowane. Mógł ciągnąć to, oszukując i torturując siebie samego. Mógł ciągnąć to, uspokajając ją i dodając jej otuchy nawet wtedy, gdy jej umysł i pamięć zapętlały się w trzyminutowych cyklach, od nagłego zaskoczenia jego obecnością, mimo że siedział w tym samym fotelu od dwóch godzin, przez upomnienie za niezaistniałą nieobecność, po popłoch i panikę, które wyciszał, przemawiając do niej łagodnie i przywołując przyjemne wspomnienia, a ona udawała, że też ma je w pamięci, mimo że już dawno wypłukała je sobie z głowy alkoholem. Nie, mógł ciągnąć to, służyć jej za emocjonalnego opiekuna społecznego, obserwować jej postępującą degradację. Ale do tego musiałby być masochistą. A wtedy już poczynił najbardziej przerażające odkrycie swojego życia, odkrycie, które zapewne położyło się cieniem na jego wszystkich kolejnych związkach: uświadomił sobie, że miłość, nawet najbardziej

żarliwa i szczera, może, pod naporem odpowiedniego ataku, ściąć się w mieszaninę politowania i gniewu. Jego miłość odeszła, została wyparta, miesiąc po
miesiącu, rok po roku. Ale szokiem dla niego było
to, że emocje, które ją zastąpiły, były równie jak ona
gwałtowne. I tak to jego życie i jego serce trawiło
takie samo wzburzenie jak wcześniej, tyle że teraz
ona nie była już w stanie go ukoić. I wtedy, wreszcie,
musiał ją oddać.

Napisał list do Marthy i Clary. Nie wdawał się
w emocjonalne szczegóły. Po prostu wyjaśnił, że
z przyczyn służbowych będzie musiał wyjechać –
może na kilka lat – i naturalnie nie będzie mógł
wziąć ze sobą Susan. Wyrusza za trzy miesiące i ma
nadzieję, że tyle czasu im wystarczy, żeby coś zorganizować. Jeśli kiedyś w przyszłości konieczne będzie
umieszczenie jej w jakimś domu opieki, zrobi, co
będzie mógł, żeby pomóc im finansowo; choć w tej
chwili niestety nie jest w stanie ich wesprzeć.

I większość tego była prawdą.

Przed wyjazdem za granicę musiał odbyć jeszcze
jedną wizytę. Obawiał się jej czy się na nią cieszył?
Pewnie jedno i drugie. Była piąta, kiedy zadzwonił
do drzwi, czego tym razem nie skontrapunktowało
ujadanie, lecz pojedyncze odległe szczeknięcie. Kiedy Joan otworzyła, obok niej stał spokojny golden
retriever. Pomyślał, że ona ma tak zamglone oczy,
iż zwierzę równie dobrze mogłoby być psem prze-
wodnikiem.

Była zima; Joan miała na sobie dres z kilkoma
dziurami od papierosów na dekolcie i rosyjskie

domowe skarpety, w których stąpała tak cicho jak jej pies. W salonie dym palonego drewna mieszał się z dymem papierosów. Fotele były te same, tylko starsze; osoby, które je zajmowały – te same, tylko starsze. Retriever, który reagował na imię Sybil, dyszał zmęczony wędrówką do drzwi i z powrotem.

– Wszystkie szczekacze mi poumierały – powiedziała Joan. – Nigdy nie trzymaj psów, Paul. Będą ci umierać, a potem nadejdzie czas, kiedy nie będziesz wiedział, czy wziąć ostatniego, czy nie. Jednego na odchodne. I oto tu jesteśmy, Sybil i ja. Albo ja umrę i złamię jej serce, albo ona umrze i złamie moje. Co za wybór, prawda? Gin jest tam. Poczęstuj się.

Tak też uczynił, wybierając najmniej brudną szklankę.

– Jak się miewasz, Joan?

– Jak widać. Właściwie tak samo, tyle że jestem starsza, bardziej pijana i bardziej samotna. A co u ciebie?

– Mam trzydzieści lat. Wyjeżdżam na jakiś czas za granicę. Praca. Oddałem Susan.

– Jak paczkę? Trochę, kurwa, późno na to, żeby odnieść ją do sklepu i poprosić o zwrot pieniędzy, nieprawdaż?

– To nie tak.

Zdał sobie sprawę, że może być trudno wytłumaczyć jednej pijanej kobiecie, czemu zostawia inną.

– A jak?

– Tak. Starałem się ją uratować i poniosłem porażkę. Starałem się ją nakłonić, by przestała pić, i poniosłem porażkę. Nie winię jej za to, w ogóle nie rozpatruję tego w tych kategoriach. I pamiętam, co

mi wtedy powiedziałaś – że jest bardziej prawdopodobne, iż ona będzie cierpieć, a nie ja. Ale nie mogę
już tego znieść. Nie zniósłbym kolejnych dziesięciu
dni, a co dopiero dziesięciu lat. Więc zajmie się nią
Martha. Clara odmówiła, co było dla mnie zaskoczeniem. Powiedziałem, że... jeśli kiedyś będą zmuszo-
ne umieścić ją w ośrodku, może będę mógł pomóc.
W przyszłości. Jeśli dobrze pójdzie i trochę zarobię.

– Widać, że masz to wszystko rozpracowane.

– To forma samoobrony, Joan. Nie mogłem już
tego znieść.

– Masz dziewczynę? – spytała, zapalając kolejnego papierosa.

– Nie jestem aż tak bezduszny.

– Cóż, znalezienie sobie innej kobiety potrafi
nagle niesamowicie rozjaśnić męski umysł. Z tego,
co pamiętam z własnych odległych doświadczeń
z dupczeniem.

– Przykro mi, że ci się nie ułożyło, Joan.

– Spóźniłeś się jakieś pięćdziesiąt lat, młody człowieku.

– Mówię szczerze – powiedział.

– A jak twoim zdaniem poradzi sobie Martha? Lepiej niż ty? Gorzej? Mniej więcej tak samo?

– Nie mam pojęcia. I w pewnym sensie nie obchodzi mnie to. Nie obchodzi mnie, bo inaczej znów
dam się w to wciągnąć.

– To nie jest kwestia ponownego wciągnięcia.
Wciąż w tym siedzisz.

– Jak to?

– Wciąż w tym siedzisz. Zawsze będziesz siedział.
Nie, nie dosłownie. Ale w głębi serca. Nic się nigdy

nie kończy, jeśli zaszło tak głęboko. Już zawsze będziesz żyć z ranami. Po jakimś czasie to jedyny wybór. Żyć z ranami albo umrzeć. Zgodzisz się?

Spojrzał na nią, ale nie zwracała się do niego. Mówiła do Sybil, klepiąc ją po miękkim łbie. Nie wiedział, co powiedzieć, bo nie wiedział, czy jej wierzy.

– Nadal oszukujesz przy rozwiązywaniu krzyżówek?

– Masz tupet, dzieciaku. Ale to nic nowego, prawda?

Uśmiechnął się do niej. Zawsze lubił Joan.

– I zamknij za sobą drzwi. Nie lubię wstawać zbyt wiele razy w ciągu dnia.

Wiedział, że nie należy jej obejmować czy coś w tym stylu, więc tylko skinął głową, uśmiechnął się i ruszył do wyjścia.

– Przyślij wieniec, kiedy przyjdzie czas – zawołała za nim.

Nie wiedział, czy mówi o sobie, czy o Susan. A może o Sybil. Czy psom kupuje się wieńce? Jeszcze jedno, czego nie wie.

Nie powiedział Joan – może nie mógł powiedzieć – o swoim przerażającym odkryciu, że miłość w jakimś bezlitosnym, niemal chemicznym, procesie może przemienić się w politowanie i gniew. Ten gniew nie był skierowany w stronę Susan, ale na to, co ją unicestwiło – cokolwiek to jest. Niemniej tak, gniew. A gniew u mężczyzny budził w nim odrazę. Tak więc teraz, obok politowania i gniewu, musiał sobie radzić z odrazą do siebie samego. I na tym polegała, po części, jego hańba.

*

Pracował w kilku krajach. Był po trzydziestce, potem po czterdziestce, bardzo porządny (jak ujęłaby to jego matka), a także wypłacalny; nie był też jawnie obłąkany. To wystarczało, żeby mógł znaleźć partnerkę do seksu, prowadzić życie towarzyskie, otrzymywać tyle codziennego ciepła, ile potrzebował – dopóki nie przenosił się do następnej pracy, następnego kraju, następnego kręgu towarzyskiego i przez następnych kilka lat był miły dla nowych ludzi, z których część może jeszcze kiedyś zobaczy, a części nie. Tego chciał czy raczej czuł, że tyle jest w stanie podtrzymać.

Niektórym jego sposób życia mógł się wydawać samolubny, wręcz pasożytniczy. Ale on myślał też o innych. Starał się nikogo nie zwodzić, nie wyolbrzymiać tego, co ma emocjonalnie do zaoferowania. Nie przystawał przy witrynach jubilerów ani nie milczał kokieteryjnie nad zdjęciami niemowląt; nie twierdził też, że chce się ustatkować i zostać na stałe z tą osobą czy choćby w tym kraju. I – choć była to cecha, której nie rozpoznał u siebie od razu – pociągały go głównie kobiety, które… jak by to ująć? Były silne i niezależne i nie były jawnie popieprzone. Kobiety, które miały swoje życie, które mogłaby cieszyć jego życzliwa, acz przelotna obecność, tak jak jego cieszyła ich obecność. Kobiety, które nie poczują się szczególnie zranione, kiedy odejdzie, i które nie zadałyby mu wielkiego bólu, gdyby zostawiły go pierwsze.

Uważał ten model psychologiczny, tę strategię emocjonalną, za szczerą i przemyślaną, a także konieczną. Nie udawał ani nie proponował więcej, niż mógł dać. Choć oczywiście, kiedy tak to wszystko otwarcie wykładał, widział, że niektórzy mogliby to uznać za czysty egoizm. Nie mógł też zdecydować, czy jego strategia odchodzenia – do nowego miejsca, do nowej kobiety – była odważna, gdyż oznaczała przyznanie się do własnych ograniczeń, czy tchórzliwa, gdyż oznaczała ich akceptację.

Ponadto jego nowa teoria życia nie zawsze się sprawdzała. Niektóre kobiety dawały mu przemyślane prezenty – i to budziło w nim lęk. Inne, na przestrzeni lat, nazywały go typowym Anglikiem, sztywniakiem, zimną rybą, a także bezdusznym manipulantem – choć on uważał, że jego postawa wobec związków, ze wszystkich mu znanych, była najmniej manipulancka. Niemniej niektóre kobiety się na niego złościły. A kiedy – rzadko – zdarzało się, że próbował tłumaczyć swoje życie, swoją pre-historię i przewlekły stan swojego serca, oskarżenia stawały się bardziej dosadne, jakby miał jakąś chorobę zakaźną, do której powinien był się przyznać między pierwszą a drugą randką.

Ale taka była natura związków: zawsze dochodziło w nich do zachwiania równowagi. I łatwo było planować strategię emocjonalną, ale co innego, gdy ziemia się przed tobą rozstępowała i twoje oddziały obronne wpadały do wąwozu, którego jeszcze kilka sekund wcześniej nie było na mapie. I taka była Maria, łagodna spokojna Hiszpanka, która nagle zaczęła mu grozić samobójstwem, która chciała tego, chciała tamtego. Ale on nie zaoferował, że zostanie ojcem jej dzieci – ani czyichkolwiek; nie zamierzał też przejść na katolicyzm, nawet jeśli to ucieszyłoby jej ponoć umierającą matkę.

A potem – jako że niezrozumienie jest rozdawane demokratycznie – była Kimberly, z Nashville, która z miejsca spełniła wszystkie jego niepisane wymagania, począwszy od tego, że ze śmiechem wciągnęła do łóżka na drugiej randce, po uosabianie samego sedna szczerej niezależności – toteż zamiast po cichu pogratulować sobie, że ma takie szczęście, prawie natychmiast i na zabój się w niej zakochał. Początkowo skarciła go, mówiąc o przestrzeni osobistej i „nieangażowaniu się przesadnie". Ale to tylko sprawiło, że zaczął tym rozpaczliwiej pragnąć, by jeszcze tego popołudnia wprowadziła się do niego, i jak nigdy dotąd szalał z kwiatami, i złapał się na oglądaniu pierścionków z diamentami, a nawet na marzeniach o kryjówce doskonałej – mogłaby to być chatka starego trapera (oczywiście ze wszystkimi współczesnymi udogodnieniami) przy jakiejś ocienionej drzewami dróżce. Zaproponował jej małżeństwo, a ona odpowiedziała: „Paul, to tak nie działa". Kiedy zareagowała na jego delirium, klepiąc go po ramieniu i mówiąc takie rzeczy, jakie on mówił Marii, usłyszał, jak oskarża ją o to, że jest samolubną manipulantką, zimną rybą i typową Amerykanką – cokolwiek chciał przez to powiedzieć, bo była pierwszą Amerykanką, z jaką się spotykał. Rzuciła go więc, wysyłając faks, a on za karę upił się tak, że nagle wróciła mu racjonalność i ogarnął go głupawy śmiech i przekonanie o absurdalności wszystkich stosunków międzyludzkich, i poczuł nagłe powołanie do życia klasztornego, jednocześnie oddając się fantazjom o Kimberly w stroju zakonnicy i ich radośnie bluźnierczym seksie, po czym kupił dwa bilety na poranny lot do Meksyku, ale naturalnie zaspał, a kiedy się obudził, na automatycznej sekretarce miał wiadomość nie od Kimberly, lecz od linii lotniczych, które informowały go, że spóźnił się na samolot. Jakimś sposobem dotarł tego dnia do pracy i w komicznych słowach opowiedział o swoim nieszczęściu, czym rozbawił kolegów i siebie, i tak ta lżejsza zniekształcona wersja zajęła miejsce tego, co się rzeczywiście wydarzyło. A w późniejszych latach po cichu dziękował Kimberly za to, że była mądrzejsza od niego – mądrzejsza emocjonalnie. Wyobrażał sobie, że w sprawie uczuć wyciągnął ze związku z Susan wiele lekcji. Ale może te lekcje miały zastosowanie tylko do ich związku.

Męskie przyjaźnie kultywował, kiedy przyjeżdżał do domu na urlop albo w przerwie między jedną pracą a drugą; spotykał się wtedy z przyjaciółmi na drinka albo na kolacje, podczas których czas jakby gwałtownie przewijał się do przodu. Niektórzy zamienili się w niestrudzonych mieszkańców bruzdy. I to oni najbardziej sentymentalnie wspominali dawne czasy. Niektórzy mieli już drugie żony i pasierbów. Jeden po tych wszystkich latach został gejem i zaczął nagle dostrzegać karki młodych mężczyzn. Niektórym czas nie przyniósł żadnych zmian. Bernard, który miał czerwoną twarz i białą brodę, szturchał go, kiwał głową i rzucał za głośno: „Spójrz tylko na ten tyłek", kiedy koło ich stolika przechodziła jakaś kobieta. Bernard mówił to samo jako dwudziestopięciolatek, choć wtedy z nieudolnym amerykańskim akcentem. Może i dobrze czasem przypomnieć sobie, że niektórzy mężczyźni mylą prostactwo ze szczerością. Tak jak inni mylą pruderię z moralnością.

Ci okresowi przyjaciele pochodzili z różnych epok: spośród Młodych Galantów w jego życiu pozostał tylko Eric. Spędzane wspólnie godziny upływały w przyjaznej atmosferze, a alkohol rozpuszczał wszelki dystans między nimi. Ale tak to już było – czy raczej tak to już było z nim – że zapamiętywał przede wszystkim te słowa, które coś sugerowały albo drażniły.

– Piłka nadal w grze, co, Paul?

– A ty wciąż wolny jak ptak?

– Nie znalazłeś jeszcze Tej Jedynej? Czy może powinienem powiedzieć Señority Rity?

– Myślisz, że kiedyś się ustatkujesz?

– Szkoda, że nie masz dzieci. Byłbyś dobrym ojcem.

– Nigdy nie jest za późno. Nie poddawaj się, stary.

– Tak, ale nie zapominaj: im więcej ciupciamy, tym gorsza sperma.

– Nie tęsknisz za małym domkiem, w którym siedziałbyś przed rozpalonym kominkiem z wnukami na kolanach?

– Nie można mieć wnuków, nie mając dzieci.

– Nie wyobrażasz sobie, co dziś może zdziałać medycyna.

Jego sporadyczne powroty u niektórych wywoływały zadowolenie, że im tak ułożyło się życie, a u innych jeśli nie zazdrość, to lekki niepokój. Potem, po pięćdziesiątce, wrócił na stałe, przeprowadził się do Somerset i zainwestował część oszczędności.

– Skąd pomysł, żeby pójść w ser?

– Do końca życia będziesz miał koszmary.

– A może ma to związek z jakąś dojareczką?

– Spójrz tylko na ten tyłek.

– Cóż, przynajmniej teraz będziemy cię częściej widywać.

Ale nie było żadnej dojareczki i, co dziwne, ostatecznie wcale nie widywał się ze swoimi okazjonalnymi przyjaciółmi częściej. Jeśli tylko chcesz, Somerset potrafi okazać się równie odległe jak Valparaíso czy Tennessee. I może wolał pamiętać ich toporne żarty, bo dzięki temu łatwiej było mu trzymać ich na dystans, tak jak trzymał przyjaciółki. Choć teraz niektórzy sami trzymali się na dystans, wszedłszy w wiek, kiedy zaczynają się choroby. Pojawiały się mejle o raku prostaty i operacjach pleców, i drobnych problemach z sercem, które mogły źle wróżyć. Łykali witaminy i leki na cholesterol, a w bezsenne noce towarzystwa dotrzymywała im World Service. A niedługo, niewątpliwie, przyjdzie czas pogrzebów.

Pamiętał kolegę, z którym wieki temu studiował prawo. Alan Jakiśtam. Stracili ze sobą kontakt z takiego czy innego powodu. Alan wcześniej siedem lat spędził na weterynarii, ale gdy tylko zdobył dyplom, natychmiast przerzucił się na prawo.

Pewnego dnia spytał go, czemu tak nagle zrezygnował z pierwszej ścieżki kariery zawodowej. Czyżby uznał, że nie lubi zwierząt? A może chodziło o długie godziny pracy? Nie, odparł Alan, nic z tych rzeczy. Zawsze myślał, że dobrym, sensownym zajęciem byłoby leczenie zwierząt hodowlanych, pomaganie im bezpiecznie rodzić i umierać bez bólu; spędzałby czas na wolnym powietrzu, poznawał różnych ludzi. I wiedział, że tak by właśnie było. Ale tym, co go ostatecznie zniechęciło, była pewnego rodzaju nadwrażliwość. Wyjaśnił, że kiedy kilka godzin siedzi się po łokcie w krowim zadku, nie da się nie wdychać wstrętnych zwierzęcych wyziewów. A kiedy one znajdą się w tobie, nieuchronnie będą się znów chciały wydostać.

Alan powiedział tylko tyle. Ale on naturalnie wyobraził sobie, jak Alanowi wszystko idzie dobrze w łóżku z dziewczyną, aż tu nagle wylatuje z niego koszmarny ładunek krowich gazów; dziewczyna wyskakuje z łóżka, pospiesznie chwyta ubranie i znika bez śladu. A może to się nigdy nie wydarzyło, ale Alan nie mógł znieść myśli, że może się zdarzyć, gdy będzie z kimś, kogo kocha.

Co się stało z Alanem? Nie miał pojęcia. Ale ta historia została mu w pamięci po dziś dzień. Bo są takie rzeczy, które zamieszkują w tobie i nigdy tak naprawdę nie znikają. Krowie gazy muszą się którędyś wydostać. Potem trzeba po prostu żyć z konsekwencjami, aż smród się rozwieje. I tak niejedna dziewczyna pospiesznie chwyciła ubranie, nie tylko Anna. I nie, w tamtych chwilach nie wykazywał się stoickim spokojem.

W młodości, jak wszyscy jego rówieśnicy, rozpalony dumą i miłością do Susan, lubił rywalizację.

Mój kutas jest większy od twojego, moje serce jest większe niż twoje. Młode byczki przechwalające się walorami swoich dziewczyn. Podczas gdy on przechwalał się tak: patrzcie, jaki w porównaniu z waszymi mój związek jest niekonwencjonalny. A potem też: patrzcie, jak silne są moje uczucia do niej i jej uczucia do mnie. Przecież, ewidentnie, właśnie to się liczyło, bo siła uczuć decyduje o poziomie szczęścia, prawda? Wtedy wydawało mu się to porażająco logiczne.

Dawniej mawiano, że najszczęśliwszymi ludźmi na ziemi są Bhutańczycy. W Bhutanie było mało materializmu, za to silne więzi rodzinne, społeczne i religijne. Tymczasem on mieszkał na materialistycznym Zachodzie, gdzie było mało religii i słabsze więzi zarówno społeczne, jak i rodzinne. Czy to działało na jego korzyść, czy niekorzyść?

Ostatnio za najszczęśliwszych ludzi na ziemi uznawano Duńczyków. Nie ze względu na ich domniemany hedonizm, lecz z powodu skromności wyrażanych przez nich oczekiwań. Zamiast sięgać do gwiazd i księżyca, ich ambicją było jedynie dotrzeć do następnej latarni ulicznej, a radość z osiągnięcia celu czyniła ich jeszcze szczęśliwszymi. Znów przypomniał sobie tamtą kobietę, czyjąś dziewczynę, która powiedziała, że obniżyła swoje oczekiwania, bo to zmniejsza prawdopodobieństwo, że się rozczaruje. A tym samym stanie się szczęśliwsza? Czy właśnie tak to jest być Duńczykiem?

Jego doświadczenie teraz kazało mu wątpić w to, że siła uczucia odpowiada poziomowi szczęścia. Równie dobrze można powiedzieć: im więcej jesz, tym lepiej trawisz albo im szybciej jedziesz, tym szybciej dotrzesz do celu. Chyba że wjedziesz w mur. Pamiętał tę sytuację, kiedy jechali z Susan jego morrisem minorem i linka gazu zerwała się albo zacięła, albo coś jeszcze. Pędzili pod tamto wzgórze jak szaleni, zanim wpadł na to, żeby wrzucić luz. Robił dwie rzeczy jednocześnie: panikował i myślał trzeźwo. Tak wyglądało wtedy jego życie. Teraz zawsze myślał trzeźwo, chociaż czasem odkrywał, że brakuje mu tamtej paniki.

Jest coś jeszcze, bez względu na to, czy jesteś Bhutańczykiem, Duńczykiem, czy Brytyjczykiem. Jeśli statystyki szczęścia opierają się na osobistych relacjach, jaką mamy pewność, że ktoś jest tak szczęśliwy, jak twierdzi? A jeśli nie mówi prawdy? Nie, musimy założyć, że wszyscy są tak szczęśliwi, jak mówią, albo przynajmniej że założenia badawcze dopuszczają kłamstwa. Prawdziwy problem kryje się więc głębiej: zakładając, że ankietowani przez antropologów i socjologów są wiarygodni, „bycie szczęśliwym" z pewnością jest równoznaczne z „uznawaniem się za szczęśliwego"? Co sprawia, że wszelka obiektywna analiza – na przykład aktywności mózgu – staje się nieistotna. Mówić szczerze, że jest się szczęśliwym, to być szczęśliwym. Wtedy problem przestaje istnieć.

A jeśli tak jest, może da się rozszerzyć ten argument. Na przykład, jeśli ktoś mówi, że kiedyś był szczęśliwy, i wierzy we własne słowa, to znaczy, że rzeczywiście był szczęśliwy. Czy to możliwe? Nie, to z pewnością bałamutne twierdzenie. Z drugiej strony historia emocjonalna to nie książka historyczna;

jej prawdy ciągle się zmieniają i pozostają prawdami, nawet gdy nie dają się ze sobą pogodzić.

On na przykład dokonał w swoim życiu obserwacji, że między płciami zachodzi pewna różnica w sposobie mówienia o związkach. Kiedy para się rozstawała, było bardziej prawdopodobne, że kobieta powie: „Wszystko było dobrze, dopóki nie wydarzyło się x". Gdzie x to zmiana okoliczności lub miejsca zamieszkania, pojawienie się kolejnego dziecka lub, o wiele za często, jakaś rutynowa – lub mniej rutynowa – niewierność. Tymczasem mężczyzna z większym prawdopodobieństwem stwierdzi: „Od początku nam się nie układało". I będzie mówił o wzajemnym niedopasowaniu albo o małżeństwie zawartym pod przymusem, albo o sekrecie po jednej lub obu stronach, który później wyszedł na jaw. Tak więc ona mówi: „Byliśmy szczęśliwi, dopóki", a on: „Nigdy nie byliśmy naprawdę szczęśliwi". Kiedy zaczął dostrzegać tę rozbieżność, usiłował dojść, które z nich jest bliższe prawdy, ale teraz, na drugim końcu życia, uznał, że mówią ją oboje. „W miłości wszystko jest jednocześnie prawdą i fałszem; to jedyny temat, na który nie da się powiedzieć nic absurdalnego".

Kiedy kupił połowę udziałów w Frogworth Valley Artisanal Cheese Company, wyobrażał sobie, że będzie właścicielem i kierownikiem. Współwłaścicielem i współkierownikiem. Miał biurko i fotel, i dość rozklekotany komputer; miał też biały fartuch, choć rzadko trzeba było go wkładać. Biurem zarządzała Hillary. Wyobrażał sobie, że będzie zarządzał

Hillary, ale nią nie trzeba było zarządzać. Zaproponował, że będzie pomagał i weźmie na siebie część jej obowiązków, głównie jednak obserwował, co dzieje się wokół, i się uśmiechał. Kiedy Hillary wyjeżdżała na wakacje, pozwalała mu zająć swoje biurko.

Okazało się, że najbardziej przyda się firmie (która składała się jedynie z pięciu osób), prowadząc stoisko na targach rolniczych. Niełatwo było znaleźć kogoś na stałe, a na Barrym, który jeździł na targi od lat, nie można już było polegać. Chętnie go zastępował, kiedy zachodziła taka potrzeba. Jechał do jednego z pobliskich miasteczek, rozstawiał stoisko, wykładał sery, karteczki z nazwami, talerze degustacyjne, plastikowy kubek z wykałaczkami. Zakładał tweedową czapkę i skórzany fartuch, ale wiedział, że trudno byłoby go wziąć za rodowitego mieszkańca Somerset. Za nim stało plastikowe tło – kolorowe zdjęcie szczęśliwych kóz. Inni straganiarze byli mili; czasem wymieniał u nich dwie piątki na dziesiątkę, dwie dziesiątki na dwudziestkę. Opowiadał klientom o dojrzałości serów i ich innych cechach: ten został obtoczony w popiele, ten w szczypiorku, ten w rozdrobnionym chilli. Wszystko to sprawiało mu przyjemność. Zapewniało takie interakcje społeczne, jakich teraz potrzebował: pogodne, wzajemnie krzepiące, bez cienia intymności – nawet jeśli czasem flirtował z Betty od Najlepszych Domowych Zapiekanek w Cieście. To była forma zabijania czasu. Ach, to wyrażenie. Nagle przypomina mu się Susan, jak mówi o Joan: „Wszyscy po prostu szukamy sobie bezpiecznego miejsca. A jeśli go nie znajdziesz, musisz nauczyć się zabijać czas". Wtedy to brzmiało jak porada zrodzona z rozpaczy, teraz wydawało mu się normalne i emocjonalnie praktyczne.

Mimo że nie spodziewał się ani nie pragnął wejść w jakiś ostatni związek – a może właśnie dlatego – często łapał się na tym, że przyciąga go publiczne okazywanie pragnienia. Ogłoszenia towarzyskie, kąciki złamanych serc, telewizyjne programy randkowe i te artykuły w gazetach o parach, które idą razem coś zjeść, oceniają się nawzajem w skali od jeden do dziesięciu, donoszą o niekompetencji partnera lub własnej w zakresie posługiwania się pałeczkami, potem odpowiadają (albo nie) na pytanie, czy się pocałowali. „Szybki uścisk" lub „Tylko w policzek" to częste odpowiedzi. Niektórzy kolesie stwierdzali z wyższością: „Dżentelmeni nigdy o tym nie mówią". Chcieli w ten sposób wyjść na wyrafinowanych, ale w istocie okazywali przesadny szacunek wyższym klasom: jego doświadczenie mówiło, że „dżentelmeni" byli tak samo chełpliwi, jak wszyscy inni mężczyźni. Niemniej śledził te dzielne, ostrożne sercowe wysiłki z mieszaniną czułości i sceptycyzmu. Miał nadzieję, że może się im udać, choć jednocześnie w to wątpił.

„Dżentelmeni nigdy o tym nie mówią". Cóż, może czasem to prawda. Na przykład wujek Humphrey, cuchnący alkoholem i cygarami, który wchodził do sypialni Susan, żeby zademonstrować jej „całus imprezowy", a potem żądał od niej jednego (lub więcej) co rok. Wątpił, by wujek Humph „mówił". Ale to nie czyniło z niego „dżentelmena" – wręcz przeciwnie.

Wujek Humph, którego lubieżność sprawiła, że Susan nie wierzyła w życie pozagrobowe. Czy jego zachowanie miało na nią także inny wpływ? Z tak odległej perspektywy nie sposób tego stwierdzić. I tak odprawił dawno nieżyjącego wujka ze swojej pamięci.

Wolał pamiętać Joan. Żałował, że nie znał jej jako energicznej mistrzyni tenisa, potem jako dziewczyny, która zeszła na manowce, wreszcie jako utrzymanki. Czy mężczyzna, który ją utrzymywał, a potem odprawił, był „dżentelmenem"? Susan nie zdradziła jego nazwiska, a teraz już nie było jak się dowiedzieć.

Uśmiechnął się na myśl o Joan. Przypomniał sobie szczekacze i Sibyl, starą goldenkę. Która z nich zmarła pierwsza, Joan czy Sibyl? Joan poprosiła, żeby przysłał kwiaty. Choć nigdy jasno nie powiedziała dla kogo. Ilekroć kusiło go, żeby wziąć psa, słyszał jej ostrzeżenie, że one ci umrą. Toteż nigdy nie wziął psa. Nigdy też nie kusiło go, żeby rozwiązywać krzyżówki albo pić gin.

„Mój mały, to był długi dzień".
Często śpiewa ci to na powitanie, kiedy odwiedzasz ją w czasie urlopu.
Chyba że śpiewa:

Klaśnij w dłonie, idzie Charlie,
Klaśnij w dłonie, wesół Charlie,
Klaśnij w dłonie, oto Charlie jest.

*

Martha, ku twojemu nieprzemijającemu zdziwieniu, nigdy nie sprzeciwia się twoim wizytom i nigdy nie prosi cię o pieniądze. Sama opiekuje się matką, niekiedy towarzyszy jej pielęgniarka. Masz wrażenie, że mąż Marthy dobrze sobie radzi w… czymkolwiek się zajmuje. Już ci kiedyś mówiła, a to oznacza, że nie możesz zapytać.

Z każdą twoją wizytą Susan jest trochę bardziej oddalona od rzeczywistości. Pamięć krótkotrwała zanikła jakiś czas temu, a długotrwała zmienia się, tworzy niewyraźny palimpsest, z którego czasem jej gasnący mózg wyławia wewnętrznie spójne, choć niepowiązane ze sobą wyrażenia. Często na powierzchnię wyłaniają się piosenki i powiedzonka sprzed dziesiątek lat.

Aż na płot wskoczy rad Jim,
Płatków Force jest siła w nim.

Jakiś dżingiel reklamujący płatki śniadaniowe – z czasów jej dzieciństwa? Z czasów dzieciństwa jej dzieci? W twoim domu jadało się weetabix.

Dawno już przestała pić; w istocie zapomniała, że kiedyś była alkoholiczką. Wydaje się, że wie, iż jesteś, albo byłeś, w jej życiu kimś, ale nie wie, iż kiedyś cię kochała, a ty kochałeś ją. Jej mózg jest umęczony, ale nastrój dziwnie stabilny. Panika i pandemonium należą do przeszłości. Nie wzburza jej ani twoje przybycie, ani odejście. Czasem jej stosunek do ciebie jest ironiczny, czasem niechętny, ale zawsze czuć w nim lekką wyższość, jakbyś nie był nikim znaczącym. Wszystko to jest dla ciebie szalenie bolesne i usiłujesz oprzeć się pokusie, by uwierzyć, że dostajesz to, na co zasłużyłeś.

– Paskudny z niego hulaka – zwierza się pielęgniarce teatralnym szeptem. – Mogłabym opowiedzieć o nim takie rzeczy, że włos zjeżyłby ci się na głowie.

Pielęgniarka patrzy na ciebie, dlatego wzruszasz ramionami i uśmiechasz się, jakbyś mówił: „Co można poradzić, to takie smutne, prawda?", a jednocześnie zdajesz sobie sprawę, że nawet teraz ją zdradzasz, nawet w tym nowym ostatecznym wcieleniu. Bo oczywiście mogłaby powiedzieć to i owo na twój temat, a pielęgniarce rzeczywiście mógłby się od tego zjeżyć włos na głowie.

Pamiętasz, jak stwierdziła, że nie boi się śmierci i że żałowałaby tylko tego, iż nie dowie się, co będzie dalej. Ale teraz ma bardzo mało przeszłości i nie myśli – dosłownie – o przyszłości. Została jej tylko gra cieni na jakimś wystrzępionym ekranie pamięci, którą uznaje za teraźniejszość.

„To wy jesteście zużytym pokoleniem".

„Każdy musi swoje wycierpieć".

„Klaśnij w dłonie, idzie… rad Jim".

„Jeden z najgorszych zbrodniarzy na świecie".

„Całe życie na ciebie czekałam".

Przynajmniej, myślisz sobie, wśród tych strzępów i skrawków coś jeszcze z niej zostało.

Ojejku, coś tu się dzieje przecie?
Trzy damy utknęły w to-a-le-cie.
Tkwiły od poniedziałku do soboty,
I czytały „Radio Times".

*

Tak, pamiętasz, jak ją tego nauczyłeś. Więc przynajmniej nie zamieniła się w kogoś zupełnie innego. Słyszałeś o takich przypadkach: zasłużone parafianki wykrzykujące sprośności, przemiłe starsze panie zamieniające się w nazistki i tak dalej. Ale to marna pociecha. Może gdyby stała się nierozpoznawalna, zupełnie przestała być do siebie podobna, to byłoby mniej bolesne.

Raz – i oczywiście przy pielęgniarce – odgrzebuje przyśpiewkę futbolową, którą mogła usłyszeć tylko od ciebie:

Gdybym miał skrzydła orła, gdybym miał dupsko sokole
Poleciałbym nad Tottenham i obsrał wszystkich na dole…

Ale pielęgniarka przez lata opieki nad ludźmi w podeszłym wieku i z demencją słyszała oczywiście już znacznie gorsze rzeczy, więc tylko unosi brew i pyta cię:

– Fanka Chelsea?

Jedno jest nie do zniesienia, jedno sprawia, że po dwudziestu minutach w jej towarzystwie jesteś tak wyczerpany i przybity, że chcesz stamtąd wybiec i wyć: choć nie pamięta twojego imienia, nigdy nie zadaje ci żadnych pytań ani nie odpowiada na twoje, nadal, na jakimś poziomie, dostrzega twoją obecność i na nią reaguje. Nie wie, kim ty, kurwa, jesteś ani czym się zajmujesz, ani nawet jak się, kurwa, nazywasz, ale jednocześnie rozpoznaje cię i poddaje ocenie moralnej, a ta nie jest dla ciebie korzystna. Właśnie to budzi w tobie silne pragnienie, by wybiec stamtąd i wyć, i to uzmysławia ci, że może na jakimś podobnym poziomie nieświadomości, w jakimś odległym zakamarku mózgu, wciąż ją kochasz. A ponieważ jest to świadomość niepożądana, chce ci się wyć jeszcze bardziej.

A skoro się już zadręczał, oto pytanie, do którego często dochodził, kiedy jego umysł obierał konkretną ścieżkę pamięci. Oddał Susan w akcie samoobrony. Co do tego nie było wątpliwości i nie miał wątpliwości, że musiał tak postąpić. Ale poza tym – czy był to akt odwagi, czy tchórzostwa?

A jako że nie potrafił zdecydować, może odpowiedź brzmiała: jednego i drugiego.

Ale ona tak diametralnie odmieniła jego życie, po części na lepsze, a po części na gorsze. Uczyniła go bardziej szczodrym i otwartym wobec innych, ale też bardziej podejrzliwym i zamkniętym. Pokazała mu korzyści, jakie daje impulsywność, ale też wpisane w nią zagrożenia. Koniec końców więc dostała mu się w udziale umiarkowana szczodrość i ostrożna impulsywność. Od ponad dwudziestu lat jego życie stanowiło przykład, jak być jednocześnie impulsywnym i ostrożnym. A jego szczodrość wobec innych, jak opakowanie bekonu, miała określoną datę przydatności.

Zawsze pamiętał, co mu powiedziała, kiedy wyszli od Joan. Jak większość młodych mężczyzn, zwłaszcza tych zakochanych po raz pierwszy, postrzegał życie – i miłość – w kategoriach zwycięstw i porażek. On, oczywiście, był zwycięzcą; Joan, zakładał, przegrała albo, co bardziej prawdopodobne, w ogóle nie wzięła udziału w zawodach. Susan wyprowadziła go z błędu. Pokazała, że każdy ma swoją historię miłości. Nawet jeśli zakończyła się fiaskiem, nawet jeśli się wypaliła, jeśli nigdy nic z niej nie wynikło, jeśli od początku rozgrywała się tylko w wyobraźni: nic nie czyniło jej ani trochę mniej prawdziwą. I to była jedyna historia.

Wtedy jej słowa go otrzeźwiły, a historia Joan sprawiła, że zaczął o niej myśleć zupełnie inaczej. Potem, z upływem lat, w miarę jak jego życie ewoluowało, w miarę jak zaczęły przeważać rozwaga i ostrożność, zdał sobie sprawę, że on, tak samo jak Joan, ma swoją historię miłości i może nie będzie już mieć żadnej innej. I teraz rozumiał lepiej, czemu pary kurczowo trzymają się swojej historii – często każde innej jej części – długo po tym, jak ich uczucie ostygło, nawet wtedy, kiedy nie są już pewni, czy mogą się nawzajem znieść. Zła miłość nadal zawiera ślad, wspomnienie, dobrej miłości – gdzieś w głębi, gdzie nikomu nie chce się już kopać.

Często zastanawiał się nad cudzymi historiami miłości, a czasem, ponieważ był spokojny i nie wywoływał onieśmielenia, ludzie mu się zwierzali. Zwykle kobiety, ale to żadne zaskoczenie; mężczyźni – czego sam był doskonałym przykładem – byli zarówno bardziej skryci, jak i mniej elokwentni. I nawet kiedy widział, że historie miłosne oszukanych i porzuconych z każdym powtórzeniem tracą trochę na autentyczności – że takie opowieści to odpowiedniki Winstona Churchilla w tylnej uliczce w Aylesbury, uróżowanego i wymalowanego na użytek kamery Pathé News – nawet kiedy tak było, wciąż był nimi poruszony. W istocie bardziej poruszało go życie opuszczonych i niewybranych niż historie miłosnych sukcesów.

Z jednej strony byli ci, którzy mieszkali w bruździe, drążąc tunele głęboko w ziemi, i którzy, co zrozumiałe, niechętnie mówili o swoim wewnętrznym ja. A z drugiej strony ci, którzy całe życie opowiadali swoją jedyną historię albo falami wynurzeń, albo na raz. Gdzie wtedy był? Widział bar na nabrzeżu, absurdalne koktajle, czuł ciepłą nocną bryzę, słyszał dudniący rytm z tandetnych głośników. Był w harmonii ze światem, obserwował, jak przeobraża się życie innych. Nie, to zbyt podniosłe sformułowanie: obserwował młodych, jak radośnie się upijają, a ich myśli zajmuje seks, romanse i coś więcej. Ale mimo że był w stosunku do młodych pobłażliwy – nawet sentymentalny – i chciał chronić ich nadzieje, jedno budziło w nim przesądny lęk i wolał nie być tego świadkiem: chwila, w której odrzucają swoje życie, bo wydaje im się, że to jest to – na przykład kiedy uśmiechnięty kelner przynosi kopiec sorbetu z mango, z lśniącym pierścionkiem zaręczynowym na jego kopulastym wierzchołku, a oświadczający się mężczyzna, z błyszczącymi oczami, przyklęka na piasku... Z obawy przed takimi scenami często kładł się wcześnie spać.

Tak więc siedział przy barze i był w połowie trzeciego i teoretycznie ostatniego papierosa tego wieczoru, kiedy stołek obok zajął mężczyzna w plażowych szortach i klapkach.

– Mógłbym się poczęstować papierosem?

– Bardzo proszę.

Podał mu paczkę, a potem hotelowe zapałki z palmą na pudełku.

– My, palacze, jesteśmy na wymarciu, nie?

Jegomość, Anglik, był zapewne po czterdziestce, lekko pijany, sympatyczny, nienachalny. Ani śladu tej fałszywej serdeczności, z jaką się czasem spotykałeś, przekonania, że musicie mieć ze sobą więcej wspólnego, niż macie. I tak siedzieli w milczeniu, paląc, i może właśnie brak sztucznej rozmowy zachęcił mężczyznę, żeby odwrócić się i oznajmić spokojnym refleksyjnym tonem:

– Powiedziała, że chce spocząć na moim ramieniu jak ptak. Pomyślałem, że to brzmi poetycko. Oraz że to świetnie, że tego mi właśnie trzeba. Nigdy nie lubiłem takich, co się uwieszą.

Mężczyzna przerwał. Paul zawsze chętnie służył podpowiedzią.

– Ale nic z tego nie wyszło?

– Dwa problemy. – Mężczyzna zaciągnął się, po czym wypuścił dym w aromatyczne powietrze. – Po pierwsze, ptaki zawsze odlatują, prawda? To leży w ich ptasiej naturze, prawda? A po drugie, zanim odlecą, zawsze nasrają ci na ramię.

I z tymi słowy zgasił papierosa, skinął głową i ruszył plażą ku łagodnym falom.

W jednym z tych dziwacznych sentymentalnych nastrojów, przed którymi zawsze usiłował się chronić, wpadł na pomysł, żeby spróbować zrobić słynne ciasto do góry nogami Susan. Przez lata stał się niezłym kucharzem, toteż wyobrażał sobie, że zdoła dojść, co wtedy się nie udało. Za dużo owoców, za mało proszku do pieczenia, za dużo mąki – tak obstawiał.

Przed upieczeniem ciasto niewątpliwie wyglądało nieprzyjemnie i mało obiecująco. Ale kiedy wyjął je z piekarnika, ku jego zaskoczeniu, okazało się, że wyrosło prawidłowo, owoce były równomiernie rozłożone i pachniało jak... ciasto. Pozwolił mu ostygnąć, potem ukroił sobie mały kawałek. Smakowało w porządku. Jedzenie go nie przywołało jakichś konkretnych wspomnień, z czego się cieszył. Cieszył się też, że nie potrafił powtórzyć cudzych błędów, tylko własne.

Ukroił kolejny kawałek, a potem, w przypływie nagłej podejrzliwości wobec swoich motywów, wyrzucił resztę do kosza. Włączył Wimbledon i oglądał, jak dwaj wysocy mężczyźni w bejsbolówkach posyłali asy jeden za drugim z gema na gem. Przeżuwał ciasto i zastanawiał się od niechcenia, co by się stało, gdyby wrócił do Wioski i pojawił się w klubie tenisowym. Wystąpił o członkostwo. Poprosił, by mimo podeszłego wieku pozwolono mu zagrać. Powrócił niegrzeczny chłopiec: miejscowy John McEnroe. Nie, to jeszcze jeden przejaw sentymentalizmu. W klubie na pewno nie ma już nikogo, kto by go pamiętał. Albo, co bardziej prawdopodobne, na jego miejscu zastałby przyjemniutkie osiedle mieszkaniowe. Nie, nigdy tam nie wróci. Ani trochę nie interesowało go, czy dom jego rodziców albo Macleodów, albo Joan jeszcze stoją. Z tak odległej perspektywy te miejsca nie obudziłyby w nim żadnych uczuć. A przynajmniej tak sobie mówił.

Pod koniec dwóch tygodni Wimbledonu stacje telewizyjne pokazywały więcej meczów deblowych: męskich, kobiecych, mieszanych. Naturalnie najbardziej interesowały go miksty. „Najczulszym punktem jest środek, Casey Paul". Już nie: gracze byli w tak dobrej formie, tak szybko i pewnie uderzali z woleja, a ich rakiety miały słodkie punkty wielkości głowy. Inna zmiana to brak galanterii, w każdym razie na tym poziomie. Z tego, co pamiętał, dawniej zawodnicy uderzali najmocniej, jak potrafili, gdy piłkę odbierał tenisista, ale kiedy z drugiej strony siatki była tenisistka, ograniczali siłę i w większym stopniu polegali na zmianach kąta i głębokości zagrania; czasem dokładali slajs albo dropszot. W istocie rzeczy chodziło o coś więcej niż galanteria: po prostu nudno było patrzeć, jak tenisista ogrywa tenisistkę, używając siły.

Nie grał w tenisa od lat; wręcz od dekad. Kiedy mieszkał w Stanach, tymczasowy przyjaciel zaproponował mu grę w golfa. W pierwszej chwili poczuł ironiczne zdziwienie, ale absurdem było uprzedzać się do jakiegoś sportu tylko dlatego, że kiedyś uprawiał go Gordon Macleod. Z czasem poznał przyjemność, jaką daje doskonałe uderzenie kijem w piłkę, wstyd towarzyszący uderzeniu rączką, zaczął doceniać zawiłości uderzeń z kołeczka na green. Niemniej, kiedy zamierzał posłać piłkę na fairway, a głowę wypełniały mu, jak należy, rady instruktora, żeby zrobić pełny zamach, używać bioder i nóg,

i o tym, jak ważne jest wykończenie, niekiedy słyszał, słodki rozbawiony głos Susan Macleod, jakby
szept, wyrażający opinię, że to zupełnie niesportowe
uderzać w piłkę, która się nie porusza.

Gordon Macleod: którego kiedyś chciał zabić,
chociaż Joan powiedziała mu, że w okolicy nie było
żadnego morderstwa, odkąd mieszkańcy Wioski
zrzucili średniowieczne szaty. Ten typ Anglika, jakiego najbardziej nienawidził. Protekcjonalny, pa-
triarchalny, manierycznie pedantyczny. Nie mówiąc
już o tym, że brutalny i despotyczny. Pamiętał, że
wydawało mu się, iż Macleod nie pozwalał mu dorosnąć, nie poprzez jakieś działanie, lecz samym
swoim istnieniem. „A iluż to młodych galantów będzie dotrzymywać ci towarzystwa w ten weekend?".
Susan dzielnie odpowiedziała: „Zdaje się, że w ten
weekend będą tylko Ian i Eric. Chyba że pozostali
też się pojawią". Słowa Gordona Macleoda były jak
ogień; śmiał się z nich, tak jak i Susan, ale boleśnie
go poparzyły.
    I była jeszcze ta inna sytuacja, gdy również padły
słowa, które niosły się echem przez resztę jego życia. Ten wściekły przysadzisty mężczyzna ubrany
w szlafrok, z oczami niewidocznymi w mroku, gó-
rował nad nim, kiedy on w panice trzymał się kurczowo balustrady.
    „Szto? Szto, mój piękny opierzony przyjacielu?".
    Wtedy zarumienił się, poczuł, jak pali go skóra.
Ale też pomyślał, że ten facet po prostu musi być
stuknięty. To znaczy, na tyle stuknięty, żeby jakimś
sposobem podsłuchiwać prywatne rozmowy jego

i Susan. Chyba że ukrył pod łóżkiem żony dyktafon. I na myśl o tym zarumienił się ponownie.

Trzeba było wielu lat, by zdał sobie sprawę, że to nie był przejaw jakiejś szaleńczej wrogości, lecz coś całkiem niezamierzonego, co niemniej miało na niego wielki i destrukcyjny wpływ. Gordon Macleod, wyrwany ze snu przez kroki kochanka żony, po prostu, w tamtej chwili, i zapewne bez żadnego ukrytego motywu, sięgnął do intymnego języka, którym porozumiewał się z Susan. Porozumiewał się? Więcej – stworzył. A który Susan potem wniosła do ich związku. Bezwiednie. Mówisz „skarbie", mówisz, „moja miłości", mówisz „pocałuj mnie ledwo, ledwo", mówisz „szto?", mówisz „mój piękny opierzony przyjacielu", bo to są słowa, które w danej chwili przychodzą ci do głowy. I ona też nie miała żadnego ukrytego motywu. A teraz zastanawiał się, czy jej powiedzonka, które tak go oczarowały, były rzeczywiście jej. Może tylko „Jesteśmy zużytym pokoleniem", bo wydawało się mało prawdopodobne, by Gordon Macleod, w całym swoim zarozumialstwie, wierzył, że on i inni mężczyźni w jego wieku są zużyci.

Pamiętał społeczną kampanię reklamową z czasów, kiedy rząd, niechętnie, przyznał, że istnieje coś takiego jak AIDS. Z tego, co sobie przypominał, były chyba dwie wersje: zdjęcie kobiety w łóżku z kilkoma mężczyznami i zdjęcie mężczyzny w łóżku z kilkoma kobietami, wszyscy leżeli obok siebie, jak sardynki. Tekst informował, że ilekroć idziesz z kimś nowym do łóżka, idziesz też do łóżka z każdym, z kim ta osoba wcześniej spała. Rząd mówił tu o chorobie przenoszonej drogą płciową. Ale tak samo jest ze słowami: one też mogą być przenoszone drogą płciową.

A także, skoro już o tym mowa, czyny. Tyle że – co dziwne, ale i fortunne – czyny nigdy nie stały się źródłem żadnego problemu. Nigdy nie złapał się na tym, że myśli: „Och, ten ruch ręką albo ramieniem, albo nogą, albo językiem na pewno wykonywałaś też z tym, tym i tym". Takie myśli i obrazy nigdy nie zaprzątały mu głowy i był z tego rad, bo łatwo mógł sobie wyobrazić, że widma poprzedników w głowie potrafią doprowadzić do obłędu. Ale odkąd zrozumiał, skąd się wzięły szydercze słowa Gordona Macleoda, stał się świadomy – czasem aż do absurdu – tego, co musiało się dziać w sferze werbalnej, odkąd Adam czy Ewa, czy ktokolwiek to był, jako pierwszy wdał się w romans.

Kiedyś wspomniał o swoim odkryciu dziewczynie: lekko, niemal frywolnie, jakby to było naturalne i nieuniknione, a wobec tego ciekawe. Dzień czy dwa później, kiedy byli w łóżku, żartobliwie nazwała go swoim „pięknym opierzonym przyjacielem".

– Nie! – krzyknął, natychmiast wycofując się na swoją stronę materaca. – Nie mów tak do mnie!

Była zszokowana jego gwałtownością. On też był nią zszokowany. Ale chronił wyrażenie, które należało wyłącznie do Susan i do niego. Tyle że wcześniej należało wyłącznie do pana Gordona Macleoda, świeżo upieczonego męża, i jego pogodnie speszonej żony.

Tak więc przez jakiś czas – powiedzmy, że dwadzieścia lat lub więcej – był chorobliwie wyczulony na język zakochanych. Oczywiście to idiotyczne. Patrząc na sprawę racjonalnie, widział, że zasób dostępnych słów jest ograniczony i nie powinno mieć znaczenia, iż podlegają one recyklingowi, kiedy co noc, na całym świecie, miliardy ludzi zapewniają o wyjątkowości swoich uczuć, używając w tym celu wyrażeń z drugiej ręki. Tyle że czasem miało. Co oznaczało, że tutaj, tak jak wszędzie, rządziła pre--historia.

Wyobrażał sobie, jak korty tenisowe w Wiosce zastępuje eleganckie osiedle nowoczesnych domków albo może bardziej lukratywne skupisko niskich bloków. Zastanawiał się, czy ktoś, gdzieś, kiedyś spojrzał na osiedle mieszkaniowe i pomyślał: A może to wszystko zburzymy i wybudujemy tu ładny klub tenisowy, z najnowocześniejszymi całorocznymi kortami? Albo może – tak, czemu nie pójdziemy dalej i nie położymy jakichś porządnych staroświeckich kortów trawiastych, żeby można było na nich grać w takiego tenisa jak dawniej? Ale nikt by nigdy czegoś takiego nie zrobił ani nawet nie pomyślał, prawda? Tego, co zniknęło, nie można przywrócić; teraz to wiedział. Ciosu, raz zadanego, nie można cofnąć. Słów, raz wypowiedzianych, nie można wymazać. Możemy żyć dalej, jakby nic nie przepadło, nic się nie stało, nic nie zostało powiedziane; możemy twierdzić, że o wszystkim zapomnieliśmy, ale serce nie zapomina, bo to nas zmieniło na zawsze.

Oto pewien paradoks. Kiedy był z Susan, prawie nigdy nie rozmawiali o swojej miłości, nie analizowali jej, nie starali się zrozumieć jej kształtu, koloru, wagi i granic. Po prostu była, nieunikniony fakt, niewzruszony pewnik. Ale też obojgu brakowało odpowiednich słów, doświadczenia i wyposażenia intelektualnego, by móc o niej rozmawiać. Potem, kiedy był po trzydziestce i po czterdziestce, świat emocji nabrał dla niego klarowności. Ale w swoich późniejszych związkach czuł nie tak głęboko i nie tak dużo było do omawiania, więc umiejętność wysławiania się rzadko się przydawała.

Kilka lat temu przeczytał, że w męskim podejściu do kobiet powszechny jest psychologiczny scenariusz w postaci „fantazji ratunkowej". Może budzi ona w mężczyznach wspomnienia o baśniach, w których waleczni rycerze napotykają śliczne dziewczęta zamknięte w wieżach przez podłych opiekunów. Albo o tych klasycznych mitach, w których inne dziewczęta – zwykle nagie – zostają przykute do skały tylko po, by mogli je ocalić nieustraszeni wojownicy. Zazwyczaj, tak się dogodnie składało, najpierw napotykali oni morskiego węża lub smoka, którego trzeba było w pierwszej kolejności wyeliminować. Ponoć we współczesnych, mniej mitycznych czasach bohaterką większości męskich fantazji ratunkowych była Marilyn Monroe. Odnosił się do tych doniesień z pewnym sceptycyzmem. Dziwne, że ratowanie jej nieuchronnie wiązało się z pójściem z nią do łóżka. Też mi ratunek. W rzeczywistości, jak mu się zdawało, najlepszym sposobem, żeby uratować Marilyn Monroe, było właśnie z nią nie spać.

Nie uważał, że jako dziewiętnastolatek doświadczył fantazji ratunkowej na temat Susan. Wręcz przeciwnie, doświadczył ratunkowej rzeczywistości. A w przeciwieństwie do dziewcząt w wieżach i na skałach, które przyciągały całe kłębowisko rycerzy szukających jakiejś rycerskiej przygody, i w przeciwieństwie do Marilyn Monroe, o której wyzwoleniu marzył każdy mężczyzna Zachodu (nawet gdyby po uratowaniu zamknął ją w swojej wieży), do Susan Macleod nie ustawiała się długa kolejka miłośników kina i Młodych Galantów sprzeczających się o to, komu przypadnie prawo uratowania jej przed mężem. Wierzył, że można ją uratować; co więcej, że on jeden może tego dokonać. To nie była żadna fantazja, tylko kwestia praktyczna i czysta konieczność.

Zdał sobie sprawę, że z tej odległej perspektywy nie pamięta już ciała Susan. Oczywiście pamiętał jej twarz, jej oczy i usta, i eleganckie uszy, i to, jak wyglądała w swojej sukience do tenisa; na potwierdzenie miał zdjęcia. Ale intymna znajomość jej ciała: to przepadło. Nie pamiętał jej piersi, ich kształtu, linii, ich jędrności albo jej braku. Nie pamiętał jej nóg, tego, jak się układały i jak je rozchylała, i co z nimi robiła, kiedy się kochali. Nie pamiętał, jak się rozbierała. Miał wrażenie, że robiła to tak jak kobiety na plaży, z dużą dozą pruderyjnej pomysłowości, pod ogromnym ręcznikiem, tyle że wyłaniała się spod niego nie w kostiumie, tylko w nocnej koszuli. Czy zawsze kochali się przy zgaszonym świetle? Nie pamiętał. Może często zamykał oczy.

Miała gorset, to pamiętał; cóż, niewątpliwie kilka.

Miały – jakkolwiek to się nazywa – takie tasiemki do przypinania pończoch. Podwiązki, właśnie. Ile na jedną nogę? Dwie, trzy? Ale on wiedział, że zapina tylko tę przednią. Teraz mu się przypomniało to szczególne przyzwyczajenie. A co do tego, jak wyglądały jej staniki... W wieku dziewiętnastu lat nie miał nawet cienia fetyszu bielizny, tak jak ona nie wyrażała erotycznego zainteresowania jego podkoszulkami i majtkami. Nawet nie pamiętał, jak wtedy wyglądały jego majtki. Przez jakiś czas nosił podkoszulki z siatki – z jakiegoś powodu wydawały mu się stylowe.

Z pewnością nie miała w sobie grama kokieterii. Żadnych zalotnie odsłoniętych fragmentów ciała. Jak się całowali? Nawet tego nie pamiętał. Tymczasem z późniejszych, mniej ważnych związków zachowały mu się w głowie zdumiewające kadry seksualne. Może w miarę jak nabierasz wprawy w seksie, bardziej zapada ci w pamięć. A może im głębsze uczucia, tym mniej liczą się seksualne szczegóły. Nie, żadne z tych twierdzeń nie jest prawdziwe. Usiłował po prostu znaleźć teorię, która wyjaśniłaby tę osobliwość.

Pamiętał, jak powiedziała mu, ot tak, ile razy się kochali. Sto pięćdziesiąt trzy razy czy coś koło tego. Wtedy jej słowa skłoniły go do najróżniejszych rozważań. Czy też powinien był liczyć? Czy nie licząc, popełnił miłosny błąd? I tak dalej. Teraz myślał: sto pięćdziesiąt trzy, tyle razy doszedł. Ale co z nią? Ile ona miała orgazmów? Czy w ogóle jakiś miała? Z pewnością doświadczała przyjemności i intymności; ale orgazm? Wtedy nie potrafił powiedzieć, ani nie pytał, ani nie wiedział, jak zapytać. A mówiąc całkiem szczerze, nigdy nie przyszło mu to do głowy. A teraz było za późno.

Próbował wyobrazić sobie, czemu postanowiła liczyć. Po pierwsze, mogła to być kwestia dumy i troskliwości – wszak była wtedy z drugim kochankiem w swoim życiu, i to po długim okresie posuchy. Ale potem przypomniał sobie jej udręczony szept: „Nie opuścisz mnie jeszcze, prawda, Casey Paul?".

Więc może liczenie, z początku wyraz afirmacji, potem zaczęło wynikać z niepokoju i trwogi: lęku, że on mógłby ją zostawić, że ona mogłaby już nigdy nie mieć żadnego kochanka. Czy o to właśnie chodziło? Poddał się. Przestał analizować przeszłość, gonić za tym, co Joan tak pamiętnie określiła mianem „moich odległych doświadczeń z dupczeniem".

Pewnego wieczoru, z kieliszkiem w ręku, oglądał od niechcenia w telewizji najlepsze momenty brazylijskiego Grand Prix. Nieszczególnie interesował go mdły plutokratyczny świat Formuły 1, ale lubił obserwować, jak młodzi mężczyźni podejmują ryzyko. Pod tym względem wyścig był satysfakcjonujący. Padał rzęsisty deszcz i tor zrobił się niebezpieczny; kałuże sprawiły, że nawet byli mistrzowie świata wpadali w poślizg i na bariery ochronne; wyścig dwa razy przerwano, a na tor często wyjeżdżał samochód bezpieczeństwa. Wszyscy prowadzili ostrożnie, z wyjątkiem dziewiętnastoletniego Maxa Verstappena z Red Bulla. Wystartowawszy z niemal ostatniej pozycji, wyprzedzał kolejnych rywali, aż ukończył wyścig na trzecim miejscu, wykonując po drodze manewry, na jakie nie odważyli się jego starsi i ponoć lepsi koledzy. Komentatorzy, zdumieni tym pokazem umiejętności i śmiałości, szukali wytłumaczenia. I któryś znalazł: „Uważa się, że nasz stosunek do ryzyka normuje się dopiero około dwudziestego piątego roku życia".

To stwierdzenie przykuło jego uwagę. Tak, pomyślał: zdradliwy tor, widoczność ograniczona niemal do zera, inni zdenerwowani, podczas gdy ty czujesz się niezniszczalny i jedziesz na pełnym gazie, a wszystko to dzięki jeszcze nieunormowanemu stosunkowi do ryzyka. Tak, pamiętał to wszystko aż za dobrze. To ma swoją nazwę – dziewiętnaście lat. I niektórzy się rozbijali, a inni nie. Verstappen się nie rozbił. Przynajmniej na razie: przed nim jeszcze sześć lat, zanim neurofizjologia uczyni go całkowicie rozsądnym.

Ale jeśli Verstappen wykazywał się młodzieńczą nieustraszonością, a nie prawdziwą odwagą, czy ta sama reguła dotycząca wieku obejmowała też tchórzostwo? Niewątpliwie miał mniej niż dwadzieścia pięć lat, kiedy dopuścił się aktu tchórzostwa, który prześladował go przez całe życie. Razem z Erikiem zatrzymali się u Macleodów i pojechali do wesołego miasteczka w pewnym pagórkowatym parku. Schodzili właśnie ramię w ramię ze wzgórza, gawędząc, i nie zauważyli idącej z naprzeciwka grupy młodych. Kiedy się z nimi mijali, któryś potrącił Erica barkiem, inny podstawił mu nogę, a trzeci dał mu z buta. On zarejestrował to wszystko kątem oka, jakby jego widzenie peryferyjne uległo nagłemu wyostrzeniu – ile czasu minęło, zanim Eric znalazł się na ziemi? sekunda? dwie? – i natychmiast, instynktownie rzucił się do ucieczki. Powtarzał sobie: „Znajdź policję, znajdź policję", ale nawet mówiąc to, wiedział, że nie dlatego biegnie. Bał się, że też zostanie pobity. Racjonalna część jego umysłu wiedziała, że w wesołych miasteczkach rzadko widuje się policjantów. Zbiegł więc ze wzgórza na sam dół, kontynuując te bezsensowne niby-poszukiwania, a jednocześnie nie prosząc nikogo napotkanego po drodze o pomoc. Potem ponownie wspiął się na górę, drżąc na myśl, co może tam zastać. Eric był już na nogach, twarz miał zakrwawioną i macał się po żebrach. Nie pamiętał już, co zostało powiedziane – czy użył swojej fałszywej wymówki; wrócili do domu Macleodów. Susan opatrzyła Erica, nie szczędząc dettolu, i nalegała, żeby został u nich, dopóki nie zejdą mu siniaki i nie zagoją się skaleczenia. Co też Eric uczynił. Ani wtedy, ani później nie wytknął mu tchórzostwa, ani nie spytał, czemu zniknął.

Można, jeśli jest się ostrożnym i ma się szczęście, przejść przez życie, nie mając wielu okazji do wykazania się odwagą – czy raczej tchórzostwem. Kiedy Macleod zaatakował go w pokoju z książkami, oczywiście rzucił się do ucieczki, wymierzywszy jeden nieskuteczny cios w odpowiedzi na trzy napastnika. A kiedy wybiegł przez tylne drzwi, też nie szukał policji. Przyjął zapewne słuszne założenie, że Macleod jest tak pijany i wściekły, iż będzie próbował go uderzyć tak długo, aż mu się uda. Mimo że był młodszy i w dość dobrej formie, uważał, że w zamkniętym pomieszczeniu ma słabe szanse. To nie było stawanie w szranki z równie jak on bojaźliwym chłopcem poniżej dwunastego roku życia i czterdziestu kilogramów.

A potem znowu, niedawno. „Niedawno" w znaczeniu „piętnaście czy dwadzieścia lat temu". Tak funkcjonował teraz jego umysł, i czas. Był z powrotem w Anglii dopiero od kilku lat. Odwiedził Susan parę razy, co nie sprawiło ani jej, ani jemu żadnej widocznej przyjemności. Pewnego wieczoru zadzwonił telefon. To była Martha Macleod, teraz – już od dawna – pani Jakaś-Tam.

– Matka została tymczasowo umieszczona na oddziale psychiatrycznym – brzmiały jej pierwsze słowa.

– Bardzo mi przykro.

– Jest w... – i podała nazwę lokalnego szpitala.

Znał reputację tego oddziału. Znajomy lekarz powiedział mu kiedyś z zawodową oschłością: „Żeby tam trafić, trzeba być naprawdę szalonym".

– Tak.

– To okropne miejsce. Jak Bedlam. Dużo krzyczących ludzi. Albo tak nafaszerowanych środkami uspokajającymi, że przypominają zombie.

– Tak. – Nie spytał, do której kategorii należy Susan.

– Poszedłbyś się z nią zobaczyć? I zobaczyć to miejsce?

Pomyślał: To pierwszy raz od dwudziestu pięciu lat, kiedy Martha mnie o coś prosi. Najpierw pojawia się dezaprobata, potem ciche poczucie wyższości;

271

mimo że zawsze była wobec niego uprzejma. Musi być u kresu wytrzymałości. Cóż, swego czasu też tam był i wiedział, jak kres wytrzymałości potrafi być elastyczny. Zastanowił się więc nad jej prośbą.

– Może.

Tak się składało, że za parę dni akurat miał być w okolicy. Ale tego nie zamierzał jej mówić.

– Myślę, że dobrze by jej zrobiło, gdyby cię zobaczyła. Zważywszy, gdzie się znajduje.

– Tak.

Tak to zostawił. Odłożywszy słuchawkę, pomyślał: opiekowałem się nią latami. Zrobiłem, co mogłem. Poniosłem porażkę. Oddałem ją tobie. Teraz więc twoja kolej.

Ale sam nie wierzył swojej gorzkiej logice. Jakby mówił: „Znajdź policję, znajdź policję". Prawda była taka, że nie potrafił się z tym zmierzyć: nie potrafił zmierzyć się z tym, że miałby ją zobaczyć, zobaczyć to, co z niej zostało – czy krzyczy, czy przypomina zombie. Próbował myśleć o swojej decyzji jak o koniecznym akcie samoobrony, a także próbie ocalenia obrazu Susan, jaki miał w głowie. Ale znał prawdę. Bał się tam pójść.

Z upływem lat jego życie zamieniło się w przyjemną rutynę, która zapewniała mu tyle kontaktu z innymi ludźmi, ile potrzebował i lubił, i ile mu nie przeszkadzało. Znał zadowolenie, jakie płynie z czucia mniej. Jego życie emocjonalne sprowadziło się do życia towarzyskiego. Stojąc w skórzanym fartuchu i tweedowej czapce na tle kolorowego zdjęcia szczęśliwych kóz, wymieniał się skinieniami i uśmiechami z wieloma ludźmi. Cenił sobie stoicyzm i spokój, które nie wykształciły się w nim w drodze praktyki filozoficznej, lecz powoli nawarstwiły się samoistnie – jak koralowiec, który zwykle jest dość silny, by nawet w burzliwą pogodę zatrzymać fale przyboju. Oprócz tych sytuacji, kiedy nie jest w stanie.

Tak więc jego życie składało się głównie z obserwacji i wspomnień. Nie było to złe połączenie. Z niesmakiem patrzył na mężczyzn po sześćdziesiątce i siedemdziesiątce, którzy nadal zachowywali się tak, jakby byli po trzydziestce: młodsze kobiety, egzotyczne podróże i niebezpieczne sporty. Grubi potentaci na jachtach, włochate ręce obejmują chude modelki. Nie wspominając o szanowanych mężach, którzy pod wpływem egzystencjalnego lęku i viagry zostawiali swoje wieloletnie żony. Niemcy mają określenie na ten strach, jedno z tych harmonijkowych słów, w jakich specjalizuje się ich język, a które tłumaczy się jako „panikę w obliczu zamykających się drzwi". Jego to zamykanie nie martwiło, choć nie widział powodu, żeby je przyspieszać.

Wiedział, co mówiono o nim w okolicy: „Ten to woli trzymać się na uboczu". Opisowe wyrażenie, o neutralnym wydźwięku. Było to zgodne z życiową zasadą, którą Anglicy nadal szanowali. I nie chodziło tu tylko o prywatność, o to, że dom Anglika – nawet bliźniak pokryty tynkiem kamyczkowym – jest jego twierdzą. Chodziło o coś więcej: o twoje ja i o to, gdzie je przechowujesz, i komu – o ile komukolwiek – wolno je zobaczyć w pełnej krasie.

Wiedział, że tak naprawdę nikt nie jest w stanie utrzymać w życiu równowagi, nawet wtedy, gdy spokojnie je kontempluje. Wiedział, że zawsze jesteśmy rozdarci, a czasem oscylujemy między samozadowoleniem a żalem. On starał się skłaniać ku żalowi, jako mniej szkodliwemu.

Ale z pewnością nigdy nie żałował swojej miłości do Susan. Żałował natomiast, że był zbyt młody, zbyt nieświadomy, zbyt bezkompromisowy, zbyt pewny tego, jak wyobrażał sobie naturę i mechanizmy miłości. Czy byłoby lepiej – to znaczy mniej katastrofalnie – dla niego, dla niej, dla nich obojga, gdyby ich związek istotnie był „francuski"? Starsza kobieta uczy młodszego mężczyznę sztuki miłości, a potem, ukradkiem ocierając wytworną łzę, przekazuje go światu – światu młodszych, bardziej poślubialnych kobiet? Być może. Ale ani on, ani Susan nie byli na to dość wyrafinowani. On nigdy nie zaznał wyrafinowania w życiu emocjonalnym: zresztą jego zdaniem to brzmiało jak oksymoron. Tego też więc nie żałował.

Pamiętał swoje wczesne próby zdefiniowania miłości; było to jeszcze w Wiosce, leżał sam w swoim łóżku. Miłość, zaryzykował, to takie uczucie, jakby zmarszczone przez całe życie czoło uległo nagłemu i całkowitemu wygładzeniu. Hmm: miłość jako koniec migreny. Nie, gorzej: miłość jako botoks. Inne jego porównanie: miłość to takie uczucie, jakby płuca mojej duszy nagle wypełniły się czystym tlenem. Miłość jako półlegalny narkotyk? Czy on miał jakiekolwiek pojęcie, o czym mówi? Kilka lat później, tak się złożyło, był z grupą znajomych, kiedy dołączył do nich podekscytowany początkujący lekarz – podekscytowany, gdyż właśnie zwędził ze szpitala,

w którym pracował, butlę podtlenku azotu. Każdy
dostał balon, który napełnili z butli, po czym przy-
trzymał mocno końcówkę. Opróżniwszy płuca na
tyle, na ile mogli, przystawiali sobie balony do ust
i wdychali euforyczną falę nagłego gwałtownego,
oszałamiającego haju. Jednak nie, to nijak nie przy-
pominało mu miłości.

Ale czy zawodowcom szło lepiej? Wyjął z szuflady biurka swój mały notatnik. Od dawna nic w nim
nie napisał. W pewnym momencie, sfrustrowany
tym, jak mało znajduje dobrych definicji miłości,
zaczął zapisywać z tyłu wszystkie złe. Miłość to to,
miłość to tamto, miłość znaczy to, miłość znaczy
tamto. Nawet dobrze znane sformułowania w gruncie rzeczy mówiły niewiele więcej: to przytulanka,
to szczeniak, to poduszka pierdziuszka. Miłość
oznacza, że nigdy nie musisz przepraszać (wręcz
przeciwnie, często oznacza, że musisz). Dalej były
też te wszystkie wersy o miłości z tych wszystkich
piosenek miłosnych, ckliwe rojenia autora tekstu,
piosenkarza, zespołu. Nawet te słodko-gorzkie i cy-
niczne – „zawsze ci wierny, na swój sposób" – wydawały mu się zwykłymi przeciwieństwami sentymentalizmu. Tak, kolego, nam było tak źle, ale tobie
wcale nie musi być, zdawała się obiecywać piosen-
ka. Możesz więc słuchać z pełnym współczucia spokojem ducha.
    Był też wpis – na poważnie – którego nie wykreślił
od lat. Nie pamiętał, skąd pochodził. Nigdy nie zapisywał autora ani źródła: nie chciał ulegać niczyjej re-
putacji; prawda powinna bronić się sama, być jasna

i niezależna. Ta brzmiała tak: „Moim zdaniem każda miłość, szczęśliwa czy nieszczęśliwa, to prawdziwa katastrofa, kiedy oddasz się jej całkowicie". Tak, to zasługiwało, żeby się ostać. Podobała mu się należyta inkluzywność „szczęśliwej czy nieszczęśliwej". Ale kluczem było tu: „kiedy oddasz się jej całkowicie". Wbrew pozorom nie było to ani pesymistyczne, ani słodko-gorzkie. To była prawda o miłości wypowiedziana przez kogoś pogrążonego w jej wirze, prawda, która, jak się zdawało, zawierała cały smutek życia. Znów przypomniał sobie tamtą znajomą, która wiele lat temu powiedziała mu, że kluczem do małżeństwa jest to, żeby się „w nim zanurzać i z niego wynurzać". Tak, rozumiał, że to mogłoby być bezpieczne. Ale bezpieczeństwo nie ma nic wspólnego z miłością.

Smutek życia. To kolejna zagadka, nad którą czasami rozmyślał. Które sformułowanie było poprawne albo bardziej poprawne: „Życie jest piękne, ale smutne" czy „Życie jest smutne, ale piękne"? Jedno było oczywistą prawdą; ale nigdy nie potrafił zdecydować które.

Tak, miłość była dla niego zupełną katastrofą. I dla Susan. I dla Joan. I – jeszcze przed jego pojawieniem się – mogła być katastrofą także dla Macleoda.

Przejrzał kilka skreślonych wpisów, po czym schował notatnik z powrotem do szuflady. Może tylko tracił czas. Może miłości nie da się uchwycić w definicji, może można ją uchwycić jedynie w historii.

*

Był też przypadek Erica. Ze wszystkich jego przyjaciół właśnie Eric był człowiekiem o naprawdę dobrych intencjach i dlatego też zawsze przypisywał dobre intencje innym. Stąd brak wyrzutów po pobiciu w wesołym miasteczku. Mając trzydzieści parę lat, pracę w lokalnym wydziale planowania przestrzennego i całkiem przyzwoity dom w Perivale, Eric związał się z młodszą Amerykanką. Ashley mówiła, że go kocha, a jej miłość wyrażała się tym, że chciała z nim spędzać cały czas oraz nie chciała poznać jego znajomych. Ponadto Ashley nie chciała pójść z nim do łóżka, w każdym razie nie teraz, natomiast później na pewno. Widzicie, Ashley była wierząca, a Eric, który we wczesnej młodości sam był religijny, potrafił to zrozumieć i docenić. Ashley nie należała do żadnego Kościoła państwowego, bo spójrzcie tylko, ile one wyrządziły zła; Eric to też potrafił zrozumieć. Ashley mówiła, że jeśli Eric ją kocha i zgadza się z jej pogardą dla dóbr doczesnych, na pewno przyjmie jej wiarę. I tak Eric, tymczasowo odcięty od przyjaciół, wystawił swój całkiem przyzwoity dom na sprzedaż, z zamiarem przekazania uzyskanych środków jakiejś niedorzecznej sekcie w Baltimore, po czym oboje by się tam przeprowadzili i zostali zaślubieni przez jakiegoś niedorzecznego teoretyka religii czy szamana, czy oszusta, a Eric w zamian za swój dom w Perivale dostałby dożywotnio prawo lokatora w ciele swojej świeżo upieczonej żony. Na szczęście, właściwie w ostatniej chwili, uruchomił się jakiś instynkt przetrwania i Eric odwołał agenta nieruchomości, po czym Ashley zniknęła z jego życia na zawsze.

To była dla Erica prawdziwa katastrofa. Stracił wiarę w dobre intencje innych, a wraz z nimi zdolność całkowitego oddania się miłości. Gdyby tylko Susan zaszczepiła w nim swoją podejrzliwość wobec misjonarzy. Ale to nie było częścią jego pre--historii.

To dziwne, że dawno już nieżyjący Macleod wciąż nie dawał mu spokoju. Prawdę powiedziawszy, w większym stopniu niż Susan. Jej kwestia została już rozwiązana i pozostanie rozwiązana, nawet jeśli będzie mu też dalej sprawiać ból. Tymczasem kwestia Macleoda była nierozwiązana. Często więc łapał się na wyobrażaniu sobie, co się musiało dziać w głowie Macleoda przez te ostatnie nieme lata – gapił się na żonę, która go zostawiła, na gosposię i pielęgniarkę, których obecność go drażniła, na starego kumpla Maurice'a, który mówił: „Do dna, kolego", po czym prosto z butelki lał mu do ust whisky, mocząc przy okazji piżamę.

Tak więc Macleod leżał na plecach dzień po dniu, świadomy, że to się dobrze nie skończy. Macleod rozmyślał o swoim dotychczasowym życiu. Macleod wspominał, jak pierwszy raz zobaczył Susan na jakiejś potańcówce albo herbatce u znajomych, gdzie dziewczęta przeważnie chciały się bawić, a mężczyźni przeważnie nie reprezentowali poważanych zawodów, które zwalniały ze służby wojskowej. A ona tańczyła z tymi cwaniakami i paserami – w których zamieniła ich jego zazdrość. Nawet ci uczciwi byli tylko młodymi albo dorosłymi galantami. Ale ona nie zdecydowała się na żadnego z nich. Wybrała za to tamtego patafiana o durnym uśmiechu, który umiał świetnie tańczyć – i właściwie tylko tyle – a którego płaskostopie i arytmia wykluczyły ze służby wojskowej. Jak on miał u diabła na imię? Gerald. Gerald. A potem we dwoje tańczyli, podczas gdy on, Gordon, przyglądał się z boku. Potem patafian zmarł na białaczkę – zdaniem Gordona lepiej by się stało, gdyby, zanim wykorkował, wsadzono go do bombowca i pozwolono mu coś zwojować.

Susan oczywiście było przykro – jest niepocieszona, mówiono – ale on, Gordon, wkroczył do akcji i oznajmił, że jest takim gościem, na którym ona może polegać, zarówno w czasie wojny, jak i po niej. Wydała mu się może nie do końca trzpiotowata, ale trochę – jaka? nieodpowiedzialna? Nie, to nie było właściwe słowo. Nieuchwytna, czasem śmiała się z tego, co mówił – i to nie tylko z żartów – a te niespodziewane, niestosowne wręcz reakcje sprawiły, że zakochał się w niej nagle i na zabój. Powiedział jej, że nie ma znaczenia, co teraz czuje, bo jest pewny, że z czasem go pokocha, a ona odpowiedziała: „Zrobię, co mogę". A potem po prostu skoczyli na głęboką wodę, jak wielu w czasie wojny. Przed ołtarzem odwrócił się do niej i powiedział: „Całe życie na ciebie czekałem". Ale im nie wyszło. Bycie razem nie wyszło, seks nie wyszedł, z wyjątkiem skutecznego zapłodnienia; poza tym nie zrodziła się między nimi żadna intymność. Tak więc ich miłość okazała się katastrofą. Ale rzecz jasna, w tamtych czasach to nie był żaden powód, żeby się rozstawać. Bo przecież można się lubić, prawda? No i były też dziewczynki. Od dawna marzył o synu, ale po Marcie i Clarze Susan nie chciała więcej dzieci. I to był koniec tej części ich życia. Na początku oddzielne łóżka, potem, kiedy zaczęła się skarżyć na jego chrapanie – oddzielne sypialnie. Ale nadal się lubili; choć byli też coraz bardziej rozdrażnieni.

Tak właśnie, niczym brzuchomówca, użyczał głosu Gordonowi Macleodowi, czego nie mógłby robić, kiedy go jeszcze nienawidził. Czy teraz zbliżał się choć trochę do prawdy?

Pamiętał innego gniewnego mężczyznę: wściekłego kierowcę z czerwonymi włochatymi uszami, który trąbił i krzyczał na niego na przejściu dla pieszych w Wiosce. A on w odpowiedzi rzucił szyderczo: „Ty umrzesz, a ja będę żył". Wtedy uważał, że starsi zazdroszczą młodym. A teraz, kiedy przyszła jego kolej – czy zazdrościł młodym? Chyba nie. Czy odnosił się do nich z dezaprobatą, czy go szokowali? Czasem, ale trudno się dziwić: oni na to zasługiwali, on na to zasługiwał. On zszokował matkę okładką „Private Eye". Teraz sam był zszokowany, kiedy funkcja autoodtwarzania na YouTubie doprowadziła go do kobiety śpiewającej o zawiedzionej miłości; tytuł i refren tego utworu: *Durny pierdolony dupek*. On szokował rodziców swoimi poczynaniami seksualnymi. Teraz jego szokowało to, że seks tak często przedstawiano jako bezrozumne, nieczułe, bezmyślne pieprzenie. Ale czemu go to dziwiło? Każde pokolenie zakłada, że rozpracowało seks; każde patrzy z wyższością na poprzednie, a jednocześnie czuje niepokój na myśl o przyszłym. To normalne.

Co do ogólniejszej kwestii wieku i śmiertelności; nie, nie uważał, że wpada w panikę na myśl o zamykających się drzwiach. Ale może jeszcze nie usłyszał dość wyraźnie skrzypienia ich zawiasów.

Czasem niektórzy pytali go przebiegle albo współczująco, czemu nigdy się nie ożenił; inni zakładali albo sugerowali, że kiedyś gdzieś musiał mieć żonę. W takich sytuacjach robił użytek z angielskiej powściągliwości i stosował przeróżne uniki, tak że z tych pytań rzadko cokolwiek wynikało. Susan przewidywała, że kiedyś będzie przybierał jakąś pozę, i okazało się, że miała rację. Z czasem, właściwie tego nie zauważając, zaczął pozować na kogoś, kto nigdy przenigdy nie był – naprawdę, głęboko – zakochany.

Między bardzo długą a bardzo krótką odpowiedzią nie było żadnej odpowiedzi pośredniej: na tym polegał kłopot. Długa odpowiedź – w skróconej formie – obejmowałaby, oczywiście, jego pre-historię. Jego rodziców, ich osobowości i interakcje; jego poglądy na inne małżeństwa; krzywdy wyrządzane w znajomych rodzinach; ucieczkę od swojej rodziny do domu Macleodów i ulotne złudzenie, że znalazł się w jakimś magicznym świecie; potem drugie rozczarowanie. Kto się na gorącym sparzy, ten na zimne dmucha. Kto sparzy się ponownie, ten zawsze dmucha już na wszystko. Z czasem doszedł więc do wniosku, że takie życie nie jest dla niego; i nigdy potem nie znalazł nikogo, kto by go skłonił do zmiany zdania. Choć było prawdą, że oświadczył się Susan w kafeterii Royal Festival Hall, a potem Kimberly w Nashville. To wymagałoby paru nawiasów z wyjaśnieniami.

Długa odpowiedź była zbyt czasochłonna. Krótka była zbyt bolesna. Brzmiała tak: to kwestia tego, co znaczy mieć złamane serce i jak dokładnie serce się łamie, i co z niego potem zostaje.

Kiedy wspominał rodziców, często wyobrażał ich sobie jako postacie w jakimś starym przedstawieniu telewizyjnym z czarno-białych czasów. Siedzących po dwóch stronach otwartego kominka w fotelach z wysokimi oparciami. Ojciec ma w jednej ręce fajkę, drugą wygładza gazetę; matka trzyma papierosa zakończonego paroma niebezpiecznymi centymetrami popiołu, ale zawsze kiedy popiół ma już spaść na jej robótkę na drutach, znajduje popielniczkę. Potem jego pamięć przywołuje inny obraz matki: ma na sobie tamten różowy szlafrok; przyjechała po niego późnym wieczorem i z pogardą strząsa popiół na podjazd Macleodów. A potem tłumioną wzajemną niechęć, kiedy w milczeniu wracali do domu.

Wyobrażał sobie, jak rodzice dyskutują o swoim jedynym dziecku. Czy zastanawiali się, „gdzie popełniliśmy błąd"? Albo jedynie „gdzie on popełnił błąd"? Albo „jak mógł tak zbłądzić"? Wyobrażał sobie, jak matka mówi: „Mogłabym udusić tę kobietę". Wyobrażał sobie ojca – bardziej filozoficznego i skłonnego do przebaczenia. „Z chłopakiem jest wszystko w porządku, wychowaliśmy go dobrze. Po prostu jego stosunek do ryzyka jeszcze się nie unormował. Tak powiedziałby David Coulthard". Oczywiście jego rodzice zmarli na długo przed wyczynem Maxa Verstappena w brazylijskim Grand Prix, a ojciec nie interesował się sportami motorowymi. Ale może znalazłby jakąś podobną formułę rozgrzeszenia.

A on z kolei teraz, wstecznie, czuł wdzięczność za to bezpieczeństwo i monotonię, na które się uskarżał, kiedy poznał Susan. Z jego doświadczenia życiowego wynikało, że przetrwanie pierwszych szesnastu lat to w zasadzie kwestia ograniczania szkód. A oni mu w tym pomogli. Nastąpiło więc coś w rodzaju pośmiertnego pojednania, nawet jeśli wymagało pewnej korekty wizji rodziców; więcej zrozumienia, a wraz z nim spóźniony żal.

Ograniczanie szkód. Złapał się na tym, że rozmyśla, czy nie rozumiał zawsze opacznie tego niezatartego obrazu, który prześladował go całe życie: on jest w oknie na górze, trzyma Susan za nadgarstki. Może w istocie nie stracił sił i nie pozwolił jej spaść. Może prawda była taka, że ona wyciągnęła go swoim ciężarem. I że on też spadł. I w wyniku tego upadku doznał poważnego uszczerbku.

Poszedłem ją zobaczyć, zanim zmarła. Było to niedawno – przynajmniej w sensie subiektywnym. Nie wiedziała, że ktoś tam jest ani tym bardziej że to mógłbym być ja. Usiadłem na krześle. Kiedy wcześniej odgrywałem tę scenę w myślach, miałem nadzieję, że w jakiś sposób mnie rozpozna i że będzie wyglądała na spokojną. Zdawałem sobie sprawę, że pragnę tego tak samo zarówno ze względu na siebie, jak i na nią.

Twarze niewiele się zmieniają, nawet u kresu. Ale po niej nie było widać spokoju, mimo że spała albo była nieprzytomna, jedno z dwojga. Jej czoło było ściągnięte i zmarszczone, a żuchwa lekko wysunięta. Znałem jej twarz w takim wydaniu; widziałem to wiele razy, kiedy z uporem czemuś zaprzeczała, nawet bardziej ze względu na siebie niż ze względu na mnie. Oddychała przez nos, co jakiś czas lekko pochrapując. Miała zaciśnięte usta. Zdałem sobie sprawę, że zastanawiam się, czy po tylu latach wciąż ma tę samą protezę.

Pielęgniarka uczesała jej włosy, które teraz opadały gładko po obu stronach twarzy. Niemal odruchowo wyciągnąłem rękę, zamierzając ostatni raz odkryć jej eleganckie ucho. Ale moja dłoń się zatrzymała, jakby z własnej woli. Cofnąłem ją, nie wiedząc, czy powoduje mną niechęć do naruszania jej prywatności, czy mojej; lęk przed sentymentalizmem czy lęk przed nagłym bólem? Zapewne to drugie.

– Susan – powiedziałem cicho.

Nie zareagowała, tylko nadal marszczyła czoło i z uporem wysuwała do przodu żuchwę. Cóż, niech tak będzie. Nie przyszedłem tu przekazać jej lub otrzymać jakąś wiadomość, a tym bardziej, żeby otrzymać przebaczenie. Od miłosnej bezkompromisowości do miłosnej absolucji? Nie: nie wierzę w uważane przez niektórych za niezbędne wygodne życiowe narracje, podobnie jak nie przejdą mi przez gardło krzepiące słowa takie jak odkupienie i zamknięcie rozdziału. Śmierć to jedyne zamknięcie rozdziału, w które wierzę; a dopóki drzwi ostatecznie się za nami nie zamkną, rana pozostanie otwarta. Co do odkupienia, jest zdecydowanie zbyt zgrabne, taki filmowy banał; a poza tym wydaje się czymś tak podniosłym, że ludzie są zbyt niedoskonali, by na nie zasłużyć, a co dopiero by się nim obdarowywać.

Zastanawiałem się, czy powinienem pocałować ją na pożegnanie. Kolejny filmowy banał. I, bez wątpienia, w tym filmie w odpowiedzi poruszyłaby się lekko, zmarszczone czoło by się wygładziło, szczęki by się rozluźniły. A wtedy ja odgarnąłbym jej włosy i szepnął do ucha o delikatnym obrąbku: „Żegnaj, Susan". Na co ona znów by się lekko poruszyła i posłała mi cień uśmiechu. Potem, nie wytarłszy z policzków łez, wstałbym powoli i odszedł.

Nic takiego się nie wydarzyło. Spojrzałem na jej profil i wróciłem myślami do niektórych momentów z mojej prywatnej taśmy filmowej. Susan w sukience do tenisa z zieloną lamówką wsuwa rakietę do praski; Susan uśmiecha się na pustej plaży; Susan, śmiejąc się, szarpie drążek zmiany biegów w austinie. Ale po kilku minutach moje myśli zaczęły błądzić. Nie potrafiłem skupić ich na miłości i stracie, na radości i smutku. Zorientowałem się, że myślę o tym, ile mam jeszcze benzyny i jak szybko znajdę jakąś stację; potem o tym, że sery obtoczone w popiele ostatnio słabo się sprzedają; a potem o tym, co będzie wieczorem w telewizji. Nie miałem z tego powodu poczucia winy; w istocie wydaje mi się, że chyba już dałem sobie z nim spokój. Ale wzywała mnie reszta życia, takiego, jakie jest i jakie będzie. Wstałem więc i spojrzałem na Susan ostatni raz, w oku nie pojawiła się łza. Wychodząc, zatrzymałem się przy recepcji i spytałem, gdzie może być najbliższa stacja benzynowa. Recepcjonista chętnie służył pomocą.